Juntos, nada más

Novela

Anna Gavalda
Juntos, nada más

Traducción de Isabel González-Gallarza

Seix Barral

Título original: *Ensemble, c'est tout*

© le dilettante, 2004
© por la traducción, Isabel González-Gallarza, 2004
    Derechos exclusivos de edición en español reservados para España
    y todos los países de lengua española:
© Editorial Seix Barral, S. A., 2004
    Avinguda Diagonal, 662, 6.ª planta. 08034 Barcelona (España)
    www.seix-barral.es

Diseño de la cubierta: Departamento de Diseño,
División Editorial del Grupo Planeta
Ilustración de la cubierta: Mujer descansando en la bañera.
    © Ericka McConell / Taxi / Getty Images
Fotografía de la autora: © le dilettante
Primera edición en Colección Booket: mayo de 2009
Segunda impresión: agosto de 2009
Tercera impresión: octubre de 2009
Cuarta impresión: diciembre de 2009
Quinta impresión: marzo de 2010
Sexta impresión: julio de 2010
Séptima impresión: septiembre de 2010

Depósito legal: B. 35.505-2010
ISBN: 978-84-322-1800-2
Composición: La Nueva Edimac, S. L.
Impresión y encuadernación: Litografía Rosés, S. A.
Printed in Spain - Impreso en España

Biografía

Anna Gavalda nació en 1970 en Boulogne-Billancourt (París).
En 1999 saltó a la fama con *Quisiera que alguien me
esperara en algún lugar* (Seix Barral, 2005), una colección de
relatos galardonada con el Grand Prix RTL-Lire. Su primera
novela, *La amaba* (2002; Seix Barral, 2003), cuya versión
cinematográfica dirigió Zabou Breitman, la consagró a nivel
internacional. Con *Juntos, nada más* (Seix Barral, 2004),
llevada al cine por Claude Berri, y *El consuelo* (Seix Barral,
2008) el fenómeno internacional ha seguido en aumento.
En 2009 publicó la novela *La sal de la vida* (Seix Barral, 2010).
Sus libros han vendido diez millones de ejemplares en todo el
mundo y han recibido la aclamación de la crítica. Vive cerca
de París.

Para Muguette
(1919-2003)
Cuerpo no reclamado

PRIMERA PARTE

1

Paulette Lestafier no estaba tan loca como decían. Claro que distinguía los días unos de otros, puesto que ya no tenía otra cosa que hacer más que contarlos, esperar a que llegaran y olvidarlos. Sabía muy bien que hoy era miércoles. ¡Y de hecho, ya estaba preparada! Se había puesto el abrigo, había cogido su cesta y sus cupones de descuento. Incluso había oído el coche de Yvonne, a lo lejos… Pero el caso es que su gato estaba delante de la puerta, tenía hambre, y fue al inclinarse para dejar su escudilla en el suelo cuando Paulette se cayó, golpeándose la cabeza contra el primer escalón.

Paulette Lestafier se caía a menudo, pero era un secreto. No podía hablar de ello con nadie.

«Con nadie, ¿me oyes?», se amenazaba a sí misma en silencio. «Ni con Yvonne, ni con el médico y mucho menos con el chico…»

Tenía que levantarse despacio, esperar a que los objetos recuperaran la normalidad, aplicarse Synthol en la zona dolorida, y esconder esos malditos moratones.

Los moratones de Paulette no eran nunca de color morado, sino más bien amarillos, verdes o violetas, y permanecían mucho tiempo en su cuerpo. Demasiado. A veces varios meses… Era difícil esconderlos. La gente le

11

preguntaba por qué iba siempre vestida como en pleno invierno, por qué llevaba medias y nunca se quitaba la rebeca.

El chico, sobre todo, la atormentaba con eso:

—Pero bueno, abuela, ¿qué es esto? ¡Quítate toda esa ropa, que te vas a morir de calor!

No, Paulette Lestafier no estaba loca en absoluto. Sabía que esos moratones enormes que nunca se borraban le iban a causar muchos problemas algún día...

Sabía cómo terminan las viejas inútiles como ella. Las que dejan que se les llene el huerto de malas hierbas y se agarran a los muebles para no caer. Las viejas que no consiguen enhebrar una aguja y que ni siquiera se acuerdan de cómo subir el volumen del televisor. Las que prueban con todos los botones del mando a distancia y terminan por desenchufar el aparato, llorando de rabia.

Lágrimas minúsculas y amargas.

Con la cabeza entre las manos, delante de una televisión muerta.

Bueno, ¿y ahora qué? ¿Se acabó? ¿Ya nunca habrá ruido en esta casa? ¿Ni voces? ¿Nunca más? ¿Sólo porque se te ha olvidado el color del botón? Y eso que el chico te puso pegatinas... ¡Te puso pegatinas en los botones del mando! ¡Una para los canales, otra para el volumen, y otra para el botón de encendido y apagado! ¡Vamos, Paulette! ¡Deja de llorar así y mira un poco las pegatinas!

Eh, dejad de gritarme... Hace tiempo que ya no están las pegatinas... Se despegaron casi enseguida... Hace meses que busco el botón, que no se oye ya nada, que sólo veo las imágenes con un murmullo de voces...

Que no me gritéis así os digo, encima me vais a dejar sorda...

12

—¿Paulette? Paulette, ¿está usted ahí?

Yvonne echaba pestes. Tenía frío, se cruzó el chal sobre el pecho, y volvió a echar pestes. No le gustaba la idea de llegar tarde al supermercado.

Eso sí que no.

Volvió suspirando hasta su coche, apagó el motor y cogió su gorro.

Paulette estaría seguramente en la otra punta del jardín. Paulette estaba siempre en la otra punta del jardín. Sentada en un banco junto a sus conejeras vacías. Permanecía allí horas y horas, de la mañana a la noche probablemente, erguida, inmóvil, paciente, con las manos en las rodillas y la mirada ausente.

Paulette hablaba sola, increpaba a los muertos y rezaba a los vivos.

Hablaba con las flores, con las lechugas, con los pajaritos y con su propia sombra. Paulette estaba perdiendo la cabeza y ya no distinguía los días unos de otros. Hoy era miércoles, y los miércoles tocaba ir a la compra. Yvonne, que pasaba a recogerla todas las semanas desde hacía más de diez años, levantó el cerrojo de la verja, gimiendo: «Qué desgracia Dios mío, pero qué desgracia…»

Qué desgracia envejecer, qué desgracia estar tan sola, y

qué desgracia llegar tarde al súper y que ya no haya carritos junto a las cajas…

Pero no. El jardín estaba vacío.

La bruja estaba empezando a preocuparse. Fue a la parte trasera de la casa y colocó las manos en forma de visera sobre el cristal de la ventana para informarse sobre aquel silencio.

«¡Jesús!», exclamó al descubrir el cuerpo de su amiga tendido en el suelo de la cocina.

Con el susto, la buena mujer se santiguó de cualquier manera, confundió al Hijo con el Espíritu Santo, blasfemó un poco también y fue a buscar una herramienta en el cobertizo. Con un escardillo rompió el cristal, y con un tremendo esfuerzo consiguió auparse hasta el alféizar de la ventana.

Atravesó la habitación con dificultad, se arrodilló y levantó el rostro de la anciana bañado en el charco rosa donde la leche y la sangre ya se habían mezclado.

—¡Eh! ¡Paulette! ¿Está usted muerta? ¿Está muerta?

El gato lamía el suelo ronroneando, sin importarle un pimiento la tragedia, las conveniencias y los añicos de cristal desperdigados a su alrededor.

A Yvonne no le hacía mucha gracia, pero los bomberos le pidieron que subiera al camión con ellos para resolver los problemas administrativos y las condiciones de ingreso en urgencias:

—¿Conoce a esta mujer?

Yvonne se ofuscó:

—¡Y tanto que la conozco! ¡Íbamos juntas al colegio!

—Entonces suba.

—¿Y mi coche?

—¡Nadie se lo va a llevar! Luego la traemos de vuelta…

—Bueno… —dijo Yvonne resignada—, ya iré a la compra esta tarde…

Se estaba muy incómodo ahí dentro. Le señalaron un taburete minúsculo al lado de la camilla en el que se acomodó a duras penas. Yvonne agarraba con fuerza su bolso, y a punto estaba de caerse en cada curva.

Había un joven con ella. Gritaba porque no encontraba la vena en el brazo de la enferma, y a Yvonne no le gustaban nada esos modales:

—No grite de esa manera —rezongaba—, no grite de esa manera… Y además, ¿se puede saber qué quiere hacer con ella?

—Ponerle un gotero.

—¿Un qué?

La mirada del chico le hizo comprender que era mejor

callarse y prosiguió su pequeño monólogo para el cuello de su camisa: «Habrase visto cómo le machaca el brazo, pero habrase visto… Qué desgracia… Prefiero no verlo… Santa María, ruega por… ¡Oiga! ¡Que le está haciendo daño!»

El chico estaba de pie, ajustando una ruedecita en el tubo. Yvonne contaba las burbujas y rezaba de cualquier manera. El sonido de la sirena no la dejaba concentrarse.

Había apoyado en su rodilla la mano de su amiga y la alisaba como si fuera el bajo de su falda, mecánicamente. La pena y el susto no le permitían mostrar más ternura…

Yvonne Carminot suspiraba, miraba esas arrugas, esos callos, esas manchas oscuras aquí y allá, esas uñas aún finas, pero duras, sucias y agrietadas. Apoyó su propia mano al lado y las comparó. Desde luego, ella era más joven y más regordeta también, pero sobre todo, había tenido menos disgustos en la vida. Había trabajado menos y recibido más caricias… Hacía ya tiempo que ella no se deslomaba en el huerto… Su marido seguía con las patatas, pero para lo demás estaba mucho mejor el súper. Las verduras estaban limpias, y no tenía que andar rebuscando en el corazón de las lechugas para sacar babosas… Y además ella tenía a su gente: su Gilbert, su Nathalie, y sus nietas a las que mimar… Mientras que a Paulette, ¿qué le quedaba? Nada. Nada bueno. Un marido muerto, una hija que era una perdida, y un nieto que nunca venía a verla. Nada más que preocupaciones, nada más que recuerdos como un rosario de desgracias…

Yvonne Carminot estaba pensativa: ¿de modo que era eso, una vida? ¿Tan poco pesaba? ¿Tan ingrata era? Y sin embargo, Paulette… ¡Qué mujer más guapa había sido!

16

¡Y qué buena! Qué radiante era antaño… Y entonces, ¿dónde había ido a parar todo aquello?

En ese momento, los labios de la anciana empezaron a moverse. En un segundo, Yvonne se sacudió de encima toda esa filosofía que le estorbaba:

—Paulette, soy Yvonne. No pasa nada, Paulette mía… Había venido para ir a la compra y…

—¿Estoy muerta? ¿Estoy ya muerta? —murmuró.

—¡Pero claro que no, Paulette! ¡Claro que no! ¡Claro que no está usted muerta, mujer!

—Ah —dijo la anciana, cerrando los ojos—, ah…

Ese «ah» era horroroso. Una sola sílaba decepcionada, desalentada, y resignada ya.

Ah, no estoy muerta… Ah, vaya… Ah, pues qué se le va a hacer… Ah, disculpe…

Yvonne no lo veía así:

—¡Vamos! ¡Hay que vivir, Paulette! ¡Hay que vivir, caramba!

La anciana movió la cabeza de derecha a izquierda. Casi imperceptiblemente y muy despacio. Minúscula pena triste y terca. Minúscula rebelión.

La primera tal vez…

Y luego, silencio. Yvonne ya no sabía qué decir. Se sonó la nariz y volvió a tomar la mano de su amiga, con más delicadeza esta vez.

—Me van a meter en un asilo, ¿verdad?

Yvonne dio un respingo:

—¡Que no, mujer, no la van a meter en un asilo! ¡No, mujer! ¿Y por qué dice usted eso? ¡La van a curar y listo! ¡En unos días estará en su casa!

—No. Sé muy bien que no…

—¡Anda, vaya unas cosas se le ocurren! ¿Y eso por qué, vamos a ver?

El bombero le hizo un gesto con la mano para pedirle que no hablara tan alto.

—¿Y mi gato?

—Ya me ocuparé yo de su gato… No se apure.

—¿Y mi Franck?

—Ya lo vamos a llamar, a su chico, enseguida lo llamamos. Yo me encargo.

—No encuentro su número. Lo he perdido…

—¡Ya lo encontraré yo!

—Pero no hay que molestarlo, ¿eh?… Trabaja mucho, ¿sabe?

—Sí, Paulette, ya lo sé. Le dejaré un mensaje. Ya sabe cómo son esas cosas hoy en día… Los chicos tienen todos móvil… Ya no se les molesta…

—Le dirá usted que… que me… que…

La anciana se ahogaba.

Cuando el vehículo acometió la cuesta del hospital, Paulette Lestafier murmuró llorando: «Mi huerto… Mi casa… Llévenme a mi casa por favor…»

Yvonne y el joven camillero ya se habían puesto de pie.

—¿Cuándo fue la última vez que tuvo la regla?

Estaba ya detrás del biombo, peleándose con las perneras de su pantalón vaquero. Suspiró. Sabía que le iba a hacer esa pregunta. Lo sabía. Y eso que se había preparado una treta… Se había recogido el pelo con una horquilla de plata muy pesada, y se había subido al dichoso peso cerrando los puños y tensando el cuerpo lo más posible. Incluso había dado algún saltito para mover la aguja… Pero nada, no había sido suficiente, y ahora tendría que tragarse el sermón del médico…

Ya lo había visto antes en su manera de arquear la ceja al palparle el abdomen. Sus costillas, sus caderas demasiado prominentes, sus ridículos pechos y sus muslos descarnados, todo eso lo contrariaba.

Terminó de abrocharse el cinturón tranquilamente. Esta vez no tenía nada que temer. Estaba en el médico del trabajo, no en el del colegio. Un trámite sin más, y fuera.

—¿Y bien?

Ahora estaba sentada frente a él, sonriéndole.

Era su arma mortífera, su estrategia secreta, su pequeño truco. Sonreír a un interlocutor que te pone nerviosa, todavía no se ha inventado nada mejor para escaquearse de algo. Desgraciadamente, el muy granuja había ido a la

misma escuela... Apoyó los codos sobre la mesa, entre-
cruzó los dedos de las manos, y sobre todo puso una sonrisa que te desarmaba. No le quedaba otra con la que
contestar. De hecho, tendría que habérselo imaginado,
era guapo, y ella no había podido evitar cerrar los ojos
cuando le tocó el abdomen...

—¿Y bien? Sin mentiras, ¿eh? Si no, prefiero que no
me conteste.

—Hace tiempo...

—Por supuesto —dijo él con una mueca—, por supuesto... Cuarenta y ocho kilos y un metro setenta y tres,
a este paso pronto adiós perfil...

—¿Cómo que adiós perfil? —preguntó ella ingenua-
mente.

—Pues... que si se pone usted de perfil ya no se la va a
ver...

—¡Ah! ¡De perfil! Perdone, no conocía esa expresión...

Parecía a punto de contestar algo, pero luego no. Se
inclinó para coger una receta, suspirando, antes de volver
a mirarla a los ojos:

—¿No se alimenta?

—¡Pues claro que me alimento!

Un gran cansancio la invadió de pronto. Estaba hasta
las narices de toda esa palabrería sobre su peso, ya había
tenido bastante. Llevaban casi veintisiete años dándole la
tabarra con eso. ¿Es que no se podía hablar de otra cosa?
¡Estaba ahí, joder! Estaba viva. Vivita y coleando. Tan ac-
tiva como las demás. Tan alegre, tan triste, tan valiente,
tan sensible y tan desalentadora como cualquier otra chica. ¡Había alguien ahí dentro! Había alguien...

¿Por favor, es que no podían hablarle de otra cosa de
una vez?

—¿Estará de acuerdo conmigo, verdad? Cuarenta y ocho kilos, no es mucho que digamos…

—Sí —asintió ella, vencida—, sí… Estoy de acuerdo con usted… Hacía tiempo que no había llegado tan bajo… Yo…

—¿Usted qué?

—No, nada.

—Dígame.

—He… He vivido momentos mejores, creo…

El médico no reaccionaba.

—¿Me va a hacer el certificado?

—Sí, sí, se lo voy a hacer —contestó, saliendo de su ensimismamiento—. Esto… ¿Qué empresa era?

—¿Cuál?

—Esta en la que estamos, o sea, la suya…

—Todoclean.

—¿Disculpe?

—Todoclean.

—T mayúscula, o-d-o-c-l-i-n —deletreó el médico.

—No, c-l-e-a-n —rectificó ella—. Ya lo sé, no es muy lógico que digamos, mejor hubiera sido «Todolimpio», pero me imagino que les gustaba un toque yanqui, ¿ve usted?… Suena más profesional, más… *wonderful dream team*…

El médico no caía.

—¿En qué consiste exactamente?

—¿Perdón?

—La empresa, digo.

Se reclinó sobre el respaldo, extendiendo los brazos hacia delante para estirarse, y con una voz como de azafata expuso, con total seriedad, los pormenores de sus nuevas funciones:

—*Todoclean, señoras y señores, responde a todas sus exigencias en materia de limpieza. Particulares, profesiona-*

les, oficinas, sindicatos, gabinetes, agencias, hospitales, viviendas, edificios o talleres, Todoclean está aquí para su satisfacción. Todoclean ordena, Todoclean limpia, Todoclean barre, Todoclean aspira, Todoclean encera, Todoclean restriega, Todoclean desinfecta, Todoclean saca brillo, Todoclean embellece, Todoclean higieniza y Todoclean desodoriza. Horario a su gusto. Flexibilidad. Discreción. Trabajo cuidado y tarifas ajustadas. ¡Todoclean, profesionales a su servicio!

Soltó ese admirable discurso de una vez y sin respirar. El doctorcito se quedó pasmado.

—¿Es una broma?

—Pues claro que no. De hecho, enseguida verá al resto del *dream team*, está al otro lado de la puerta...

—¿Y usted qué hace exactamente?

—Se lo acabo de decir.

—No, digo usted... ¡Usted en particular!

—¿Yo? Pues ordeno, limpio, barro, aspiro, encero y todo lo demás.

—¿Es usted limpiad...?

—Eh, eh, eh, cuidadín... Técnico de higiene, prefiero llamarlo...

El doctorcito no sabía ni por dónde le daba el aire.

—¿Por qué hace esto?

Ella lo miró sin comprender.

—Sí, o sea, yo me entiendo, ¿por qué «esto»? ¿Por qué no otra cosa?

—¿Y por qué no podría hacer esto?

—No le apetece ejercer una actividad más... más...

—¿Gratificante?

—Sí.

—No.

El médico permaneció así un rato, con el lápiz en el

aire y la boca entreabierta, y luego consultó su reloj para leer la fecha y le preguntó sin levantar la cabeza:

—¿Apellido?

—Fauque.

—¿Nombre?

—Camille.

—¿Fecha de nacimiento?

—17 de febrero de 1977.

—Tenga, señorita Fauque, es usted apta para trabajar...

—Fantástico. ¿Qué le debo?

—Nada, paga... paga Todoclean.

—¡Aaaaah, Todoclean! —repitió ella, poniéndose de pie con un gran gesto teatral—, soy apta para limpiar retretes, es maravilloso...

La acompañó hasta la puerta.

Ya no sonreía, y había vuelto a ponerse la máscara de mandamás concienzudo.

Al mismo tiempo que giraba el picaporte, le tendió la mano:

—¿Unos kilitos nada más? Vamos, hágalo por mí...

Camille negó con la cabeza. Con ella ya no funcionaban esos trucos. Los chantajes y los buenos sentimientos, ya no más, gracias, había tenido bastante.

—Veremos qué se puede hacer —dijo—. Veremos...

Samia entró después de ella.

Camille bajó los escalones del camión palpándose la chaqueta en busca de un cigarro. La gorda de Mamadou y Carine estaban sentadas en un banco hablando de la gente que pasaba, y refunfuñando porque querían volver a casa.

—¿Qué pasa? —preguntó riendo Mamadou—. ¿Qué estabas haciendo ahí dentro? ¡Que tengo que coger el tren! ¿Te ha echado mal de ojo, o qué?

Camille se sentó en el suelo y le sonrió. Otro tipo de sonrisa. Una sonrisa transparente esta vez. Con su Mamadou no se hacía la lista, era demasiado inteligente...

—¿Es majo? —preguntó Carine escupiendo un trozo de uña.

—Majísimo.

—¡Ah, ya lo sabía yo! —exclamó Mamadou, radiante—. ¡Ya me lo imaginaba yo! ¡A que os lo he dicho a ti y a Sylvie, ¿eh?, a que os lo he dicho que estaba desnuda ahí dentro!

—Te va a obligar a pesarte...

—¿A quién? ¿A mí? —gritó Mamadou—. ¡Pues si se cree que me voy a pesar yo, va listo!

Mamadou debía de pesar unos cien kilos como mínimo. Dándose palmetazos en los muslos, exclamaba:

—¡Jamás de los jamases! ¡Si me subo a ese peso, lo espachurro, y al médico también de paso! ¿Y qué más?

—Te va a poner inyecciones —soltó Carine.

—¿Inyecciones de qué, a ver?

—Que no, mujer, que no —la tranquilizó Camille—, sólo te va a escuchar el corazón y los pulmones...

—Ah, eso vale.

—También te va a tocar la tripa...

—Pero bueno —rezongó—, pero bueno, pues sólo faltaba. Si me toca la tripa, me lo como enterito... Los doctorcitos blancos están para chuparse los dedos...

Exageraba su acento y se frotaba la tripa.

—Sí, sí, están bien ricos... Me lo han dicho mis antepasados. Con mandioca y crestas de gallo... Mmm...

—¿Y a la Bredart qué le va a hacer?

La Bredart, Josy Bredart, era la bruja, la mala pécora, la pesada de turno y el chivo expiatorio de todas ellas. Dicho sea de paso, era también su jefa. Su «Jefa principal de sección» como indicaba claramente la chapita prendida en su uniforme. La Bredart les amargaba la vida, dentro de los límites impuestos por los medios de que disponía, cierto, pero así y todo era relativamente pesada…

—A ella, nada. Cuando la huela, le pedirá que se vuelva a vestir echando leches.

Carine tenía razón. Josy Bredart, además de todas las virtudes expuestas más arriba, sudaba de lo lindo.

Después le tocó a Carine, y Mamadou sacó de su capacho un fajo de papeles que dejó en las rodillas de Camille. Ésta le había prometido que les echaría una ojeada, e intentó descifrar todo aquello:

—¿Esto qué es?

—¡Pues lo de los subsidios familiares!

—Ya, pero te digo que qué son todos estos nombres.

—¡Pues mi familia, qué va a ser!

—¿Tu familia? ¿Cuál?

—¿Cómo que cuál, cómo que cuál? ¡Pues la mía! ¡A ver si pensamos un poquito, Camille!

—¿Todos estos nombres son de tu familia?

—Todos —asintió Mamadou, orgullosa.

—¿Pero cuántos hijos tienes?

—Míos tengo cinco, y de mi hermano, cuatro…

—¿Pero por qué están todos aquí?

—¿Aquí, dónde?

—Pues… en este papel.

—Así es más práctico porque mi hermano y mi cuñada viven en nuestra casa y tenemos el mismo buzón, de modo que…

—No, pero no puede ser… Dicen que no puede ser… Que no puedes tener nueve hijos…

25

—Anda, ¿y por qué no voy a poder? —se indignó Mamadou—. ¡Pues mi madre tiene doce!

—Espera, Mamadou, no te alteres, yo sólo te digo lo que pone aquí. Te piden que aclares la situación y que te presentes con tu libro de familia.

—¿Y eso para qué?

—Pues supongo que porque esta historia vuestra no debe de ser legal… No creo que tu hermano y tú podáis reunir a todos vuestros hijos en una misma declaración…

—¡Sí pero es que mi hermano no tiene nada!

—¿Trabaja?

—¡Claro que trabaja! ¡En las autopistas!

—¿Y tu cuñada?

Mamadou arrugó la nariz:

—¡Ésa sí que no hace nada! Nada de nada, te digo. ¡Ésa no se mueve, la muy gruñona, ésa nunca se molesta en mover su culazo!

Camille sonreía para sus adentros, sin llegar a imaginarse del todo qué podía ser un «culazo» para Mamadou…

—¿Y ellos tienen papeles?

—¡Pues claro!

—Pues entonces pueden hacer una declaración por su cuenta…

—Pero mi cuñada no quiere ir a la oficina de los subsidios, y mi hermano trabaja de noche, y entonces duerme de día, así que ya ves…

—Ya veo, sí. Pero en este momento, ¿para cuántos hijos recibes subsidio?

—Para cuatro.

—¿Para cuatro?

—Sí, es lo que te estoy diciendo desde el principio, ¡pero tú eres como todos los blancos, siempre tienes razón y nunca escuchas!

Camille soltó un suspirito irritado.

—El problema que te quería decir es que se han olvidado de mi Sissi…

—¿Qué número hace Misissi?

—¡No es ningún número, tonta! —se alteraba Mamadou—, ¡es mi benjamina! La pequeña Sissi…

—¡Ah! ¡Sissi!

—Eso.

—¿Y ella por qué no figura aquí?

—Oye, Camille, ¿lo haces aposta, o qué? ¡Es lo que te estoy preguntando desde hace un buen rato!

Camille ya no sabía qué decir…

—Lo mejor sería ir a la oficina esta con tu hermano o tu cuñada y todos vuestros papeles y explicarle todo a la señora…

—¿Por qué dices «la señora»? ¿Qué señora?

—¡Pues la que sea! —gritó Camille.

—Ah, bueno, vale, no te pongas nerviosa. No, si yo te lo preguntaba porque creía que la conocías…

—Mamadou, yo no conozco a nadie en esa oficina. No he ido en mi vida, ¿entiendes?

Le devolvió todo su lío de papelajos, había incluso anuncios, fotos de coches y facturas de teléfono.

La oyó refunfuñar: «Me dice la señora entonces le pregunto qué señora, es normal porque también habrá señores, digo yo, entonces, si nunca ha ido como dice, ¿cómo lo puede saber, cómo puede saber que no hay más que señoras? También habrá señores, digo yo… ¿Es una sabelotodo, o qué?»

—¿Qué pasa? ¿Estás de morros?

—No, no estoy de morros. Dices que me vas a ayudar, y luego no me ayudas. ¡Y hala! ¡Te quedas tan pancha!

—Iré con vosotros.

—¿A la oficina esa?

—Sí.

—¿Hablarás con la señora?

—Sí.

—¿Y si no es ella?

A Camille se le pasó por la cabeza perder un poco la calma, pero justo entonces volvió Samia:

—Te toca, Mamadou... Toma —dijo, volviéndose hacia Camille—, es el teléfono del matasanos...

—¿Para qué?

—¿Para qué? ¿Para qué? ¡Y a mí qué me cuentas! ¡Para jugar a los médicos, para qué va a ser! Me ha pedido que te lo diera...

Había apuntado su número de móvil en una receta, y había añadido: «Le receto una buena cena, llámeme.»

Camille Fauque arrugó el papel y lo tiró a la cuneta.

—¿Quieres que te diga una cosa? —añadió Mamadou levantándose pesadamente y señalándola con el dedo índice—, si me arreglas lo de mi Sissi, le pediré a mi hermano que te haga venir al ser querido...

—Yo pensaba que tu hermano se ocupaba de las autopistas.

—De las autopistas, de echar mal de ojo y de quitarlo.

Camille tuvo un gesto de impaciencia.

—¿Y a mí? —intervino Samia—. ¿A mí también me puede encontrar un tío?

Mamadou pasó por delante de ella, amagando un zarpazo delante de su cara:

—¡Tú, maldita, primero me devuelves mi cubo, y luego ya veremos!

—¡Joder, qué pesada estás con eso! ¡Que no tengo tu cubo, que es el mío! ¡El tuyo era rojo!

—Maldita —dijo la otra entre dientes—, mal-di-ta…

No había terminado de subir los escalones cuando ya el camión se tambaleaba. Ánimo, doctorcito, sonreía Camille recuperando su bolso. Ánimo…

—¿Nos vamos?
—Voy.
—¿Tú qué haces? ¿Te coges el metro con nosotras?
—No. Me vuelvo andando.
—Ah, es verdad que tú vives en un barrio pijo…
—Sí, lo que tú digas…
—Hala, hasta mañana…
—Adiós, chicas.

Camille estaba invitada a cenar a casa de Pierre y Mathilde. Les llamó para cancelar la cita y tuvo la suerte de dar con su contestador.

La ligerísima Camille Fauque se alejó pues. Lo único que la retenía al suelo era el peso de su mochila y aquél, más difícil de expresar, de los pedruscos y los guijarros que se amontonaban en el interior de su cuerpo. Eso es lo que tendría que haberle contado antes al médico del trabajo. Si hubiera tenido ganas de hacerlo… ¿O fuerzas? ¿O tiempo tal vez? Seguramente tiempo, se tranquilizaba a sí misma Camille, sin creérselo demasiado. El tiempo era una noción que ya no llegaba a entender. Habían pasado demasiadas semanas y demasiados meses sin que ella participara de ese tiempo en modo alguno, y su discursito de antes, ese monólogo absurdo en el que intentaba persuadirse de que era tan valiente como cualquiera no era sino una mentira pura y dura.

¿Qué palabra era la que había empleado? «Viva», ¿no? Era ridículo, Camille Fauque no estaba viva.

Camille Fauque era un fantasma que trabajaba de noche y de día amontonaba pedruscos. Se desplazaba despacio, hablaba poco y se zafaba con delicadeza.

Camille Fauque era una mujer siempre de espaldas, frágil e inasible.

Uno no debía fiarse de la escena anterior, en apariencia tan ligera. Tan fácil. Tan sencilla. Camille Fauque mentía. Se contentaba con dar el pego, hacía un esfuerzo y respondía «presente» para pasar desapercibida.

Sin embargo volvía a pensar en ese médico… Le traía sin cuidado su número de teléfono, pero pensaba que tal vez había dejado pasar su oportunidad… Ese chico parecía paciente, y más atento que los demás… Tal vez debería haber… En un momento dado había estado a punto… Estaba cansada, ella también debería haber apoyado los codos en la mesa, y haberle contado la verdad. Decirle que si ya no comía, o apenas nada, era porque las piedras ocupaban todo el espacio en su estómago. Que cada día se levantaba con la sensación de masticar grava, que aún no había abierto los ojos y ya se estaba ahogando. Que el mundo que la rodeaba ya no tenía la más mínima importancia y que cada nuevo día era como un peso que le era imposible levantar. Entonces, lloraba. No porque estuviera triste, sino para poder tragar todo aquello. Las lágrimas, que no eran sino líquido al fin y al cabo, la ayudaban a digerir su montón de piedras y le permitían volver a respirar.

¿La habría escuchado acaso? ¿La habría comprendido? Por supuesto. Y por esa razón se había callado.

No quería terminar como su madre. Se negaba a tirar del hilo. Si empezaba a hacerlo, no sabía adónde la llevaría ese gesto. Lejos, demasiado lejos, a algún lugar demasiado hondo, y demasiado oscuro. Por el momento, no tenía ganas de mirar atrás.

De dar el pego, sí, pero no de mirar atrás.

Entró en el supermercado de debajo de su casa y se obligó a comprar algo de comer. Lo hizo en honor a la amabilidad de ese joven médico y a la risa de Mamadou. La risa enorme de esa mujer, la birria de trabajo en Todoclean, la Bredart, las historias increíbles de Carine, las broncas, los cigarros compartidos, el cansancio físico, la risa floja que les entraba por cualquier estupidez, y el mal humor de algunos días, todo eso la ayudaba a vivir. La ayudaba a vivir, sí.

Se paseó varias veces delante de los estantes del supermercado antes de decidirse, y por fin compró unos plátanos, cuatro yogures y dos botellas de agua.

Vio al tipo raro de su edificio. Ese chico alto y extraño, con sus gafas remendadas con esparadrapo, sus pantalones rabicortos, y sus modales como de otra galaxia. En cuanto cogía un producto, lo dejaba inmediatamente, se alejaba unos pasos, luego se arrepentía, lo volvía a coger, sacudía la cabeza, y terminaba por abandonar precipitadamente la cola ante la caja justo cuando le tocaba pagar para ir a dejar el producto en su lugar. Una vez incluso, Camille lo había visto salir del supermercado y volver a entrar para comprar el bote de mayonesa que se había negado tan sólo un instante antes. Era un extraño payaso triste, el hazmerreír de todo el barrio, tartamudeaba ante las cajeras y hacía que a ella se le encogiera el corazón.

A veces se cruzaba con él en la calle o delante de la puerta de su casa y entonces todo eran complicaciones, emociones y motivos de angustia. Una vez más ahí estaba, gimiendo delante del telefonillo.

—¿Algún problema? —le preguntó Camille.

—¡Ah! ¡Oh! ¡Esto…! ¡Disculpe! —Se retorcía las manos—. Buenas noches, señorita, discúlpeme si… si la molesto, porque… la molesto, ¿verdad?

Era horrible. Camille nunca sabía si debía reírse o sentir lástima. Esa timidez enfermiza, su forma de hablar tan alambicada, las palabras que empleaba, y esos gestos tan exagerados la incomodaban tremendamente.

—¡No, no, en absoluto! ¿Se le ha olvidado el código?

—Diantre, no. O sea, no que yo sepa… O sea, no… no había considerado la cuestión desde ese ángulo… Dios santo, yo…

—¿Lo han cambiado acaso?

—¿De verdad lo cree usted? —le preguntó, como si acabara de anunciarle el fin del mundo.

—Pues ahora lo veremos… 342B7…

Se oyó el clic metálico de la puerta.

—Oh, me siento confuso… Me siento tan confuso… Yo… Pero si es lo que yo había marcado… No lo entiendo…

—No importa —le dijo Camille, haciendo fuerza sobre la puerta.

Él hizo un gesto brusco para empujar la puerta y, queriendo pasar el brazo por encima de ella, erró en la puntería y le dio un golpetazo en la coronilla.

—¡Virgen santa! No le habré hecho daño, espero. Pero qué torpe soy, verdaderamente, le ruego que me disculpe… Yo…

—No importa —repitió Camille por tercera vez.

Él no se movía.

—Esto… —le suplicó por fin Camille—, ¿le importa quitar el pie? Es que me está aplastando el tobillo, y me está haciendo un daño espantoso…

Camille se reía. Era una risa nerviosa.

Una vez en el vestíbulo, se precipitó hacia la puerta acristalada para franquearle el paso:

—Desgraciadamente, yo no subo por ahí —le dijo Camille afligida, señalándole el fondo del patio interior.

—¿Vive usted en el patio?

—Pues… no exactamente… Debajo del tejado, más bien…

—¡Ah! Perfecto. —Tiraba del asa de su cartera, que se había quedado enganchada en el picaporte de latón—. Debe… debe de ser muy agradable…

—Pues… sí —contestó ella con una mueca, alejándose rápidamente—, es una forma de verlo…

—Buenas noches, señorita —le gritó—, y… ¡muchos recuerdos a sus padres!

A sus padres… A ese tío se le iba la olla… Camille recordaba que una noche, puesto que ella siempre regresaba a casa en plena noche, lo había sorprendido en el vestíbulo, en pijama, calzado con botas de caza, con un paquete de croquetas en la mano. Parecía muy nervioso, y le preguntó si no había visto a un gato por ahí. Camille le contestó que no, y dio unos pasos con él por el patio, en busca del animal perdido. «¿Cómo es?», le preguntó. «Desgraciadamente, lo ignoro…» «¿No sabe cómo es su gato?» Él se quedó muy quieto: «¿Y por qué habría de saberlo? ¡Si yo nunca he tenido gato!» Camille estaba agotada y lo dejó ahí plantado, sacudiendo la cabeza. Decididamente, ese tío era demasiado flipante.

«Un barrio pijo…» Camille volvía a pensar en la frase de Carine mientras subía el primer peldaño de los ciento setenta y dos que la separaban de su cuchitril. Un barrio pijo, sí, claro… Camille vivía en el séptimo piso de la escalera de servicio de un edificio elegante que daba al Campo de Marte y, en ese sentido, sí, se podía decir que vivía en un barrio elegante, pues subiéndose a un taburete, e inclinándose peligrosamente hacia la derecha, se podía ver, es cierto, lo alto de la Torre Eiffel. Pero por lo demás, bonita mía, por lo demás no era muy chic que digamos...

Camille se agarraba a la barandilla, escupiendo los pulmones por la boca y arrastrando tras ella sus botellas de agua. Intentaba no detenerse. Jamás. En ningún piso. Una noche lo hizo, y ya no pudo volver a levantarse. Se sentó en el cuarto, y se quedó dormida, con la cabeza apoyada en las rodillas. El despertar fue horrible. Estaba congelada y tardó varios segundos en comprender dónde se encontraba.

Por temor a una tormenta había cerrado la claraboya antes de marcharse y suspiró al imaginarse el calor que haría ahí arriba... Cuando llovía, se mojaba, cuando hacía bueno como hoy, se asaba, y en invierno, se moría de frío. Camille se sabía de memoria esas condiciones climáticas pues ya llevaba viviendo allí más de un año. No se quejaba, ese cuchitril había sido inesperado, y todavía recordaba la expresión incómoda de Pierre Kessler el día en que empujó la puerta de ese trastero delante de ella, tendiéndole la llave.

Era un lugar minúsculo, sucio, lleno de trastos y providencial.

Cuando la recogió una semana antes delante de la puerta de su casa, hambrienta, huraña y callada, Camille Fauque acababa de pasar varias noches durmiendo en la calle.

Al principio se asustó al ver esa sombra delante de su casa:

—¿Pierre?

—¿Quién anda ahí?

—Pierre... —gimió una voz.

—¿Quién es?

Encendió el interruptor y su miedo se hizo aún mayor:

—¿Camille? ¿Eres tú?

—Pierre —sollozó Camille empujando ante ella una maletita—, tiene que guardarme esto… Es mi material, ¿comprende?, y me lo van a robar… Me lo van a robar todo… Todo, todo… No quiero que se lleven mis bártulos porque si no me muero… ¿Comprende? Me muero…

Pierre creyó que estaba delirando:

—¡Camille! ¿Pero de qué estás hablando? ¿Y de dónde vienes? ¡Entra!

Mathilde apareció detrás de él, y la chica se desmayó sobre el felpudo.

La desnudaron y la acostaron en la habitación del fondo. Pierre Kessler acercó una silla a la cama y se quedó mirando a Camille, asustado.

—¿Está dormida?

—Creo que sí…

—¿Qué ha pasado?

—No tengo ni idea.

—¡Pero mira en qué estado está!

—Shhh…

Se despertó en mitad de la noche del día siguiente y se preparó un baño, sin hacer ruido, para no despertarlos. Pierre y Mathilde, que no estaban dormidos, pensaron que era mejor dejarla tranquila. Estuvo así con ellos varios días, le dejaron una copia de las llaves, y no le hicieron ninguna pregunta. Ese hombre y esa mujer eran una bendición.

Cuando le propuso instalarla en una buhardilla que había conservado en el edificio de sus padres, tras la muerte de éstos, Pierre sacó de debajo de su cama la maletita escocesa que la había llevado hasta ellos:

—Toma —le dijo.

Camille negó con la cabeza:

—Prefiero dejarla a…

—Ni hablar —la interrumpió secamente—, te la llevas contigo. ¡En nuestra casa no pinta nada!

Mathilde la acompañó a unos grandes almacenes, la ayudó a elegir una lámpara, un colchón, sábanas y toallas, unas cuantas sartenes, una parrilla eléctrica y una minúscula neverita.

—¿Tienes dinero? —le preguntó, antes de dejarla marchar.

—Sí.

—¿Estás bien, bonita?

—Sí —repitió Camille, aguantándose las ganas de llorar.

—¿Te quieres quedar con nuestras llaves?

—No, no, estaré bien. Qué… qué puedo decir… qué…

Camille lloraba.

—No digas nada.

—¿Gracias?

—Sí —dijo Mathilde, abrazándola—, gracias está muy bien.

Fueron a verla unos días más tarde.

Los siete pisos los dejaron agotados y se dejaron caer sobre el colchón.

Pierre se reía, decía que todo eso le recordaba su juventud, y cantaba «La bohèèè-mee». Bebieron champán en vasitos de plástico y Mathilde sacó de una gran bolsa un montón de viandas maravillosas. Con la ayuda del champán, y de su carácter bondadoso, se atrevieron a hacerle unas cuantas preguntas. Camille contestó a algunas, y no insistieron más.

Cuando estaban a punto de irse, y Mathilde ya había bajado unos cuantos escalones, Pierre Kessler se dio la vuelta y la cogió de las muñecas:

—Tienes que trabajar, Camille... Ahora debes trabajar...

Ella bajó la mirada:

—Tengo la sensación de haber trabajado mucho estos últimos tiempos... Mucho, mucho...

Pierre aumentó la presión sobre sus muñecas, hasta casi hacerle daño.

—¡Eso no era trabajo, y lo sabes muy bien!

Camille levantó la cabeza y sostuvo su mirada:

—¿Por eso me ha ayudado? ¿Para decirme esto?

—No.

Camille temblaba.

—No —repitió él, liberándola—, no. No digas tonterías. Sabes muy bien que siempre te hemos considerado como nuestra propia hija...

—¿Pródiga o prodigio?

Pierre le sonrió y añadió:

—Trabaja. De todas maneras, no tienes más remedio...

Camille cerró la puerta, guardó la comida, y en el fondo de la bolsa encontró un gran catálogo de Sennelier, la tienda de material de dibujo. *Tu cuenta sigue abierta...* le recordaba un Post-it. No tuvo el valor de hojearlo, y se bebió a morro lo que quedaba del champán.

Le había obedecido. Estaba trabajando.

Actualmente limpiaba la mierda de los demás, lo cual la satisfacía plenamente.

En efecto, hacía un calor horrible allí arriba... Super-Josy les había advertido el día anterior: «No os quejéis, chicas, estamos viviendo los últimos días de sol, ¡después llegará el invierno y nos pelaremos de frío! Así que nada de quejarse, ¿eh?»

Por una vez tenía razón. El mes de septiembre llegaba a su fin, y los días eran sensiblemente más cortos. Camille pensó que ese año tendría que organizarse de otra manera, acostarse antes y levantarse por la tarde para ver el sol. Ese tipo de pensamiento la sorprendió a ella misma y con una cierta despreocupación pulsó la tecla de su contestador:

«Soy mamá. Bueno... —rió amargamente la voz—, no sé si sabes de quién te hablo... Mamá, ¿te dice algo esa palabra? Es la que emplean los niños buenos para dirigirse a quien los trae al mundo, creo... Porque tienes una madre, Camille, ¿te acuerdas? Disculpa que te lo recuerde, pero como es el tercer mensaje que te dejo desde el martes... Sólo quería saber si seguía en pie lo de comer jun...»

Camille la interrumpió y guardó en la nevera el yogur que acababa de empezar. Se sentó con las piernas cruzadas, cogió el tabaco, y se esforzó por liarse un cigarrillo. Sus manos la traicionaban. Necesitó varios intentos para enrollar el papel sin romperlo. Se concentraba en sus gestos como si no hubiera nada más importante en el mundo y se mordía los labios hasta hacerse sangre. Era demasiado injusto. Era demasiado injusto pasarlas así de canutas por una puta hojita de papel cuando acababa de vivir un día casi normal. Había hablado, escuchado, reído, *sociabilizado* incluso. Había coqueteado con ese médico y le había hecho una promesa a Mamadou. Parecía una tontería, y sin embargo... Hacía mucho tiempo que no prometía nada. Jamás. A nadie. Pero ahora unas frases salidas de una máquina le destartalaban la cabeza, la llevaban hacia atrás, y la obligaban a tumbarse, aplastada como estaba bajo el peso de imaginarios escombros...

5

—¡Lestafier!

—¡Sí, señor!

—Teléfono…

—¡No, jefe!

—¿Cómo que no?

—¡Estoy ocupado, jefe! Diga que me llamen más tarde…

El hombre sacudió la cabeza y volvió a la especie de armario que le servía de despacho.

—¡Lestafier!

—¡Sí, jefe!

—Es su abuela…

Risotadas por doquier.

—Dígale que luego la llamo —repitió el chico, que estaba deshuesando un trozo de carne.

—¡No me toque los cojones, Lestafier! ¡Coja el puto teléfono de una vez! ¡Que yo no soy su secretaria!

El chico se limpió las manos en el trapo que colgaba de su delantal, se enjugó la frente en la manga y le dijo al chaval que trabajaba a su lado, con un gesto como de rebanarle el cuello:

—Tú, mucho cuidadito con tocar nada, porque si no… ras…

—Que sí, que vale —le contestó aquél—, ve a encar-

gar tus regalos de Reyes, que te está esperando tu abuelita...

—Calla, gilipollas...

Entró en el despacho y cogió el teléfono, suspirando:

—¿Abuela?

—Hola, Franck... No soy tu abuela, soy la señora Carminot...

—¿La señora Carminot?

—¡Huy! Cuánto me ha costado dar contigo... Primero he llamado a un sitio, y me han dicho que ya no traba-
jabas allí, entonces he llam...

—¿Qué pasa? —la interrumpió Franck bruscamente.

—Dios mío, es Paulette...

—Espere. No cuelgue.

Se levantó, cerró la puerta, volvió a coger el auricular,
se sentó, asintió con la cabeza, palideció, buscó un boli
sobre la mesa, dijo unas palabras más, y colgó. Se quitó el
gorro de cocinero, apoyó la cabeza entre las manos, cerró
los ojos, y permaneció así varios minutos. El chef lo miraba fijamente a través del cristal de la puerta. Terminó por
guardarse el pedazo de papel en el bolsillo y salió.

—¿Todo bien, chico?

—Sí, jefe...

—¿Es grave?

—El cuello del fémur...

—¡Ah! —dijo el chef—, eso les pasa a menudo a los
viejos... A mi madre le pasó hace diez años, y si la viera
ahora... ¡No para quieta!

—Una cosa, jefe...

—Algo me dice que me va a pedir el día libre...

—No, voy a hacer el turno del mediodía, y prepararé
el de la noche durante el descanso, pero luego sí me gustaría irme...

—¿Y quién hará el plato caliente esta noche?

—Guillaume. Lo puede hacer…

—¿Sabrá?

—Sí, jefe.

—¿Y quién me dice a mí que sabrá?

—Yo, jefe.

El hombre hizo una mueca, increpó a un camarero que pasaba por ahí y le ordenó que se cambiara de camisa. Se volvió de nuevo hacia Lestafier y añadió:

—Está bien, pero se lo advierto, Lestafier, si pasa algo durante el turno de esta noche, si tengo que hacer un solo comentario, uno solo, ¿me oye? La culpa será suya, ¿entendido?

—Entendido, jefe.

Franck volvió a su sitio y cogió su cuchillo.

—¡Lestafier! ¡Vaya primero a lavarse las manos! ¿Dónde se cree que estamos, en un restaurante de provincias?

—Hasta los cojones —murmuró Franck cerrando los ojos—. Me tenéis todos hasta los cojones…

Se puso a trabajar en silencio. Al cabo de un rato, el pinche se atrevió a preguntarle:

—¿Estás bien?

—No.

—He oído lo que le decías al gordo… El cuello del fémur, ¿es eso?

—Sí.

—¿Es grave?

—No, no creo, pero el problema es que estoy solo…

—¿Solo para qué?

—Para todo.

Guillaume no comprendió, pero prefirió dejarle en paz con sus problemas.

—Si me has oído hablar con el viejo, quiere decir que sabes lo que te toca esta noche…

—Yes.

—¿Te ves capaz?

—Eso habría que negociarlo…

Siguieron trabajando en silencio, uno inclinado sobre su conejo, y el otro sobre su solomillo de cordero.

—Mi moto…

—¿Qué?

—Te la presto el domingo…

—¿La nueva?

—Sí.

—Caray —dijo el otro—, pues sí que quieres a tu abuelita… Vale. Hecho.

Franck esbozó un rictus amargo.

—Gracias.

—¿Eh?

—¿Qué?

—¿Dónde está tu vieja?

—En Tours.

—¿Entonces? Necesitarás la moto el domingo si quieres ir a verla, ¿no?

—Ya me apañaré de alguna manera…

La voz del chef los interrumpió:

—¡Silencio, señores, por favor! ¡Silencio!

Guillaume afiló su cuchillo y aprovechó el ruido para murmurar:

—Bueno, venga… Ya me la prestarás cuando se cure…

—Gracias.

—No me des las gracias. Te voy a robar el puesto…

Franck Lestafier asintió con la cabeza, sonriendo.

No pronunció una sola palabra más. El turno se le hizo más largo que de costumbre. Le costaba concentrarse, ladraba cuando el chef le pedía las cosas, y trataba de no quemarse. Estuvo a punto de pasarse en el punto de cocción de un chuletón de ternera, y no paraba de insultarse en voz baja. Pensaba que en las próximas semanas iba a estar de mierda hasta el cuello. Ya era bastante complicado acordarse de ella e ir a verla cuando estaba bien, con que ahora... Acababa de comprarse una moto carísima con un crédito como una catedral, y se había comprometido a muchas horas extra para pagar las letras. ¿De dónde iba a sacar un hueco para ella en todo eso? Aunque... No se atrevía a confesárselo, pero también se alegraba de la ocasión... El Titi le había puesto a punto la moto e iba a poder probarla en la autopista...

Si salía todo bien, se lo pasaría en grande, y llegaría allí en poco más de una hora...

Se quedó pues solo en la cocina durante el descanso con los mendas que lavaban los platos. Preparó las salsas para la carne, hizo inventario de su mercancía, numeró pedazos de carne y le dejó una larga nota a Guillaume. No le daba tiempo a pasar por casa, así que se duchó en el vestuario, buscó un producto para limpiar la visera del casco y se marchó de allí con el espíritu confundido.

Feliz y preocupado a la vez.

6

No eran todavía las seis cuando dejó la moto en el aparcamiento del hospital.

La recepcionista le dijo que se había terminado el tiempo de visita, y que podía volver al día siguiente a partir de las diez. Él insistió, y ella se puso tensa.

Franck dejó el casco y los guantes sobre el mostrador.

—Espere, espere… No nos hemos entendido bien —intentó articular sin ponerse nervioso—, vengo desde París, y tengo que marcharme dentro de un rato, así que si no le importa…

Entonces apareció una enfermera:

—¿Qué ocurre?

Ésta le imponía un poco más.

—Buenas tardes… esto… perdone si la molesto, pero tengo que ver a mi abuela, que llegó ayer de urgencias y…

—¿Cuál es su apellido?

—Lestafier.

—¡Ah, sí! —Le hizo un gesto a su colega—. Sígame…

Le explicó brevemente la situación, le comentó la operación, le dijo cuál sería el periodo de rehabilitación, y le preguntó detalles sobre el estilo de vida de la paciente. A Franck le costaba entenderla, molesto por el olor del lugar y por el ruido del motor que seguía zumbando en sus oídos.

—¡Aquí está su nieto! —anunció alegremente la enfermera abriendo la puerta—. ¿Lo ve? ¡Ya le había dicho yo que vendría! Bueno, les dejo —añadió—, pásese luego por mi despacho, porque si no, no le dejarán salir...

Franck no acertó a darle las gracias. Lo que veía ahí delante de él, en esa cama, le partía el corazón.

Primero se dio la vuelta para reunir un poco de fuerzas. Se quitó la cazadora y el jersey, y buscó con la mirada dónde colgarlos.

—Hace calor aquí, ¿no?

Su voz sonaba rara.

—¿Cómo estás?

La anciana, que trataba valientemente de sonreírle, cerró los ojos y se echó a llorar.

Le habían quitado la dentadura postiza. Sus mejillas parecían horriblemente hundidas y su labio superior flotaba dentro de su boca.

—¿Qué ha sido? ¿Otra de tus locuras, es eso?

Adoptar ese tono de broma exigía de Franck un esfuerzo sobrehumano.

—He hablado con la enfermera, ¿sabes?, y me ha dicho que la operación ha ido muy bien. Ahora llevas dentro un buen pedazo de hierro...

—Me van a meter en un asilo...

—¡Que no, mujer! ¿Qué tonterías son ésas? Te vas a quedar aquí unos días, y luego irás a una clínica de convalecencia. No es un asilo, es como un hospital, pero no tan grande. Te van a mimar, y te van a ayudar a que vuelvas a andar, y luego, ¡hala, de vuelta a tu huerto!

—¿Y eso cuántos días va a durar?

—Unas semanas... Después, dependerá de ti... Tendrás que aplicarte...

—¿Vendrás a verme?

—¡Pues claro que vendré! Tengo una moto muy bonita, ¿sabes?…

—No correrás mucho, ¿no?

—Qué va, voy a paso de burra…

—Mentiroso…

Le sonreía entre las lágrimas.

—Para, abuela, que si no yo también me voy a poner a lloriquear…

—No, tú no. Tú no lloras nunca… Ni siquiera cuando eras niño, ni cuando te torciste el brazo, nunca te he visto derramar una sola lágrima…

—Bueno, pero para de todas maneras.

No se atrevía a cogerle la mano por culpa de los tubos.

—¿Franck?

—Estoy aquí, abuela.

—Me duele.

—Es normal, ya se te pasará, tienes que dormir un poco.

—Me duele demasiado.

—Se lo diré a la enfermera antes de irme, le pediré que te dé algo para aliviarte el dolor…

—¿No te vas a ir enseguida, verdad?

—¡Que no!

—Háblame un poco. Háblame de ti…

—Espera, voy a apagar… Esta luz es demasiado fea…

Franck subió la persiana, y la habitación, que estaba orientada al oeste, quedó bañada de pronto en una dulce penumbra. Luego cambió de lugar el sillón para situarse del lado de la mano sin tubos, y la tomó entre las suyas.

Al principio le costó encontrar las palabras, él que nunca había sabido hablar, y menos de sí mismo… Empe-

zó por nimiedades, el tiempo que hacía en París, la conta-
minación, el color de su Suzuki, le describió los menús, y
todas esas tonterías.

Y después, ayudado por el declive del día y por el rostro casi sosegado de su abuela, encontró recuerdos más
precisos y confidencias menos fáciles. Le contó por qué
lo había dejado con su novia, y cómo se llamaba la que tenía esperando en el banquillo, sus progresos en la cocina,
su cansancio… Imitó a su nuevo compañero de piso y oyó
que su abuela se reía bajito.

—Estás exagerando…
—¡Te juro que no! Lo conocerás cuando vengas a visi-
tarnos, y ya comprenderás…
—Huy, pero si yo no tengo ganas de ir hasta París…
—Entonces iremos a verte nosotros, ¡y nos prepararás
una buena comida!
—¿Tú crees?
—Sí. Le harás tu pastel de patatas…
—Oh, no, eso no… Es demasiado rústico…

Después le habló del ambiente del restaurante, de las
broncas del chef, de aquel día que vino un ministro a la
cocina a felicitarlos, de la destreza del joven Takumi y del
precio de las trufas. Le dio noticias de Momo y de la señora Mandel. Calló por fin para escuchar su respiración
y comprendió que estaba dormida. Se levantó sin hacer
ruido.

Cuando iba a salir, ella lo llamó:
—¿Franck?
—¿Sí?
—No he avisado a tu madre, ¿sabes…?
—Has hecho bien.
—Yo…

—Shhh, ahora tienes que dormir, cuanto más duermas, antes saldrás de aquí.

—¿He hecho bien?

Franck asintió con la cabeza y se llevó un dedo a los labios.

—Sí. Venga, ahora a dormir…

Se sintió agredido por la violencia de las luces de neón y le costó muchísimo encontrar la salida. La enfermera de antes lo pilló por banda en un pasillo.

Le indicó una silla y abrió el historial que le concernía. Empezó por hacerle algunas preguntas prácticas y administrativas, pero el chico no reaccionaba.

—¿Está bien?

—Cansado…

—¿No ha comido nada?

—No, es que…

—Espere. Aquí tenemos todo lo necesario…

Sacó de un cajón una lata de sardinas y un paquete de biscotes.

—¿Tiene bastante con esto?

—¿Y usted?

—¡No se preocupe! ¡Mire! ¡Tengo un montón de galletas! ¿Una copita de vino para acompañar?

—No, gracias. Me voy a sacar una lata de la máquina…

—Vaya, vaya, yo me voy a servir una copita para acompañarlo, pero… chitón, ¿eh?

Comió un poco, contestó a todas sus preguntas, y recogió sus bártulos.

—Dice que le duele…

—Mañana se sentirá mejor. Le hemos puesto antiinfla-

49

matorios en el gotero y cuando se despierte estará mucho mejor…

—Gracias.

—Es mi trabajo.

—Lo decía por las sardinas…

Franck condujo deprisa, se desplomó sobre su cama y hundió la cabeza bajo la almohada para no derrumbarse. Ahora no. Había aguantado el tipo tanto tiempo… Todavía podía luchar un poco más…

7

—¿Café?
—No, una Coca-Cola, por favor.

Camille se la bebió a sorbitos. Estaba en la barra de un bar frente al restaurante en el que había quedado con su madre. Extendió las manos a ambos lados del vaso, y con los ojos cerrados, empezó a respirar muy despacito. Esas comidas, por muy espaciadas que fueran, siempre la machacaban por dentro. Terminaba hecha polvo, tambaleándose, y como desollada viva. Como si su madre se dedicara, con una meticulosidad sádica, aunque probablemente inconsciente, a levantar las costras y volver a abrir, una a una, miles de pequeñas cicatrices. Camille la vio reflejada en el espejo, detrás de las botellas, cuando franqueaba las puertas del Paraíso de Jade. Se fumó un cigarrillo, bajó al cuarto de baño, pagó su consumición y cruzó la calle, con las manos en los bolsillos, y los bolsillos apretados contra el estómago.

Vio su silueta encorvada y fue a sentarse enfrente de ella, respirando hondo:
—¡Hola, mamá!
—¿No me das un beso? —dijo la voz.
—Hola, mamá —articuló Camille más despacio.

—¿Estás bien?

—¿Por qué me lo preguntas?

Camille se aferró al borde de la mesa para no levantarse inmediatamente.

—Te lo pregunto porque es lo que la gente suele preguntarse cuando se ve…

—Yo no soy «la gente»…

—Y entonces, ¿qué eres?

—Oh, por favor, ¡no empieces, ¿eh?!

Camille ladeó la cabeza y contempló la decoración inmunda, compuesta por estucos y bajorrelieves seudoasiáticos. Las incrustaciones de carey y de nácar eran de plástico, y la laca, de formica amarilla.

—Qué sitio más bonito…

—No, es horroroso. Pero no me puedo permitir invitarte a la Tour d'Argent, mira tú por dónde. De hecho, aunque pudiera, no te llevaría… Con lo que comes tú, sería tirar el dinero…

Mmm, pero qué buen rollito.

Soltó una risita amarga:

—Lo que son las cosas, podrías ir sin mí, ¡porque a ti el dinero no te falta! La desgracia de unos hace la felicidad de otros…

—Deja esa historia ahora mismo —amenazó Camille—, deja esa historia o me voy. Si necesitas dinero, me lo dices y te lo presto.

—Es verdad, que la señorita trabaja… Un buen trabajo… Interesante, además… Señora de la limpieza… Es increíble, alguien tan desastre como tú… Nunca dejarás de sorprenderme, ¿sabes?

—Para, mamá, para. No podemos seguir así. No podemos, ¿entiendes? Por lo menos yo no puedo. Busca otra cosa, por favor. Busca otra cosa…

—Tenías una bonita profesión y lo estropeaste todo…

—Una bonita profesión… Lo que hay que oír… Y que sepas que no lo echo de menos, no era feliz allí…

—No te habrías pasado allí la vida entera… Y además, ¿qué quiere decir eso de «feliz»? Es la nueva palabra de moda… ¡Feliz! ¡Feliz! Si te crees que estamos en este mundo para retozar y coger florecitas, eres una ingenua, hija mía…

—No, no, no te preocupes, no pienso que estemos aquí para eso. Tuve una buena maestra y sé que estamos aquí para pasarlas bien putas. Me lo has dicho bastantes veces…

—¿Saben ya lo que van a tomar? —les preguntó la camarera.

Camille la hubiera besado.

Su madre extendió sus pastillas sobre la mesa y las contó con el dedo.

—¿No estás hasta las narices de tragarte toda esa mierda?

—No hables de lo que no sabes. Si no las tuviera, hace tiempo que ya no estaría aquí…

—¿Y tú qué sabes? ¿Y por qué no te quitas esas gafas horribles? Aquí no hace sol…

—Estoy mejor con gafas. Así veo el mundo tal cual es…

Camille decidió sonreírle y darle palmaditas en la mano. Era eso, o saltarle al cuello para estrangularla.

Su madre se achispó un poco, se quejó otro poquito, evocó su soledad, sus dolores de espalda, lo tontos que eran sus compañeros de trabajo, y las miserias de la copropiedad. Comía con apetito y frunció el ceño cuando su hija se pidió otra cerveza.

—Bebes demasiado.

—¡Eso es verdad! ¡Anda, brinda conmigo! Por una vez que no dices tonterías…

—Nunca vienes a verme…

—¿Y ahora? ¿Qué estoy haciendo ahora?

—Siempre tienes que tener la última palabra, ¿verdad? Como tu padre…

Camille se puso tensa.

—¡Ah! No te gusta que te hable de él, ¿eh? —declaró su madre, triunfante.

—Mamá, te lo pido por favor… No vayas por ahí…

—Voy por donde me da la gana. ¿No te terminas el plato?

—No.

Su madre sacudió la cabeza en un gesto de desaprobación.

—Mírate… Pareces un esqueleto… Si te crees que así vas a gustar a los chicos…

—Mamá…

—¿«Mamá», qué? ¡Es normal que me preocupe por ti, uno no trae hijos al mundo para verlos morirse de hambre!

—¿Y tú para qué me has traído al mundo, mamá?

En el mismo instante en que pronunció esta frase, Camille supo que había ido demasiado lejos, y que le iba a tocar tragarse un buen numerito. Un numerito sin sorpresas, mil veces ensayado, y perfectamente ejecutado: chantaje afectivo, lágrimas de cocodrilo, y amenaza de suicidio. En ese u otro orden.

Su madre lloró, le reprochó que la hubiera abandonado, igual que su padre hacía quince años, le recordó que no tenía corazón, y le preguntó qué la retenía aún en este mundo.

—Dame una sola razón de seguir aquí, una sola.

Camille se estaba liando un cigarrillo.

—¿Me has oído?

—Sí.

—¿Y bien?

—…

—Gracias, cariño, gracias. Tu respuesta no puede ser más clara…

Se sorbió la nariz, dejó dos tickets restaurante sobre la mesa y se marchó.

Sobre todo nada de conmoverse, pues la salida precipitada siempre había sido la apoteosis, la caída del telón en cierta manera, del gran numerito.

Normalmente la artista espera hasta el final del postre, pero es cierto que esta vez habían quedado en un restaurante chino, y a su madre no le gustaban especialmente esos buñuelos, lichis y demás pastelitos demasiado dulzones.

Sí, nada de conmoverse.

Era un ejercicio difícil, pero Camille hacía tiempo que había aprendido a manejar su pequeño kit de supervivencia… Hizo pues como de costumbre y trató de concentrarse para repetirse mentalmente ciertas verdades. Ciertas frases harto sencillas y cargadas de sentido común. Pequeñas muletas fabricadas deprisa y corriendo que le permitían seguir viéndola… Porque esos encuentros forzosos, esas conversaciones absurdas y destructivas no tendrían al fin y al cabo ningún sentido si Camille no tuviera la certeza de que a su madre le aportaban algo. Y, desgraciadamente, a Catherine Fauque claro que le aportaban algo, y tanto. Restregarse el barro de las botas sobre la cabeza de su hija le proporcionaba un inmenso consuelo. Y aunque a menudo atajara sus encuentros con un gesto ultrajado, histriónico, siempre se quedaba satisfecha. Satisfecha y saciada. Llevándose con ella su abyecta buena fe, sus patéticos triunfos y su buena dosis de bilis para la próxima vez.

Camille había necesitado tiempo para comprender todo eso, y de hecho no lo había comprendido ella sola.

La habían ayudado. Personas cercanas a ella, sobre todo hacía unos años, cuando era aún demasiado joven para juzgarla, le habían dado las claves necesarias para comprender la actitud de su madre. Sí, pero eso había sido hacía mucho tiempo, y todas esas personas que habían velado por ella ya no estaban aquí…

Y hoy la niña sufría.

De qué manera.

8

La camarera quitó la mesa y el restaurante se fue vaciando. Camille no se movió. Fumaba y pedía café tras café para que no la echaran.

Al fondo había un señor desdentado, un anciano asiático que hablaba y se reía solo.

La chica que les había servido estaba ahora detrás de la barra, secando unos vasos, y de vez en cuando amonestaba al viejo en su lengua. Éste refunfuñaba, callaba un rato, y luego retomaba su estúpido monólogo.

—¿Van a cerrar? —preguntó Camille.

—No —contestó la chica, poniéndole un cuenco delante al anciano—, ya no servimos, pero no cerramos. ¿Quiere otro café?

—No, no, gracias. ¿Me puedo quedar un poco más?

—¡Claro, quédese! ¡Mientras esté usted aquí, él se entretiene!

—Quiere decir que soy yo quien le hace reírse así...

—Usted o quien sea...

Camille miró detenidamente al anciano y le devolvió la sonrisa.

La angustia en la que la había sumido su madre se fue difuminando. Camille oía un ruido de agua y de cacerolas que se escapaba de la cocina, la radio, esos estribillos incomprensibles de sonoridades agudas que la chica repetía balanceándose, observaba al anciano que atrapaba largos tallarines con sus palillos, llenándose la barbilla de caldo, y de pronto tuvo la sensación de encontrarse en el comedor de una verdadera casa...

Salvo una taza de café y su paquete de tabaco, no había nada ante ella. Dejó ambas cosas en la mesa de al lado y se puso a alisar el mantel.

Despacio, muy despacio, pasaba una y otra vez la palma de la mano por el papel de mala calidad, áspero y manchado aquí y allá.

Repitió ese gesto durante largos minutos.
Su espíritu se calmó y los latidos de su corazón se hicieron más rápidos.
Sentía miedo.
Tenía que intentarlo. *Tienes que intentarlo,* se dijo. *Sí, pero hace tanto tiempo que...*
«Shh —se murmuró a sí misma—, shh, estoy aquí. Todo va a salir bien, bonita. Mira, es ahora o nunca... Venga... No tengas miedo...»

Levantó la mano, la dejó a varios centímetros de la mesa, y esperó a que cesara el temblor. *Así está bien, ¿lo ves...?* Cogió su mochila y rebuscó en su interior. Ahí estaba.
Sacó la caja de madera y la dejó sobre la mesa. La abrió, cogió una piedrecita rectangular y se la pasó por la mejilla. Era una sensación tibia y suave. Abrió entonces un paquetito de tela azul y extrajo un bastoncillo de tinta del cual emanaba un fuerte olor a sándalo y, por fin, desenrolló un mantelito de tablillas de bambú en el que descansaban dos pinceles.
El más gordo era de pelo de cabra, el otro, mucho más fino, de cerdas de seda.

Se levantó, cogió una jarra de agua de la barra, dos guías telefónicas, y le hizo una pequeña reverencia al anciano loco.

Colocó las dos guías sobre su silla para poder extender el brazo sin tocar la mesa, vertió unas gotas de agua sobre la piedra de pizarra y empezó a desmenuzar la tinta. La voz de su maestro volvió a sus oídos: «*Dale vueltas a la piedra muy despacio, mi pequeña Camille... ¡Huy, mucho más despacio! ¡Y más tiempo! Tal vez doscientas veces, al hacerlo flexibilizas la muñeca y preparas tu espíritu para grandes cosas... No pienses ya en nada, ¡no me mires, ni se te ocurra! Concéntrate en tu muñeca, ella te dictará el primer trazo, y sólo el primer trazo importa, es el que dará vida a tu dibujo...*»

Cuando la tinta estuvo lista, desobedeció a su maestro y empezó por unos pequeños ejercicios en un rincón del mantel para recuperar recuerdos demasiado lejanos. Hizo primero cinco manchas, de la más oscura a la más diluida, para recordar los colores de la tinta, luego intentó varios trazos y se dio cuenta de que se le habían olvidado casi todos. Sólo quedaban algunos en su memoria: la cuerda suelta, el cabello, la gota de lluvia, el hilo enrollado y los pelos de buey. Luego le tocó el turno a los puntos. Su maestro le había enseñado más de veinte, pero sólo recordó cuatro: el redondel, la roca, el arroz y el escalofrío.

Basta así. Ya estás preparada... Tomó el pincel más fino entre los dedos pulgar y corazón, extendió el brazo por encima del mantel y aguardó unos segundos más.

El anciano, que no se había perdido ni uno solo de sus gestos, la animó cerrando los ojos.

Camille Fauque salió de un largo sueño con un gorrión, y otro, y otro más, y después con una bandada de pájaros de aire burlón.

Llevaba más de un año sin dibujar nada.

* * *

De niña hablaba poco, menos aún que ahora. Su madre la había obligado a dar clases de piano, y ella lo odiaba. Una vez que su profesora se retrasaba, cogió un rotulador grueso y, concienzudamente, dibujó un dedo en cada una de las teclas. Su madre le retorció el cuello y su padre, para calmar los ánimos de toda la familia, volvió el fin de semana siguiente con la dirección de un pintor que daba clases un día a la semana.

Su padre murió poco después y Camille no volvió a abrir la boca. Ni siquiera hablaba durante las clases de dibujo con el señor Doughton (ella lo pronunciaba Duguetón), al que tanto quería.

El anciano inglés no se lo tomó a mal y siguió indicándole temas o enseñándole técnicas en silencio. Él le daba ejemplo y ella lo imitaba, limitándose a asentir o negar con la cabeza. Con él, y sólo en ese lugar, se sentía a gusto. Su mutismo parecía incluso convenirles. Él no tenía que esforzarse por encontrar las palabras adecuadas en una lengua que no era la suya, y ella se concentraba más fácilmente que sus compañeros.

Un día, sin embargo, cuando todos los demás alumnos se habían marchado ya, rompió su acuerdo tácito y le dirigió la palabra mientras ella se divertía con unas pinturas pastel:

—¿Sabes a quién me recuerdas, Camille?

60

Ella negó con la cabeza.

—Pues bien, me recuerdas a un pintor chino que se llamaba Chu Ta… ¿Quieres que te cuente su historia?

Camille asintió con la cabeza, pero él se había dado la vuelta para retirar el agua del fuego.

—No te oigo, Camille… ¿No quieres que te la cuente?

Ahora sí la estaba mirando.

—Contéstame, pequeña.

Ella le lanzó una mirada de odio.

—¿Cómo dices?

—Sí —articuló ella por fin.

Él cerró los ojos en señal de satisfacción, se sirvió una taza de té, y vino a sentarse junto a ella.

—De niño, Chu Ta era muy feliz…

Bebió un sorbo de té.

—Era un príncipe de la dinastía Ming… Su familia era muy rica y poderosa. Su padre y su abuelo eran célebres pintores y calígrafos, y el pequeño Chu Ta había heredado su talento. Y fíjate tú que un día, cuando apenas contaba ocho años, dibujó una flor, una simple flor de loto flotando en un estanque… Su dibujo era tan bello, tan bello que su madre decidió colgarlo en el salón. Afirmaba que, gracias a él, en esa gran habitación se sentía una ligera brisa fresca y que incluso se podía respirar el aroma de la flor al pasar por delante del dibujo. ¿Te das cuenta? ¡Hasta el aroma! Y su madre debía de ser bastante exigente… Con un marido y un padre pintores, sabía de qué hablaba…

El anciano se inclinó de nuevo sobre su taza de té.

—Así fue creciendo Ta, sin preocupaciones, con la alegría y la certeza de que un día él también sería un gran artista… Pero desgraciadamente, cuando tenía dieciocho años, los manchúes tomaron el poder, arrebatándoselo a la dinastía Ming. Los manchúes eran gente cruel y brutal, que no gustaba de pintores y escritores. Así pues les prohibieron trabajar. Te puedes imaginar que era lo peor que se les podía imponer… La familia de Chu Ta no volvió a conocer la paz y su padre murió de desesperación. De la noche a la mañana, su hijo, que era un muchacho travieso, a quien le gustaba reír, cantar, decir tonterías o recitar largos poemas, hizo algo increíble… ¡Anda!, ¿quién viene por aquí? —preguntó el señor Doughton, descubriendo a su gato de pie sobre el alféizar de la ventana. Entonces inició con él, a propósito, una larga conversación sin importancia.

—¿Qué hizo? —murmuró por fin Camille.

El profesor escondió su sonrisa entre su barba y prosiguió como si nada:

—Hizo algo increíble. Una cosa que nunca adivinarías… Decidió callar para siempre. Para siempre, ¿me oyes? ¡De su boca ya no saldría una sola palabra más! Estaba asqueado por la actitud de quienes lo rodeaban, aquellos que renegaban de sus tradiciones y sus creencias para ser bien vistos por los manchúes, y no quería volver a dirigirles la palabra nunca más. ¡Que se fueran al diablo! ¡Todos! ¡Eran unos esclavos! ¡Unos cobardes! Entonces, escribió la palabra «Mudo» en la puerta de su casa, y si algunas personas intentaban de todas maneras hablar con él, desplegaba ante su rostro un abanico en el que también había escrito «Mudo» y lo agitaba de un lado a otro para ahuyentarlas…

La niña bebía sus palabras.

—El problema es que nadie puede vivir sin expresarse. Nadie… Es imposible… Entonces a Chu Ta, que como todo el mundo, como tú y yo por ejemplo, tenía muchas cosas que contar, se le ocurrió una genial idea. Se marchó a las montañas, lejos de todos aquellos que lo habían traicionado, y se puso a dibujar… Desde ese momento, era así como pensaba expresarse y comunicarse con el resto del mundo: a través de sus dibujos… ¿Quieres verlos?

Fue a buscar un gran libro blanco y negro en su biblioteca y se lo colocó delante:

—Mira qué bonito… Qué sencillo… Un solo trazo, y ya está… Una flor, un pez, un saltamontes… Mira este pato qué enfadado parece, y estas montañas envueltas en bruma… Mira cómo ha dibujado la bruma… Como si no fuera nada, sólo vacío… Y esos pollitos, ¿ves? Parecen tan suaves que dan ganas de acariciarlos. Mira, su tinta es como una pelusilla… Su tinta es suave…

Camille sonreía.

—¿Quieres que te enseñe a dibujar como él?
Camille asintió con la cabeza.
—¿Quieres que te enseñe?
—Sí.

Cuando todo estuvo preparado, cuando terminó de enseñarle cómo sostener el pincel, y de explicarle lo importante que era el primer trazo, Camille se quedó un momento perpleja. No lo había entendido bien y creía que había que realizar todo el dibujo de un solo trazo, sin levantar la mano del papel. Era imposible.

Reflexionó largo tiempo sobre qué dibujar, miró a su alrededor y acercó el brazo al papel.

Hizo un largo trazo ondulado, una montañita, un pico, otro pico más, llevó el pincel hacia abajo en un largo trazo contoneante, y volvió sobre la primera ondulación. Como el profesor no la miraba, aprovechó para hacer trampa, levantó el pincel para añadir una gran mancha negra y seis rayitas. Prefería desobedecerle antes que dibujar un gato sin bigotes.

Malcolm, su modelo, seguía dormido sobre el alféizar de la ventana y Camille, en un afán de hacer honor a la verdad, terminó pues su dibujo con un fino rectángulo alrededor del gato.

Se levantó después para acariciarlo y, cuando se dio la vuelta, vio que su profesor la estaba mirando con una cara muy rara, casi severa:

—¿Esto lo has hecho tú?

De modo que había visto en su dibujo que había levantado el pincel varias veces... Camille hizo una mueca.

—¿Esto lo has hecho tú, Camille?

—Sí...

—Ven aquí, por favor.

Camille avanzó, un poco avergonzada, y se sentó junto a él.

El profesor lloraba:

—Es magnífico esto que has hecho, ¿sabes...? Magnífico... A este gato se lo oye ronronear... Oh, Camille...

Sacó un gran pañuelo, lleno de manchas de pintura, y se sonó ruidosamente.

—Escúchame, pequeña, yo no soy más que un pobre viejo, y un mal pintor encima, pero escúchame bien... Sé que la vida no es fácil para ti, me imagino que en tu casa no debe de haber mucha alegría, y también sé lo de tu padre, pero... No, no llores... Ten, toma mi pañuelo... Pero hay una cosa que te tengo que decir: las personas que dejan de hablar se vuelven locas. Chu Ta, por ejemplo, no te lo he dicho antes pero se volvió loco, y también muy desgraciado... Muy, muy desgraciado y muy, muy loco. Sólo recuperó la paz cuando ya era un anciano. Tú no vas a esperar hasta ser una anciana, ¿verdad? Dime que no. Tienes mucho talento, ¿sabes? Eres la mejor de todos los alumnos que he tenido nunca, pero eso no es razón, Camille… No es razón… El mundo actual ya no es como el de Chu Ta y tienes que volver a hablar. No te queda más remedio, ¿comprendes? Porque si no, te encerrarán con locos de verdad y nadie verá nunca estos dibujos tan bonitos que haces…

La llegada de su madre los interrumpió. Camille se levantó y le advirtió, con una voz ronca y entrecortada:
—Espérame… No he terminado de guardar mis cosas…

Un día, no hace mucho tiempo, recibió un paquete mal atado acompañado de una breve nota:

> Hola,
> Me llamo Eileen Wilson. Mi nombre probablemente no dice nada a usted, pero yo era amiga de Cecil Doughton que hace tiempo fue su profesor de dibujo. Tengo la triste de anunciarle que Cecil ha dejado a nosotros hace dos meses de ello. Sé que aprecia que le digo (perdón que no me expreso bien) que lo hemos enterrado en su región de Dartmoor que le tanto gustaba en un cementerio al cual la vista es preciosa. He puesto sus brochas y sus pinturas en la tierra con él.
> Antes de morir, me había pedido que le doy esto. Creo que estaría contento que usted lo usa pensando en él.
>
> EILEEN W.

Camille no pudo contener las lágrimas al ver el material de pintura china de su viejo profesor, el mismo que utilizaba ahora…

* * *

65

Intrigada, la camarera vino a recuperar la taza vacía y echó una ojeada al mantel. Camille acababa de dibujar una multitud de tallos de bambú. «*Los tallos y las hojas del bambú son lo más difícil de dibujar que hay. Una hoja, bonita, una simple hoja que se balancea al compás del viento exigía de esos maestros años de trabajo, a veces toda una vida... Juega con los contrastes. Sólo tienes un color a tu disposición, y sin embargo puedes sugerirlo todo... Concéntrate más. Si quieres que algún día te grabe tu sello, tienes que hacerme unas hojas mucho más ligeras...*»

El soporte de papel era de mala calidad, y se combaba y empapaba la tinta demasiado rápido.

—¿Me permite? —preguntó la chica.

Le tendió un paquete de manteles sin usar. Camille se echó para atrás y dejó su trabajo en el suelo. El anciano gemía, y la camarera lo regañó.

—¿Qué dice?

—Refunfuña porque no puede ver lo que está usted haciendo...

Añadió:

—Es mi tío abuelo... Está paralítico...

—Dígale que el próximo será para él...

La chica volvió a la barra y le dijo unas palabras al anciano. Éste se calmó y miró a Camille severamente.

Ella se lo quedó mirando largo rato y luego dibujó, en toda la superficie del mantel, un hombrecillo risueño que se le parecía, y que corría por un arrozal. Camille nunca había estado en Asia, pero improvisó, en segundo plano, una montaña envuelta en bruma, unos pinos, unas rocas e incluso la cabañita de Chu Ta en lo alto de un promontorio. Bosquejó al anciano con su gorra Nike y su chaqueta de chándal, pero sin nada en las piernas más que el taparrabos tradicional. Añadió algunas salpicaduras de agua que salían despedidas bajo sus pies, y una pandilla de chavales que lo perseguía.

Camille se echó hacia atrás para juzgar su trabajo.

Muchos detalles no le gustaban, por supuesto, pero bueno, el anciano parecía feliz, verdaderamente feliz, así que colocó un plato debajo del mantel como soporte, abrió el frasquito de cinabrio rojo y aplicó su sello en el centro, a la derecha. Se levantó, despejó la mesa del anciano, volvió a buscar su dibujo, y se lo colocó delante.

El anciano no reaccionaba.

Ahí va, se dijo Camille, *he debido de meter la pata en algo...*

Cuando su sobrina nieta volvió de la cocina, dejó escapar un largo y doloroso quejido.

—Lo siento mucho —dijo Camille—, pensaba que...

Ésta la interrumpió con un gesto, sacó unas gafas muy grandes de detrás de la barra y se las deslizó al anciano debajo de la gorra. Éste se inclinó ceremoniosamente y se echó a reír. Una risa infantil, cristalina y alegre. También lloró, y luego volvió a reír, balanceándose, con los brazos cruzados sobre el pecho.

—Quiere beber sake con usted.

—Genial...

La chica trajo una botella, el anciano soltó un grito, ella suspiró y regresó a la cocina.

Volvió con otra botella, seguida del resto de la familia. Una mujer madura, dos hombres de unos cuarenta años y un adolescente. Todo fueron risas, gritos, efusiones y reverencias de todo tipo. Los hombres le daban palmaditas en el hombro, y el chaval le chocaba los cinco como hacen los deportistas.

Luego todos regresaron a sus quehaceres y la chica colocó un vasito delante de cada uno. El anciano la saludó y vació el suyo, para volver a llenarlo inmediatamente después.

—Se lo advierto, le va a contar su vida...

—No hay problema —dijo Camille—. Huuuuy... qué fuerte está esto, ¿no?

La camarera se alejó riendo.

Se habían quedado solos. El viejo parloteaba y Camille lo escuchaba con una expresión muy seria, limitándose a asentir con la cabeza cada vez que éste le pasaba la botella.

Le costó levantarse y reunir sus bártulos. Cuando estaba cerca de la salida, después de haberse inclinado mil veces para despedirse del hombrecillo, la camarera se dirigió hacia ella para ayudarla a tirar de la puerta, que Camille se empeñaba en empujar desde hacía un buen rato, riéndose como una tonta.

—Ésta es su casa, ¿de acuerdo? Puede venir a comer cuando quiera. Si no viene, mi tío abuelo se enfadará... Y se pondrá triste también...

Cuando llegó al curro tenía una buena tajada.

Samia le preguntó muy intrigada:

—Eh, tú, ¿qué pasa? ¿Has conocido a algún tío?

—Sí —confesó Camille, confusa.

—¿En serio?

—Sí.

—No... No lo dices en serio... ¿Cómo es? ¿Es mono?

—Monísimo.

68

—Joé, cómo mola, tía… ¿Qué edad tiene?

—92 años.

—Venga, déjate de paridas, tonta, ¿qué edad tiene?

—Bueno, chicas… Cuando vosotras digáis, ¿eh?

La Josy señalaba su reloj.

Camille se alejó riendo y tropezando con el tubo de la aspiradora.

9

Ya habían pasado más de tres semanas. Franck, que hacía horas extra todos los domingos en otro restaurante del Campo de Marte, iba todos los lunes a visitar a su abuela.

Ella se encontraba ahora en una clínica de convalecencia a varios kilómetros al norte de la ciudad y acechaba su llegada desde el amanecer.

Él, en cambio, no tenía más remedio que poner el despertador. Bajaba como un zombi hasta el bar de la esquina, se bebía dos o tres cafés seguidos, se subía a la moto e iba a dormirse junto a su abuela en un horroroso sillón de eskai negro.

Cuando le traían la comida, la anciana se llevaba un dedo a los labios y, con un gesto de cabeza, señalaba al chico acurrucado que le hacía compañía. Se lo comía con los ojos y velaba por que la cazadora le tapara bien el pecho.

La anciana se sentía feliz. Franck estaba ahí. Ahí mismo. Para ella solita…

No se atrevía a llamar a la enfermera para pedirle que le subiera la cama, cogía delicadamente el tenedor y comía en silencio. Escondía algunas cosas en su mesilla de noche, pedazos de pan, un trozo de queso, o algo de fruta para dárselas cuando se despertara. Luego apartaba con cuidado la mesita y cruzaba las manos sobre su regazo, sonriendo.

Cerraba los ojos y dormitaba, acunada por la respiración de su nieto y por los excesos del pasado. Lo había perdido tantas veces ya… Tantas veces… Le daba la sensación de que se había pasado la vida yendo a buscarlo… Allá, en la otra punta del huerto, en lo alto de un árbol, en casa de los vecinos, escondido en un establo o repantingado delante de su televisión, y años más tarde, en los billares, por supuesto, y ahora en trocitos de papel donde le garabateaba números de teléfono que siempre resultaban ser falsos…

Y eso que ella había hecho todo lo que había podido… Lo había alimentado, besado, mimado, reconfortado, regañado, castigado y consolado, pero todo aquello no había servido de nada… En cuanto aprendió a andar, el chaval puso pies en polvorosa, y en cuanto tuvo sombra de barba, se acabó. Se marchó del todo.

A veces esbozaba muecas en medio de sus ensoñaciones. Le temblaban los labios. Demasiadas penas, demasiados problemas, y tantos pesares… Había habido momentos tan duros, tan duros… Oh, pero no, ya no había que pensar en todo eso, de hecho Franck se estaba despertando, con el pelo revuelto y una cicatriz en la mejilla que le había dejado el reborde del sillón.
—¿Qué hora es?
—Van a ser las cinco…
—¡Joder!, ¿ya?
—Franck, ¿por qué siempre dices «joder»?
—Oh, caramba, ¿ya?
—¿Tienes hambre?
—No, estoy bien, más bien lo que tengo es sed… Voy a dar una vuelta…

Ya estamos, pensó la anciana, *ya estamos…*

—¿Te vas?

—¡Que no, hombre, que no me voy, jo… caramba!

—Si te cruzas con un señor pelirrojo con una bata blanca, ¿le puedes preguntar cuándo voy a salir de aquí?

—Sí, sí, vale —dijo, saliendo por la puerta.

—Uno alto con gafas y…

Pero Franck ya estaba en el pasillo.

—¿Y bien?

—No lo he visto…

—¿Ah, no?

—Anda, abuela… —le dijo cariñosamente—, ¿no te irás a poner a llorar otra vez, no?

—No, pero… Pienso en mi gato, en mis pajaritos… Y además ha llovido toda la semana y me hago mala sangre por mis herramientas… Como no las guardé, se van a oxidar, seguro…

—En el camino de vuelta me paso por casa y te las guardo…

—¿Franck?

—¿Qué?

—Llévame contigo…

—Ay… No me hagas esto a cada vez… Ya no puedo más…

La anciana volvió a decir:

—Las herramientas…

—¿Qué?

—Habría que darles un poco de aceite…

La miró hinchando los carrillos:

—¡Eh, eh, a ver!, si me da tiempo, ¿eh? Bueno, y ya está bien de tanta charla, que nos toca clase de gimnasia… A ver, ¿dónde está tu andador?

—No lo sé.

—Abuela…

—Detrás de la puerta.

—¡Hala, arriba, viejita, te voy a enseñar yo pajaritos, ya lo verás!

—Bah, aquí no hay. Aquí sólo hay buitres y carroñeros…

Franck sonreía. Le encantaba la mala fe de su abuela.

—¿Estás bien?

—No.

—¿Y ahora qué pasa?

—Me duele.

—¿Dónde te duele?

—Todo el cuerpo.

—Todo el cuerpo no puede ser, no es verdad. Encuéntrame una parte precisa que te duela.

—Me duele por dentro de la cabeza.

—Eso es normal. Eso nos pasa a todos, anda… Venga, mejor me enseñas quiénes son tus amigas…

—No, da la vuelta. A ésas no quiero verlas, no las aguanto.

—Y ése de ahí, el viejo del blazer, ése no está mal, ¿no?

—No es un blazer, tontorrón, es un pijama, y además está sordo como una tapia… Y encima es un arrogante…

Paulette ponía un pie delante del otro y hablaba mal de sus compañeros, todo iba bien.

—Bueno, me voy…

—¿Ahora?

—Sí, ahora. Si quieres que me ocupe de tu casa… Que yo mañana madrugo, a ver qué te has creído, y a mí nadie me trae el desayuno a la cama…

—¿Me llamarás por teléfono?

Franck asintió con la cabeza.

—Dices que sí y luego nunca lo haces…

—No tengo tiempo.

—Sólo decirme hola y después cuelgas.

—Vale. Por cierto, no sé si podré venir la semana que viene… El chef nos va a llevar por ahí de paseo…

—¿Adónde?

—Al Moulin Rouge.

—¿De verdad?

—¡Que no, hombre, que no! Vamos a la región del Limousin a visitar al tío que nos vende las reses…

—A quién se le ocurre…

—Es idea de mi jefe… Dice que es importante…

—¿Entonces no vas a venir?

—No lo sé.

—¿Franck?

—Sí…

—El médico…

—Que sí, ya lo sé, el panocha ese, voy a ver si hablo con él… Y tú me haces bien los ejercicios, ¿eh? Porque según tengo entendido, el fisio no está muy contento contigo que digamos…

Al ver la cara de asombro de su abuela, añadió, bromeando:

—¿Ves como alguna vez sí que llamo…?

Guardó las herramientas, se comió las últimas fresas del huerto y se sentó un momento en el jardín. El gato vino a restregarse contra sus piernas, gruñendo.

—No te preocupes, viejo, no te preocupes. Volverá…

El timbre de su móvil lo sacó de su ensimismamiento. Era una chica. Imitó el canto de un gallo, y ella se rió.

Le propuso ir al cine.

Franck condujo a más de ciento setenta durante todo el trayecto, pensando en algún truco para tirársela sin tener que tragarse la película. No le gustaba mucho el cine. Siempre se quedaba dormido antes del final.

10

Hacia mediados de noviembre, cuando el frío empezaba a ensañarse de lo lindo, Camille se decidió por fin a ir a una tienda de bricolaje para mejorar sus condiciones de supervivencia. Se tiró allí un sábado entero, recorrió todas las secciones, tocó los paneles de madera, admiró las herramientas, los clavos, las tuercas, los picaportes, las barras de cortinas, los botes de pintura, las molduras, las cabinas de ducha y demás grifos cromados. Luego fue a la sección de jardinería, e hizo inventario de todo cuanto llamaba su atención: guantes, botas de caucho, escardillos, corrales para gallinas, semilleros, abono, y sobrecitos de semillas de todo tipo. Se pasó tanto tiempo inspeccionando la mercancía como observando a los clientes. La señora embarazada en medio de los papeles pintados de tonos pastel, esa pareja joven que discutía por un aplique horroroso, o aquel recién prejubilado, con sus zapatos náuticos, su cuaderno de espiral en una mano y el metro en la otra.

La vida le había enseñado a desconfiar de las certezas y de los proyectos de futuro, pero había algo de lo que Camille estaba segura: un día, dentro de mucho, mucho tiempo, cuando fuera muy vieja, mucho más vieja que ahora, con el pelo blanco, miles de arrugas y manchas oscuras en las manos, tendría su propia casa. Una casa de verdad, con una olla de cobre para hacer mermelada, y galletas dentro de una caja de hojalata escondida en el fondo de un aparador. Una larga mesa de granja, de madera bien gruesa, y cortinas de cretona. Camille sonreía. No tenía ni idea de lo que era la cretona, ni siquiera sabía si le gustaría, pero esas palabras le encantaban: cortinas de cretona... Tendría habitaciones de invitados y, ¿quién sabe, tal vez incluso invitados? Un jardincito lindo, gallinas que le darían huevos de primera que tomaría pasados por agua, gatos para perseguir a los ratones, y perros para perseguir a los gatos. Un rincón de plantas aromáticas, una chimenea, sillones muy cómodos y libros por todas partes. Manteles blancos, servilleteros comprados a chamarileros, una cadena de música para escuchar las mismas óperas que su padre, y una cocina de carbón donde prepararía a fuego lento, durante toda la mañana, guisos de ternera y zanahorias...

Ternera y zanahorias... vaya unas tonterías se le ocurrían...

Una casita como las que dibujan los niños, con una puerta y ventanas a cada lado. Anticuada, discreta, silenciosa, invadida por la hiedra y los rosales. Una casa con adornos en la entrada. Un porche calentito, que habría acumulado todo el calor del día, y en el que se sentaría por la noche, para acechar el regreso de las garzas...

Y un viejo invernadero que haría las veces de taller... Bueno, eso no era seguro... Hasta entonces, sus manos siempre la habían traicionado, y más valía quizá no volver a contar con ellas...

¿Tal vez al final el sosiego no habría de llegar por ese camino?

Pero, ¿por cuál, entonces? Por cuál, se angustiaba Camille de pronto.

¿Por cuál?

Se serenó enseguida, y llamó a un vendedor antes de

perder pie. La pequeña choza del bosque era una imagen muy linda, sí, pero mientras tanto se pelaba de frío en el fondo de un pasillo húmedo, y ese joven del polo amarillo chillón seguro que podría ayudarla:

—¿Dice que deja pasar el aire?

—Sí.

—¿Es un Velux?

—No, un tragaluz.

—¿Todavía existen esos chismes?

—Desgraciadamente, sí…

—Pues tenga, esto es lo que necesita…

Le tendió un rollo de burlete para clavar, «especial ventanas», de gomaespuma con una base de PVC, duradero, lavable e impermeable. Una maravilla.

—¿Tiene grapadora?

—No.

—¿Un martillo? ¿Clavos?

—No.

Camille siguió como un perrito al vendedor por toda la tienda, mientras el chico le iba llenando la cesta.

—¿Y para calentarme?

—¿Ahora mismo qué tiene?

—¡Un radiador eléctrico que se apaga en plena noche y que encima huele mal!

El vendedor se tomó su papel muy en serio y le dio una clase magistral.

Con tono docto, alabó, comentó y comparó las virtudes de los inyectores de aire, el calor por irradiación, los infrarrojos, las placas de cerámica, las estufas y los convectores. A Camille le daba vueltas la cabeza.

—Bueno, ¿y entonces qué me llevo?

—Ah, eso ya, usted verá…

—Pero es que justamente… no lo veo nada claro.

—Llévese una estufa de éstas, no son muy caras y calientan bien. La *Oleo* de la marca Calor no está mal…

—¿Tiene ruedas?

—Pues… —vaciló el dependiente, inspeccionando la ficha técnica—… *termostato mecánico, recogecable automático, potencia regulable, humidificador integrado, blablabla, ¡y ruedas!* ¡Sí, señorita!

—Genial. Así la podré poner cerca de mi cama…

—Eh… Si me permite un comentario… Un chico tampoco está mal… Da calorcito, en una cama…

—Sí, pero no lleva recogecable incorporado…

—Ah, eso no…

El vendedor sonreía.

Al acompañarlo hacia la caja para que le firmara la garantía, Camille vio al pasar una chimenea falsa, con brasas falsas, leña falsa, llamas falsas y morillos falsos.

—¡Hala! ¿Y esto qué es?

—Una chimenea eléctrica, pero no se la aconsejo, es un timo…

—¡Sí, sí! ¡Enséñemela!

Era la *Sherbone,* un modelo inglés. Sólo los ingleses podían inventar algo tan feo y tan *kitsch.* Según la potencia (1.000 o 2.000 vatios), las llamas alcanzaban una determinada altura. Camille estaba encantada:

—¡Es genial, parece de verdad!

—¿Ha visto el precio?

—No.

—532 euros, a quién se le ocurre… Es una estupidez… No se deje engañar…

—De todas maneras yo con los euros no me aclaro…

—Pero si no es tan difícil, vienen a ser unos 3.500 francos, para un chisme que le dará menos calor que la *Oleo,* que cuesta menos de 600…

—Me llevo la chimenea.

El vendedor era un chico sensato, y nuestra cigarra cerró los ojos mientras le tendía su tarjeta de crédito. Ya puestos, se apuntó también al servicio a domicilio. Cuando anunció que vivía en un séptimo sin ascensor, la señora la miró mal y le dijo que entonces le costaría diez euros más…

—No hay problema —contestó Camille poniéndose tensa.

El vendedor tenía razón. Era una locura.

Sí, era una locura, pero el lugar en el que vivía también era de locos. Quince metros cuadrados debajo de un tejado, de los cuales, tan sólo en seis podía mantenerse erguida del todo, un colchón en el suelo, en un rincón, un minúsculo lavabo que más parecía un urinario, y que le servía de fregadero y de cuarto de baño. Una barra que hacía las veces de armario ropero, y dos cajas de cartón una encima de la otra a modo de estantería. Una parrilla eléctrica apoyada sobre una mesita de cámping. Una minineverita que también servía de encimera, de mesa de comedor y de mesita de café. Dos taburetes, una lámpara halógena, un espejito, y otra caja de cartón como despensa. ¿Y qué más? La maletita escocesa donde guardaba el poco material que le quedaba, tres cuadernos de dibujo y… No, nada más. Ésa era toda su casa.

El retrete era un agujero en el suelo, al fondo del pasillo a la derecha, y la ducha estaba encima del retrete. No había más que colocar encima del agujero el entramado de madera podrida, previsto para tal efecto…

No había vecinos, o tal vez un fantasma, pues a veces oía susurros detrás de la puerta del número 12. En la suya había un candado y el nombre de la antigua inquilina, es-

crito con una bonita letra de color violeta, sobre un pedacito de cartón clavado en el quicio de la puerta con una
chincheta: *Louise Leduc*...

Una criada jovencita del siglo pasado...

No, Camille no se arrepentía de haber comprado su
chimenea, aunque le hubiera costado la mitad de su sueldo... Nada menos que la mitad... Pero bah... para lo que
hacía con su sueldo... Camille pensaba en todas esas cosas en el autobús, preguntándose a la vez a quién podría
invitar para inaugurarla...

Unos días más tarde, dio con el personaje adecuado:

—¡Tengo una chimenea, ¿sabe?!

—Perdón, ¿cómo dice? ¡Ah! ¡Oh! Es usted... Buenos
días, señorita. Un tiempo algo tristón, ¿verdad?

—¡Y que lo diga! Y entonces, ¿por qué se quita el gorro?

—Pues... pues... para saludarla.

—¡No, hombre, no, vuélvaselo a poner! ¡Va a agarrar
una pulmonía! Justamente lo estaba buscando. Quería in-
vitarlo un día de éstos a cenar al calor de la chimenea...

—¿A mí? —preguntó, atragantándose.

—¡Sí! ¡A usted!

—Oh, no, pero si yo... esto... ¿Por qué? Esto es de
verdad...

—Esto es ¿qué? —soltó Camille, de repente cansada,
mientras tiritaban los dos de frío delante de su tienda de
alimentación preferida.

—Es... esto...

—¿No es posible?

—No, es... ¡Es demasiado honor para mí!

—¡Ah! —dijo Camille, divertida—. Es demasiado honor para usted... Que no, hombre, que no, ya lo verá,
será algo muy sencillo. ¿Acepta entonces?

—Pues, sí… me… me encantará compartir su mesa…

—Mmm… No es exactamente una mesa, ¿sabe?…

—¿Ah, no?

—Digamos que será más bien un picnic… Una cena sencilla en plan merienda campestre…

—¡Muy bien, me encanta ir de picnic! Puedo incluso venir con mi manta de cuadros y mi cesta, si quiere…

—¿Su cesta de qué?

—¡Mi cesta de picnic!

—¿Un chisme con vajilla dentro y todo?

—Pues sí, en efecto, tiene cubiertos, un mantel, cuatro servilletas, un sacacor…

—¡Huy, sí, qué buena idea! ¡Yo no tengo nada de eso! ¿Pero cuándo? ¿Esta noche?

—Pues, esta noche… es que… yo…

—¿Usted, qué?

—Es decir que no he avisado a mi compañero de piso…

—Entiendo. Pero puede venir él también, eso no es problema.

—¿Él? —preguntó extrañado—. No, él no… Para empezar no sé si… o sea, no sé si se trata de un chico muy… muy… Entendámonos, no hablo de su conducta, aunque… en fin… yo no la comparto, ¿sabe usted? No, me refiero más bien a… Oh, bueno, de todas maneras no está aquí esta noche. Ni ninguna otra noche, de hecho…

—Recapitulemos —dijo Camille, perdiendo la paciencia—, no puede usted venir porque no ha avisado a su compañero de piso, que de todas maneras nunca está en casa, ¿es así la cosa?

Él bajaba la cabeza, toqueteando los botones de su abrigo.

—Oiga, no hay ninguna obligación, ¿eh? Si no quiere, no tiene por qué aceptar mi invitación, ¿sabe…?

—Es que…

—Es que, ¿qué?

—No, nada. Iré.

—Esta noche o mañana. Porque después vuelvo a trabajar hasta el fin de semana…

—De acuerdo —murmuró—, de acuerdo, mañana… Estará… Estará en casa, ¿verdad?

Camille sacudió la cabeza de lado a lado.

—¡Anda que no es usted complicado ni nada! ¡Pues claro que estaré en casa, puesto que le invito a cenar!

Él esbozó una sonrisa insegura.

—¿Hasta mañana entonces?

—Hasta mañana, señorita.

—¿A eso de las ocho?

—A las ocho en punto, allí estaré.

Se inclinó, y dio media vuelta.

—¡Eh!

—¿Disculpe?

—Tiene que tomar por la escalera de servicio. Vivo en el séptimo piso, la puerta número 16, ya verá, es la tercera a mano izquierda…

Con un gesto de cabeza, el hombre le indicó que había entendido sus indicaciones.

11

—¡Pase, pase! ¡Huy, pero si está usted elegantísimo!

—Oh —dijo él, poniéndose colorado—, no es más que un *canotier*... Era de mi tío abuelo, y he pensado que, para un picnic...

Camille no daba crédito. El sombrero de paja no era más que la guinda. Su invitado llevaba un bastón con el mango de plata bajo el brazo, y vestía un traje claro con una corbata de pajarita roja. Le tendió una enorme maleta de mimbre.

—¿Es ésta la cesta de la que me hablaba?

—Sí, pero espere, aún hay una cosa más...

Se fue al fondo del pasillo y volvió con un ramo de rosas.

—Qué detalle...

—¿Sabe?, no son flores de verdad...

—¿Cómo dice?

—No, vienen de Uruguay, creo... Hubiera preferido verdaderas rosas de rosal, pero en pleno invierno, es... es...

—Es imposible.

—¡Sí, eso! ¡Es imposible!

—Vamos, pase, está usted en su casa.

Era tan alto que tuvo que sentarse enseguida. Hizo un esfuerzo por encontrar las palabras adecuadas pero, por una vez, no era un problema de tartamudez, sino de… estupefacción.

—Su casa es… es…

—Pequeña.

—No, es, cómo diría yo… Es coquetona. Sí, es muy coquetona y… pintoresca, ¿verdad?

—Muy pintoresca —repitió Camille riendo.

Se quedó un momento callado.

—¿De verdad vive usted aquí?

—Pues sí…

—¿Completamente?

—Completamente.

—¿Todo el año?

—Todo el año.

—Es un poco pequeño, ¿no?

—Me llamo Camille Fauque.

—Ah, claro, por supuesto, encantado. Yo soy Philibert Marquet de la Durbellière —anunció poniéndose de pie y dándose un coscorrón contra el techo.

—¿Todo eso se llama usted?

—Pues sí…

—¿Tiene usted algún apodo?

—No, que yo sepa…

—¿Ha visto mi chimenea?

—¿Disculpe?

—Ahí… Mi chimenea…

—¡Ah, hela aquí! Muy bien… —añadió, volviéndose a sentar y estirando las piernas delante de las llamas de plástico—, muy, pero que muy bien… Se diría que estamos en un *cottage* inglés, ¿no le parece?

Camille estaba contenta. No se había equivocado. Ese chico era todo un personaje, pero un ser perfecto a la vez…

—Es bonita, ¿eh?

—¡Magnífica! ¿Tira bien, al menos?

—Impecablemente.

—¿Y la leña?

—Huy, con la tormenta… Hoy en día ya no hay más que agacharse…

—Ay, sí, demasiado bien lo sé yo… Tendría usted que ver la maleza en casa de mis padres… Un verdadero desastre… Pero, ¿qué es lo que arde? Madera de roble, ¿no?

—¡Bravo!

Se sonrieron.

—¿Le parece bien una copa de vino?

—Me parece perfecto.

A Camille le maravilló el contenido de la maleta de mimbre. No faltaba un detalle, los platos eran de porcelana; los cubiertos, de esmalte, y los vasos, de cristal fino. Había incluso un salero, un pimentero, unas aceiteras, tacitas de café, de té, servilletas de lino bordadas, una ensaladera, una salsera, una mantequillera, una cajita para los mondadientes, un azucarero, cubiertos de pescado, y una chocolatera. Todo ello con el escudo de la familia de su invitado.

—Nunca había visto nada tan bonito…

—Ahora entiende por qué no podía venir ayer… Si supiera la de horas que he pasado limpiándola y sacándole brillo a todo…

—¡Pero habérmelo dicho!

—¿De verdad cree que si le hubiera puesto como excusa: «Esta noche no, tengo que dejar como nueva mi maleta», no me habría tomado usted por loco?

Camille se guardó muy mucho de hacer ningún comentario.

Extendieron un mantel en el suelo y Philibert Fulano de Tal puso la mesa.

Se sentaron con las piernas cruzadas, encantados y alegres, como dos niños estrenando un juego de cocinitas, con modales exquisitos y mucho cuidadito de no romper nada. Camille, que no sabía cocinar, había ido a una tienda de comida preparada y había comprado un surtido de *taramas,* salmón ahumado, pescados marinados y mermelada de cebolla. Llenaron concienzudamente todas las fuentes del tío abuelo e idearon una especie de tostador muy ingenioso, fabricado con una vieja tapa y papel de estaño, para calentar los blinis sobre la parrilla eléctrica. Apoyaron la botella de vodka sobre el canalón, y así bastaba abrir el tragaluz para servirse. Esas idas y venidas enfriaban la habitación, desde luego, pero en la chimenea chisporroteaba un fuego maravilloso.

Como de costumbre, Camille bebió mucho y comió poco.

—¿Le molesta que fume?

—No, por Dios, adelante… Lo que sí me gustaría es estirar las piernas porque me siento anquilosado…

—Siéntese en mi cama…

—P… por supuesto que no, yo no… De ninguna manera…

A la mínima, Philibert volvía a atorarse y a perder la serenidad.

—¡Que sí, hombre! De hecho, es un sofá cama…

—En ese caso…

—Tal vez podríamos tutearnos, ¿no le parece, Philibert?

Éste palideció.

—Oh, no, yo… En lo que a mí respecta, sería incapaz, pero usted… usted…

—¡Alto, que no cunda el pánico! ¡No he dicho nada! ¡No he dicho nada! Además, encuentro que esto de llamarse de usted está muy bien, es muy distinguido, muy…

—¿Pintoresco?

—¡Eso mismo!

Philibert tampoco comía mucho, pero era tan lento y tan meticuloso, que nuestra perfecta amita de casa se congratuló de haber previsto una cena fría. También había comprado requesón de postre. En realidad, se había quedado paralizada delante del escaparate de una pastelería, totalmente desconcertada e incapaz de elegir ni siquiera un pequeño pastel. Camille sacó su pequeña cafetera italiana y se tomó el café en una taza tan fina que estaba segura de poderla romper de un solo mordisco.

No hablaban mucho. Habían perdido la costumbre de compartir una comida. El protocolo no se llevó pues a rajatabla, y a ambos les resultó difícil sacudirse de encima la soledad... Pero eran personas de buena educación e hicieron un esfuerzo por quedar bien. Se divirtieron, brindaron, y hablaron del barrio. Las cajeras del supermercado —a Philibert le gustaba la rubia, Camille prefería la pelirroja—, los turistas, los juegos de luz sobre la Torre Eiffel y las cacas de perro. Contra todo pronóstico, su invitado resultó ser un gran conversador, manteniendo viva la conversación en todo momento, y trayendo a colación mil y un temas fútiles y agradables. Le apasionaba la historia de Francia, y le confesó que pasaba la mayor parte de su tiempo en las mazmorras de Luis XI, en la antecámara de Francisco I, sentado a la mesa de campesinos de la Edad Media, o en la Conserjería con María Antonieta, mujer por la cual alimentaba una verdadera pasión. Camille proponía un tema o un periodo, y él le contaba mil y un detalles interesantes. La ropa, las intrigas de la Corte, la tasa de impuestos, o la genealogía de los Capetos.

Era muy entretenido.

Camille se sentía como en la página *web* de Alain Decaux.

Un clic con el ratón, un resumen.

—¿Y es usted profesor, o algo así?

—No, soy… Quiero decir… Trabajo en un museo…

—¿De conservador?

—¡Eso son palabras mayores! No, yo me ocupo más bien del servicio comercial…

—Ah —asintió ella gravemente—, debe de ser apasionante… ¿En qué museo?

—Depende, voy cambiando… ¿Y usted?

—Oh, yo… Lo mío, desgraciadamente, es menos interesante, trabajo en unas oficinas…

Al ver su expresión contrariada, Philibert tuvo el tacto de no insistir.

—Tengo un requesón muy bueno, con mermelada de albaricoque, ¿le apetece?

—¡Encantado! ¿Y me acompañará usted?

—Se lo agradezco, pero todas estas delicias rusas me han saciado…

—Está usted muy delgada…

Por miedo a haber pronunciado una palabra hiriente, se apresuró a añadir:

—Pero es usted… cómo diría yo… grácil… Su rostro me recuerda al de Diana de Poitiers…

—¿Era guapa?

—¡Oh! ¡Mucho más que guapa! —Se ruborizó—. He… Ha… ¿Ha estado usted alguna vez en el castillo de Anet?

—No.

—Pues debería… Es un lugar maravilloso que le regaló su amante, el rey Enrique II…

—¿Ah, sí?

—Sí, es un lugar muy bello, una especie de himno al amor donde sus iniciales están entrelazadas por doquier.

Sobre la piedra, el mármol, el hierro, la madera, y en su tumba. Es también muy conmovedor… Si no recuerdo mal, sus frascos de ungüentos y sus cepillos de pelo siguen ahí, en su cuarto de aseo. Ya la llevaré algún día…

—¿Cuándo?

—¿Tal vez en primavera?

—¿De picnic?

—Naturalmente…

Permanecieron un momento en silencio. Camille trató de no reparar en los agujeros de los zapatos de Philibert, y éste hizo otro tanto con las manchas que cubrían las paredes. Se contentaban con beberse el vodka a sorbitos.

—¿Camille?

—¿Sí?

—¿De verdad vive usted aquí todos los días?

—Sí.

—Pero… para… o sea… El tocador…

—En el pasillo.

—¿Ah, sí?

—¿Necesita usted ir?

—No, no, sólo me lo preguntaba.

—¿Está usted preocupado por mí?

—No, bueno…sí… Es que… esto es tan espartano…

—Es usted muy amable… Pero estoy bien. Estoy bien, se lo aseguro, ¡y además ahora tengo una bonita chimenea!

Él ya no parecía tan entusiasmado.

—¿Qué edad tiene? Si no es indiscreción, claro…

—Veintiséis años. Cumpliré veintisiete en febrero…

—Como mi hermana pequeña…

—¿Tiene usted una hermana?

—¡No una, sino seis!

—¡Seis hermanas!

—Sí. Y un hermano…

—¿Y vive usted solo en París?

—Sí, bueno, con mi compañero de piso…

—¿Se llevan bien?

Como no contestaba, Camille insistió:

—¿No muy bien?

—Sí, sí… ¡bastante bien! Pero no nos vemos nunca…

—¿Y eso?

—¡Pues bien, digamos que no es exactamente el castillo de Anet!

Camille se reía.

—¿Trabaja?

—A todas horas. Trabaja, duerme, trabaja, duerme. Y cuando no duerme, trae chicas a casa… Es un curioso personaje que no sabe expresarse más que ladrando. Me resulta difícil comprender qué ven en él todas esas chicas. Bueno, alguna idea sí que tengo sobre esa cuestión, pero bueno…

—¿A qué se dedica?

—Es cocinero.

—¿Ah, sí? Y por lo menos le preparará cosas ricas de comer, ¿no?

—Jamás. Nunca le he visto en la cocina. Salvo por las mañanas, para fustigar a mi pobre cafetera…

—¿Es amigo suyo?

—¡Diantre, no! Lo descubrí mediante un anuncio, un anuncio de nada en el mostrador de la panadería de enfrente: *Joven cocinero busca habitación para echar la siesta por la tarde durante descanso en su trabajo.* Al principio sólo venía unas horas al día, y luego, poquito a poco, hasta que ahí está…

—¿Le molesta?

—¡En absoluto! Si se lo propuse yo incluso… Porque, como ya tendrá ocasión de comprobar, la casa se me hace un poco grande… Y además es un auténtico manitas. Y yo que no soy capaz ni de cambiar una bombilla, pues me

92

viene muy bien… Sabe hacer de todo, y es un pillo redomado, sí señor… Desde que está en mi casa, el recibo de la luz ha bajado una barbaridad…

—¿Ha trucado el contador?

—Yo diría que truca todo lo que toca… Como cocinero no sé cómo será, pero como manitas, no hay dos como él. Y como en mi casa todo está que se cae… No, no es sólo eso, también le aprecio… Nunca he tenido ocasión de hablar con él, pero me da la impresión de que… Bueno, no lo sé… A veces tengo la sensación de vivir bajo el mismo techo que un mutante…

—¿Como en *Alien?*

—¿Cómo dice?

—No, nada.

Como Sigourney Weaver nunca había retozado con un rey, prefirió dejar el tema…

Lo recogieron todo juntos. Al ver su minúsculo lavabo, Philibert le rogó que le dejara lavar los platos. Como su museo cerraba los lunes, al día siguiente no tendría otra cosa que hacer…

Se despidieron ceremoniosamente.

—La próxima vez vendrá usted a mi casa.

—Encantada.

—Pero desgraciadamente, yo no tengo chimenea…

—¡Bueno! No todo el mundo tiene la suerte de tener un *cottage* en París…

—¿Camille?

—¿Sí?

—Hará el favor de cuidarse, ¿verdad?

—Lo intentaré. Pero usted también, Philibert…

—Yo… yo…

—¿Qué?

—Tengo que decirle algo… Lo cierto es que no trabajo de verdad en un museo, ¿sabe…? Más bien en el exterior… O sea, en las tiendas, vaya… Me… me dedico a vender postales…

—Y yo no trabajo de verdad en una oficina, ¿sabe…? Más bien en el exterior también… Soy la señora de la limpieza…

Intercambiaron una sonrisa fatalista y se separaron, avergonzados.

Avergonzados y aliviados.

Fue una cena rusa de lo más lograda.

12

—¿Qué se oye?

—No te preocupes, es el duque...

—¿Pero qué coño hace? Parece que estuviera inundando la cocina...

—Pasa de él, nos trae al pairo... Y ven aquí conmigo, anda...

—No, déjame.

—Anda, que vengas, te digo... Ven... ¿Por qué no te quitas la camiseta?

—Tengo frío.

—Que vengas, te digo.

—Es un poco raro, ¿no?

—Está totalmente chalao... Tenías que haberlo visto antes, ha salido con bastón y sombrero de payaso... He pensado que se iba a un baile de disfraces...

—¿Y adónde iba?

—A ver a una chica, creo...

—¡A una chica!

—Sí, creo que sí, pero no sé... Pero a ti y a mí eso nos trae sin cuidado... Venga, joder, date la vuelta...

—Déjame.

—Joder, Aurélie, mira que eres pesada, tía...

—Aurélia, no Aurélie.

—Aurélia, Aurélie, tanto da. Bueno... ¿qué pasa, los calcetines también te los vas a dejar toda la noche, o qué?

13

Aunque estaba terminantemente prohibido, *strictly forbidden,* Camille dejaba la ropa sobre el dintel de su chimenea, se quedaba en la cama lo más posible, se vestía debajo del edredón, y calentaba entre sus manos los botones de los pantalones vaqueros antes de ponérselos.

El burlete de PVC no parecía muy eficaz y Camille había tenido que cambiar de sitio el colchón para dejar de sentir esa horrorosa corriente de aire que le taladraba la frente. Ahora su cama estaba pegada a la puerta, y para entrar y salir era todo un tejemaneje. Camille se pasaba el tiempo tirando del colchón hacia un lado u otro para poder dar tres pasos. Qué vida más perra, pensaba, qué vida más perra… Y además, ya había claudicado, y ahora hacía pis en el lavabo de su habitación, sujetándose a la pared para no desempotrarlo. En cuanto a los baños turcos, mejor no hablar…

Estaba pues sucia. Bueno, sucia tal vez no, pero sí menos limpia que de costumbre. Una o dos veces por semana iba a casa de los Kessler, cuando sabía seguro que no estaban. Conocía los horarios de la asistenta y ésta le tendía una gran toalla, suspirando. Todo el mundo estaba al corriente. Siempre se marchaba con algo rico de comer, o con otra manta más… Un día, sin embargo, Mathilde consiguió pillarla por banda cuando se estaba secando el pelo:

—¿No quieres venirte a vivir aquí una temporadita? Podrías volver a ocupar tu habitación, ¿qué te parece?

—No, muchas gracias, muchas gracias a los dos, pero no hace falta. Estoy bien...

—¿Estás trabajando?

Camille cerró los ojos.

—Sí, sí...

—¿Tienes algo ya? ¿Necesitas dinero? Pásanos algo, Pierre podría darte un anticipo, sabes...

—No. Por ahora no tengo nada terminado...

—¿Y todos los cuadros que están en casa de tu madre?

—No sé... Habría que clasificarlos... No tengo ganas de hacerlo...

—¿Y tus autorretratos?

—No están en venta.

—¿Qué estás haciendo exactamente?

—Cosas...

—¿Te has pasado por Sennelier?

—Todavía no.

—¿Camille?

—Sí.

—¿Te importa apagar ese dichoso secador para que podamos oírnos un poco?

—Tengo prisa.

—¿Qué estás haciendo exactamente?

—¿Perdón?

—Tu vida... ¿En qué consiste ahora tu vida, qué haces, a qué te dedicas?

Para no tener que volver a contestar nunca más a ese tipo de preguntas, Camille bajó las escaleras del edificio de cuatro en cuatro y se metió en la primera peluquería que encontró.

—Rápeme —le dijo al chico que veía reflejado encima de ella en el espejo.

—¿Cómo?

—Quisiera que me rapara la cabeza, por favor.

—¿Al cero?

—Sí.

—No. No puedo hacer eso…

—Sí, sí, claro que puede. Coja la maquinilla y adelante.

—No, esto no es el ejército. No tengo inconveniente en cortarle el pelo muy corto, pero no al cero. No es el estilo de la casa… ¿Verdad que no, Carlo?

El tal Carlo estaba leyendo un periódico deportivo detrás de la caja.

—Verdad que no, ¿qué?

—Esta señorita, que quiere que la rapemos al cero…

El otro esbozó un gesto que más o menos quería decir: «Me la suda, acabo de perder diez euros en la séptima carrera, así que no me deis la vara…»

—Cinco milímetros…

—¿Cómo?

—Le dejo cinco milímetros, si no ni se atreverá a salir de aquí…

—Tengo gorro.

—Y yo tengo principios.

Camille le sonrió, asintió con la cabeza para mostrar

que estaba de acuerdo, y sintió la cuchilla en su nuca. Mechones de pelo caían desperdigados por el suelo mientras observaba a la extraña persona que tenía delante. No la reconocía, ya no recordaba qué aspecto tenía un momento antes. Le traía sin cuidado. A partir de ahora, le sería mucho más cómodo salir al pasillo a ducharse, y eso era lo único que contaba.

Se dirigió a su reflejo en silencio: ¿Y bien? ¿Ése era el plan? ¿Buscarse la vida, aunque hubiera que afearse, aunque hubiera que perderse de vista, para no deberle nunca nada a nadie?

No, de verdad, ¿ése era el plan?

Se pasó la mano por la cabeza rasposa, y le entraron muchas ganas de llorar.

—¿Le gusta?

—No.

—Ya se lo había dicho yo…

—Ya lo sé.

—Le volverá a crecer…

—¿Usted cree?

—Estoy seguro.

—Será otro de sus principios…

—¿Me puede prestar un boli?

—¿Carlo?

—Mmm…

—Un boli para la señorita…

—No aceptamos cheques por menos de quince euros…

—No, no, es para otra cosa…

Camille cogió su cuaderno y dibujó lo que veía en el espejo.

Una chica calva de mirada dura que sostenía en la mano el lápiz de un aficionado a las carreras amargado, bajo la mirada divertida de un chico apoyado sobre el mango de una escoba. Apuntó su edad y se levantó para pagar.

—¿Ese de ahí soy yo?

—Sí.

—¡Caray, dibuja de miedo!

—Lo intento…

15

El bombero, que no era el mismo que la otra vez pues de ser así Yvonne lo hubiera reconocido, revolvía incansablemente el café con la cucharilla.

—¿Está demasiado caliente?

—¿Cómo?

—El café. Que si está demasiado caliente.

—No, no, está bien, gracias. Bueno, todo esto está muy bien, pero tengo que redactar este informe…

Paulette seguía postrada en el otro extremo de la mesa. Ahora sí que la había hecho buena.

16

—¿Tenías piojos? —le preguntó Mamadou.

Camille se estaba poniendo la bata. No tenía ganas de hablar. Demasiados pedruscos, demasiado frío, demasiada fragilidad.

—¿Estás de morros?

Camille negó con la cabeza, sacó su carrito del cuarto de la basura y se dirigió hacia los ascensores.

—¿Vas a la quinta?

—Mmm…

—¿Y por qué siempre te toca a ti la quinta? ¡Eso no es normal! ¡No te dejes! ¿Quieres que hable yo con la jefa? ¡A mí no me importa armar un buen pollo! ¡Lo armo si quieres, ¿eh?!

—No, gracias. La quinta planta, o cualquier otra, me da exactamente lo mismo…

A las chicas no les gustaba esa planta porque era la de los jefes y los despachos cerrados. Las otras, las de los «open espeis», como decía la Bredart, eran más fáciles, y sobre todo más rápidas de limpiar. Bastaba con vaciar las papeleras, pegar las sillas contra la pared, y pasar la aspiradora por toda la sala. Ni siquiera hacía falta ir con cuidado, te podías permitir chocar contra las patas de los muebles porque eran de mala calidad y a todo el mundo le traía sin cuidado.

En la quinta planta, cada habitación exigía todo un ceremonial, y era un fastidio: vaciar las papeleras, los ceniceros, las trituradoras de papel, limpiar los escritorios con la orden de no tocar nada, de no cambiar de sitio ni un clip, y por si eso fuera poco, también había que apechugar con los saloncitos anexos y los despachos de las secretarias. Esas brujas que pegaban Post-it por todas partes, como si se dirigieran a sus propias asistentas, ellas que ni siquiera podían permitirse el lujo de tener una asistenta en sus casas… *Y hágame esto y aquello, y la última vez movió usted esta lámpara y rompió este chisme y blablabla…* Era el tipo de comentario estúpido que tenía el don de irritar a Carine o a Samia de mala manera, pero que dejaba a Camille totalmente indiferente. Cuando una de esas notas era demasiado seca, escribía debajo: *Yo no comprender,* y volvía a pegar el Post-it en pleno centro de la pantalla.

En las plantas inferiores, los ejecutivos dejaban sus cosas más o menos limpias y ordenadas, pero aquí quedaba mejor no mover un dedo. Se trataba de demostrar que estaban desbordados, que seguramente se habían marchado del despacho porque no tenían más remedio, pero podían regresar en cualquier momento para recuperar su lugar, su cargo y sus responsabilidades y volver a tomar las riendas de este mundo. Bueno, por qué no…, suspiraba Camille. Pase, podía ser. Cada uno tenía sus propias quimeras… Pero había uno, allá, al fondo del pasillo a la izquierda, que estaba empezando a tocarle las narices de mala manera. Pez gordo o no, ese tío era un guarro, y Camille ya estaba empezando a hartarse. Aparte de ser un puerco, su despacho apestaba a desprecio.

Diez veces, o incluso cien, había vaciado y tirado innumerables vasitos de plástico donde flotaban siempre algunas colillas, y había recogido trozos rancios de bocadillo, pero esa noche, no. Esa noche, Camille no tenía ganas. Juntó pues todos los desperdicios del tío ese, sus viejas tiritas llenas de pelos, sus miasmas, sus chicles pegados en el borde del cenicero, sus cerillas y sus papeles arrugados, los reunió en un montoncito sobre su bonita carpeta de piel de cebú, y le dejó una notita: *Señor, es usted un cerdo, y de ahora en adelante le ruego que deje este lugar tan limpio como le sea posible. Posdata: mire debajo de la mesa, encontrará ese objeto tan cómodo que recibe el nombre de papelera...* Adornó su parrafada con un dibujo lleno de mala leche en el que se veía a un cerdito vestido con traje y corbata, agachado para ver qué era pues aquel objeto tan extraño que se escondía bajo su escritorio. Hecho esto, Camille fue a reunirse con sus compañeras para ayudarlas a terminar el vestíbulo.

—¿Y tú de qué te ríes? —preguntó Carine extrañada.

—De nada.

—Mira que eres rarita tú, eh...

—¿Qué toca ahora?

—Las escaleras del B...

—¿Otra vez? ¡Pero si las hemos limpiado hace nada! Carine se encogió de hombros.

—¿Vamos?

—No. Hay que esperar a la SuperJosy para el informe...

—¿El informe de qué?

—No sé. Parece que utilizamos demasiado producto...

—A ver si se aclaran... El otro día, que si no usábamos bastante... Voy a fumarme un cigarro a la calle, ¿te vienes?

—Hace demasiado frío...

Camille salió pues sola, y se apoyó en una farola.

«… *02-12-03… 00:34… -4°…*», desfilaba en letras luminosas en el escaparate de una óptica.

Cayó entonces en la cuenta de qué tendría que haberle contestado antes a Mathilde Kessler cuando ésta le preguntó, con un deje de irritación en la voz, en qué consistía su vida en ese momento.

«… *02-12-03… 00:34… -4°…*»

Hala.
En eso consistía.

17

—¡Si ya lo sé! ¡Lo sé de sobra! ¿Pero por qué dramatizan todos tanto? ¡Esto es absurdo, hombre!

—Mira, Franck, para empezar, tú a mí no me hablas en ese tono, y luego, déjame que te diga que no eres el más indicado para darme lecciones. Figúrate que hace ya más de doce años que me ocupo de ella, que paso a visitarla varias veces por semana, que la llevo a la ciudad, y que cuido de ella. Más de doce años, ¿me oyes? Y hasta ahora, no se puede decir que te haya importado mucho… Nunca un gesto de agradecimiento, nunca un detalle, nada. La otra vez incluso, cuando la acompañé al hospital y al principio fui a verla todos los días, a ti ni se te pasó por la cabeza llamarme por teléfono, o mandarme unas flores, ¿eh? Bueno, no importa, porque no lo hago por ti, sino por ella. Porque tu abuela es una buena persona… Una buena persona, ¿entiendes? No te echo la culpa, hijo, eres joven, vives lejos y tienes tu propia vida, pero a veces, ¿sabes?, todo esto me pesa. Me pesa… Yo también tengo una familia, tengo mis preocupaciones y mis propios achaques, así que te lo digo claramente: ha llegado el momento de que afrontes tus responsabilidades…

—¿Quiere que le fastidie la vida y que la meta en una perrera sólo porque se dejó una cacerola en el fuego, es eso?

—¡Pero bueno! ¡Hablas de ella como si se tratara de un perro!

—¡No, no estoy hablando de ella! ¡Y sabe muy bien de qué estoy hablando! ¡Sabe perfectamente que si la meto en un moridero no va a aguantar! ¡Joder! ¡Ya vio el número que nos montó la otra vez!

—No es necesario que seas tan maleducado, ¿sabes?

—Perdóneme, señora Carminot, perdóneme… Es que estoy muy perdido… No… No puedo hacerle eso, ¿lo entiende? Para mí sería como matarla…

—Si se queda sola, se matará ella…

—¿Y qué? ¿Acaso no sería mejor?

—Ésa es tu manera de ver las cosas, pero yo no funciono así. Si el cartero no hubiera llegado en el momento oportuno el otro día, habría ardido toda la casa, y el problema es que no siempre va a estar ahí el cartero… Y yo tampoco, Franck… Yo tampoco… Esto ya es demasiada carga… Demasiada responsabilidad… Cada vez que me acerco a vuestra casa, me pregunto qué es lo que me voy a encontrar, y los días que no me acerco, no consigo pegar ojo. Cuando la llamo y no contesta, me pongo enferma, y al final siempre acabo por ir a ver qué le ha pasado esta vez. El accidente que tuvo la ha trastornado, ya no es la misma mujer. Se pasa el día entero en bata, ya no come, no habla, no lee el correo… Ayer, sin ir más lejos, volví a encontrármela en combinación en el jardín… Estaba totalmente helada, la pobrecita… No, esto es un sinvivir, siempre estoy imaginándome lo peor… No se la puede dejar así… No se puede. Tienes que hacer algo…

—…

—¿Franck? ¿Franck, estás ahí?

—Sí…

—Tienes que resignarte, hijo…

—No. Vale, estoy dispuesto a meterla en un asilo porque no hay más remedio, pero no me puede pedir que me resigne, eso es imposible.

—Perrera, moridero, asilo… ¿Por qué no dices «residencia de ancianos» sencillamente?

—Porque sé muy bien cómo va a terminar esto…

—No digas eso, hay sitios que están muy bien. La madre de mi marido, por ejemplo, estuvo…

—¿Y usted, Yvonne? ¿No se puede ocupar usted de ella del todo? Le pagaré… Le doy todo lo que quiera…

—No, eres muy amable, pero no, soy demasiado vieja. No quiero asumir una cosa así, bastante tengo ya con ocuparme de mi Gilbert… Y además tu abuela necesita seguimiento médico…

—Pensaba que era amiga suya…

—Y lo es.

—Es amiga suya, pero no le importa empujarla a la tumba…

—¡Franck, retira ahora mismo lo que acabas de decir!

—Son todos iguales… ¡Usted, mi madre, los demás, todos! Dicen que quieren a la gente, pero en cuanto se trata de demostrarlo, todo el mundo se escaquea…

—¡Haz el favor de no meterme en el mismo saco que a tu madre! ¡Eso sí que no! Pero qué ingrato eres, hijo… ¡Ingrato y malo!

Yvonne colgó el teléfono.

No eran más que las tres de la tarde, pero Franck sabía que no podría dormir.

Estaba agotado.

Golpeó la mesa, golpeó la pared, aporreó todo cuanto había a su alcance.

Se puso el chándal para ir a correr y se desplomó sobre el primer banco que encontró.

Al principio no fue más que un pequeño gemido, como si acabaran de pellizcarlo, y después todo su cuerpo lo abandonó. Empezó a temblar de pies a cabeza, su pecho se abrió en dos y liberó un enorme sollozo. No quería, no quería, joder. Pero ya no era capaz de controlarse. Lloró como un crío, como un desgraciado, como un tío a punto de cargarse a la única persona del mundo que lo había querido en su vida. La única a la que él había querido.

Estaba doblado en dos, desgarrado por la tristeza y lleno de mocos.

Cuando admitió por fin que ya nada podía parar aquello, se envolvió la cabeza en el jersey y cruzó los brazos.

Sentía dolor, frío y vergüenza.

Permaneció bajo la ducha, con los ojos cerrados y los músculos de la cara tensos hasta que se terminó el agua caliente. Se cortó al afeitarse porque no tenía el valor de mirarse al espejo. No quería pensar en ello. Ahora no. Ya no. Los diques eran frágiles y si se dejaba llevar, miles de imágenes arrasarían su cabeza. Nunca había visto a su abuelita en otro sitio que en esa casa. Por la mañana, en el jardín, el resto del día, en la cocina, y por la noche, sentada junto a su cama…

Cuando era niño, no podía dormir por la noche, tenía pesadillas, gritaba, la llamaba, insistiendo en que cuando cerraba la puerta, sus piernas se caían por un agujero y él tenía que agarrarse a los barrotes de la cama para no hundirse con ellas. Todas las maestras le habían aconsejado que fuera a ver a un psicólogo, las vecinas asentían gravemente con la cabeza, y le decían que lo que tenía que hacer era llevarle al sanador para que le pusiera los nervios en su sitio. En cuanto a su marido, no quería dejarla subir. «¡La que lo mima eres tú! —le decía—, ¡eres tú la que trastorna al muchacho! ¡Me cago en la mar, lo que tienes que hacer es quererlo menos! Lo que tienes que hacer es dejarlo que llore un rato, para empezar se meará menos, y verás como termina por dormirse…»

Paulette decía «sí, sí, claro que sí» a todo el mundo, pero no hacía caso de nadie. Le preparaba un vaso de leche caliente con azúcar y un poco de agua de azahar, le sostenía la cabeza mientras bebía, y se sentaba en una silla. «Aquí, ¿ves?, a tu ladito.» Cruzaba los brazos, suspiraba, y se quedaba dormida a la vez que él. A menudo antes que él. No importaba, mientras estuviera ahí, a Franck le bastaba. Podía estirar las piernas...

—No queda agua caliente, te aviso... —soltó Franck.
—Ah, qué contratiempo... no sé qué decir, lo siento...
—¡Pero deja de disculparte, joder! He sido yo el que se la ha terminado, ¿vale? He sido yo. ¡Así que no te disculpes!
—Perdona, creía que...
—¡Bueno, mira, a mí me la suda, si quieres ir siempre en ese plan lastimero, es tu problema...!

Salió del cuarto de baño y fue a plancharse el uniforme. Necesitaba urgentemente comprarse alguna chaqueta más porque ya no conseguía tener siempre alguna a punto para el servicio, limpia y planchada. No tenía tiempo. Nunca tenía tiempo. ¡Nunca tenía tiempo para nada, joder!

Sólo libraba un día a la semana, ¡y no se lo iba a pasar en un asilo de viejos en el quinto cuerno, mirando lloriquear a su abuela!

Philibert ya se había instalado en su sillón con sus pergaminos, sus escudos y toda la pesca.
—Philibert...
—¿Sí?
—Esto... mira... Quería disculparme por lo de antes, es que... En este momento estoy muy puteado, y estoy a la que salto, sabes... Además estoy baldao, tío...

—No tiene importancia…

—Sí, sí que la tiene.

—No, mira, lo importante es que digas «quería pedirte disculpas», y no «quería disculparme». No puedes disculparte tú solo, no es correcto lingüísticamente hablando…

Franck se lo quedó mirando un momento antes de sacudir la cabeza:

—Desde luego, tío, mira que estás pirao…

Antes de salir por la puerta, añadió:

—Ah, oye, mira en la nevera, te he traído algo. Ya no me acuerdo qué era… Pato, creo…

Philibert le dio las gracias a una corriente de aire.

Nuestro carretero ya estaba en el vestíbulo, jurando en arameo porque no encontraba las llaves.

Trabajó sin pronunciar una sola palabra, no dijo ni mu cuando el chef vino a quitarle la sartén de las manos para hacerse el interesante, apretó los dientes cuando le devolvieron un *magret* demasiado crudo, y restregó sus fogones para limpiarlos como si hubiese querido arrancarles virutas de metal.

La cocina se vació y Franck esperó en un rincón a que su colega Kermadec terminara de separar manteles y contar servilletas. Cuando éste lo vio, sentado en un rincón hojeando una revista de motos, le preguntó con un gesto de barbilla:

—¿Qué quiere el cocinero?

Lestafier echó la cabeza para atrás y se llevó el pulgar a los labios.

—Enseguida voy. Termino un par de cosas y estoy contigo…

Tenían intención de recorrerse todos los bares del barrio, pero Franck ya estaba borracho perdido nada más salir del segundo.

Esa noche volvió a hundirse en un agujero, pero no el de su infancia. Otro.

18

—Pues nada, era para disculparme... O sea, para pedír-
selas, vamos...

—¿Para pedirme qué, hijo?

—Pues disculpas...

—Pero si ya te he perdonado, hombre... Sé muy bien
que no pensabas lo que decías, pero aun así tienes que tener cuidado... ¿Sabes?, tienes que cuidar de las personas
que son amables contigo... Cuando te vayas haciendo
viejo verás que no te cruzas con tantas...

—¿Sabe?, he estado pensando en lo que me dijo ayer,
y aunque me cueste mogollón reconocerlo, sé muy bien
que la que tiene razón es usted...

—Claro que tengo razón... Conozco bien a los viejos,
yo, veo viejos todo el día por aquí...

—Entonces...

—¿Qué?

—El problema es que no tengo tiempo para ocuparme
de ello, me refiero a encontrar una plaza y todo eso...

—¿Quieres que me ocupe yo?

—Le puedo pagar las horas que necesite, ¿sabe...?

—No empieces otra vez con tus groserías, yo estoy dispuesta a ayudarte, pero se lo tienes que anunciar tú. Te
corresponde a ti explicarle la situación...

—¿Vendrá usted conmigo?

—De acuerdo, si prefieres, voy contigo, pero mira, tu
abuela sabe de sobra lo que pienso yo de todo esto...

Anda que no llevo tiempo repitiéndole siempre la misma cantilena…

—Hay que encontrarle un sitio de primera, ¿eh? Con una habitación bien bonita, y sobre todo un gran jardín…

—Que sepas que todo eso es carísimo, ¿eh…?

—¿Cómo de caro?

—Más de un millón al mes…

—Esto… Espere, Yvonne, ¿en qué me está hablando? Ahora contamos en euros…

—Huy, en euros… Yo te hablo como tengo costumbre de hablar, y para una buena residencia, hay que poner más de un millón de los antiguos francos al mes…

—…

—¿Franck?

—Eso… Eso es lo que yo gano…

—Tienes que ir al ministerio a solicitar una ayuda, ver a cuánto asciende la jubilación de tu abuelo, y luego apuntarte en la APA en el Consejo General…

—¿Qué es la apa?

—Es una ayuda para las personas dependientes o minusválidas.

—Pero… mi abuela no es minusválida de verdad, ¿no?

—No, pero tendrá que hacer como que sí cuando le manden al experto. Que no parezca que está como una rosa, porque si no, no os darán gran cosa…

—Joder, esto es la hostia… Perdón.

—Me tapo los oídos.

—No me va a dar tiempo a hacer todos esos papeleos… ¿Le importaría desbrozarme un poco el terreno, por favor?

—No te preocupes, el viernes saco el tema en el Club, ¡y verás qué revuelo armo!

—Se lo agradezco, señora Carminot…

—Ya ves… Es lo mínimo que puedo hacer…

—Bueno, pues nada, me voy al curro que ya toca…

—Según parece ya cocinas como un maestro, ¿eh?

—¿Y eso quién se lo ha dicho?

—La señora Mandel…

—Ah…

—Huy, madre, si supieras… ¡Todavía lo comenta! Aquella noche les preparaste una liebre que estaba para chuparse los dedos…

—No me acuerdo.

—¡Pues ella desde luego sí que se acuerda, créeme! Y dime una cosa, Franck…

—¿Sí?

—Ya sé que no es asunto mío, pero… ¿tu madre?

—¿Qué pasa con ella?

—No sé, antes me preguntaba si no habría a lo mejor que avisarla… Lo mismo te podría ayudar a pagar…

—Ahora la que dice groserías es usted, Yvonne, y no será porque no la conoce…

—Pero, ¿sabes?, a veces la gente cambia…

—Ella, no.

—…

—No. Ella, no. Bueno, la dejo ya, que tengo prisa…

—Adiós, hijo.

—Esto…

—¿Sí?

—Intente encontrar algo menos caro…

—Voy a ver, ya te diré…

—Gracias.

Hacía tanto frío aquel día que Franck se alegró de volver a su puesto de esclavo, al calorcito de la cocina. El chef estaba de buen humor. Otra vez lleno total en el restaurante y acababa de enterarse de que le iban a hacer una buena crítica en una revista de pijos.

—Con el tiempo que hace, chavales, ¡esta noche todo

va a ser pedir *foie* y vinos de primera! ¡Ah, se acabaron las ensaladas, los entremeses y todas esas mariconadas! ¡Se acabó, sí, señor! ¡Quiero platos ricos, de primera, y quiero que los clientes salgan de aquí con diez grados más en el cuerpo! ¡Hala, chavales, a trabajar!

19

A Camille le costó trabajo bajar las escaleras. Las agujetas la tenían medio tullida, y sufría una migraña espantosa. Como si alguien le hubiera clavado un cuchillo en el ojo derecho y se divirtiera girando delicadamente la hoja en cuanto hacía el más mínimo movimiento. Al llegar al portal se agarró a la pared para recuperar el equilibrio. Tiritaba, se ahogaba. Durante un segundo pensó en regresar a la cama, pero la idea de volver a subir esos siete pisos le pareció más insoportable que ir a trabajar. Al menos en el metro podría sentarse un rato…

Justo cuando franqueaba la puerta, se tropezó con un oso. Era su vecino, vestido con una larga pelliza.

—Oh, perdone, caballero —se disculpó éste—, no… Levantó los ojos.

—Camille, ¿es usted?

No tenía el valor de darle ni la más mínima conversación, de modo que se escabulló por debajo de su brazo.

—¡Camille! ¡Camille!

Ésta escondió el rostro en su bufanda y apretó el paso. Ese esfuerzo pronto la obligó a apoyarse en una boca de incendios para no caerse redonda.

—Camille, ¿se encuentra bien? Dios mío, pero… ¿qué se ha hecho en el pelo? Oh, pero qué mala cara tiene… ¡Una cara malísima! ¿Y su pelo? Un pelo tan bonito…

—Tengo que irme, ya llego tarde…

—¡Pero hace un frío de perros, amiga mía! No vaya por ahí sin cubrirse la cabeza, se podría usted morir de frío… Tenga, póngase al menos mi gorro ruso…

Camille hizo un esfuerzo por sonreír.

—¿Éste también era de su tío?

—¡Diantre, no! Más bien de mi bisabuelo, el que acompañó a ese bajito general en sus campañas en Rusia…

Le encasquetó el gorro hasta las cejas.

—¿Quiere decir que este chisme estuvo en la batalla de Austerlitz? —se esforzó por bromear Camille.

—¡Y tanto que sí! Y en el Beresina también, desgraciadamente… Pero está usted muy pálida… ¿Seguro que se encuentra bien?

—Un poco cansada…

—Dígame, Camille, ¿siente usted mucho frío ahí arriba?

—No lo sé… Bueno, tengo… tengo que irme… Gracias por el gorro.

Aletargada por el calor del vagón, Camille se quedó dormida y no se despertó hasta el final de la línea. Se sentó en el otro sentido y se caló el gorro de oso hasta los ojos para llorar de agotamiento. Buf, esa antigualla olía a rayos…

Cuando, por fin, salió en la estación adecuada, el frío que sintió fue tan cortante que tuvo que sentarse bajo la marquesina de una parada de autobús. Se tumbó sobre los asientos y le pidió a un chico que había ahí que le parara un taxi.

Subió hasta su buhardilla de rodillas y se desplomó sobre el colchón. No tuvo fuerzas para desnudarse y, durante un segundo, pensó en morirse ahí mismo. ¿Quién se enteraría? ¿A quién le importaría? ¿Quién la lloraría? Tiritaba de calor y el sudor la envolvió, como un sudario helado.

20

Philibert se levantó hacia las dos de la madrugada para ir a beber agua. El suelo de la cocina estaba helado, y el viento golpeaba con furia contra los cristales de las ventanas. Se quedó un momento mirando fijamente la avenida desierta y desolada, murmurando retazos de infancia… *Se acerca el invierno, asesino de los pobres…* El termómetro exterior marcaba seis grados bajo cero y no podía evitar pensar en esa mujercita, arriba, bajo el tejado. ¿Estaría durmiendo en ese preciso momento? Y válgame Dios, ¿qué se había hecho en el pelo?

Tenía que hacer algo. No podía dejarla así. Sí, pero su educación, sus modales, y su discreción, lo enredaban de mil y una maneras, bloqueándolo…

¿Acaso era decente importunar a una muchacha en plena noche? ¿Cómo se lo tomaría? Bueno, y tal vez no estuviera sola, después de todo. ¿Y si estaba desnuda? Oh, no… Prefería no imaginárselo siquiera… Y como en los cómics de Tintín, el ángel y el demonio se peleaban en la almohada de al lado.

Bueno… Los personajes eran un poco distintos…

Un ángel congelado de frío decía: «Pero hombre, esta muchacha se está muriendo de frío…», y el otro, con aire molesto, le replicaba: «Ya lo sé, amigo mío, pero estas cosas no se hacen. Ya irá usted a ver cómo se encuentra mañana por la mañana. Y ahora haga el favor de irse a dormir.»

Philibert asistió a su pequeña discusión sin tomar partido, dio diez, veinte vueltas en la cama, suplicándoles que se callaran, y terminó por robarles la almohada para no oírlos más.

A las tres y cincuenta y cuatro buscó sus calcetines en la oscuridad.

La raya de luz que se filtraba por debajo de su puerta volvió a infundirle valor.

—¿Señorita Camille?

Repitió, apenas un poco más fuerte:

—¿Camille? ¿Camille? Soy Philibert…

No hubo respuesta. Lo intentó una última vez antes de dar media vuelta. Ya estaba al final del pasillo cuando oyó un sonido ahogado.

—Camille, ¿está ahí? Me tenía usted preocupado y… y…

—… puerta… abierta —gimió ella.

La buhardilla estaba helada. Le costó trabajo entrar por culpa del colchón y se tropezó con un montón de trapos. Se arrodilló. Levantó una manta, otra más, y un edredón, antes de dar por fin con su cara. Estaba empapada.

Le puso la mano en la frente:

—¡Pero si tiene una fiebre de caballo! No puede permanecer así… Aquí no… Sola, no… ¿Y su chimenea?

—… no he tenido fuerzas para moverla…

—¿Me permite que la lleve conmigo?

—¿Adónde?

—A mi casa.

—No tengo ganas de moverme…

—Voy a cogerla en brazos.

—¿Como un príncipe azul?

Philibert le sonrió:

—Vamos, tiene tanta fiebre que delira…

Arrastró el colchón hasta el centro de la habitación, le quitó los zapatones y la cogió en brazos con infinita torpeza.

—Desgraciadamente, no soy tan fuerte como un príncipe de verdad… Eeee… ¿Podría intentar rodearme el cuello con los brazos, por favor?

Camille dejó caer la cabeza sobre su hombro, y Philibert se quedó desconcertado por el olor agrio que emanaba de su nuca.

El rapto fue desastroso. Golpeó a su dama contra todas las esquinas, y a punto estuvo de perder el equilibrio en cada escalón. Afortunadamente, se le había ocurrido coger la llave de la puerta de servicio y sólo tuvo que bajar tres pisos. Cruzó el *office,* la cocina, poco le faltó para caerse diez veces en el pasillo y por fin la depositó sobre la cama de su tía Edmée.

—Mire, me imagino que tendré que desvestirla un poco… Esto… quiero decir, usted… Vamos, que me resulta muy violento…

Camille había cerrado los ojos.

Bien.
Philibert Marquet de la Durbellière se hallaba pues en una situación harto difícil.
Rememoró las hazañas de sus antepasados, pero la Convención de 1793, la toma de Cholet, el valor de Cathelineau y el coraje de La Rochejaquelein de repente no le parecieron gran cosa…

El demonio enojado estaba ahora de pie sobre su hombro con la guía de las buenas costumbres de la baronesa Von Staffe bajo el brazo. Se estaba desahogando a gusto: «Y bien, amigo mío, estará contento, ¿eh? ¡Ah, muy bien, he aquí a nuestro caballero valiente! Deje que lo felicite… Y ahora, ¿qué? ¿Qué hacemos ahora?» Philibert estaba totalmente desorientado. Camille murmuró:

—… sed…

Su salvador se precipitó a la cocina, pero el aguafiestas de antes lo esperaba encaramado al fregadero: «¡Claro que sí! Siga, siga… ¿Y el dragón? ¿No piensa ir también a luchar contra el dragón?», «¡Cállate la boca, leche!», le contestó Philibert. No daba crédito a lo que acababa de hacer, y volvió a la cabecera de la enferma con el corazón más ligero. Al final no era tan complicado. Tenía razón Franck: a veces valía más soltar un buen taco que todo un discurso. Con estas nuevas fuerzas, Philibert dio de beber a Camille y cogió el toro por los cuernos: la desnudó.

No resultó fácil porque llevaba más capas de ropa que una cebolla. Primero le quitó el abrigo, y luego la cazadora vaquera. Después le tocó el turno a un jersey, a otro más, un cuello vuelto, y por fin, una especie de camiseta de manga larga. *Bueno,* se dijo Philibert, *no puedo dejársela puesta, está empapada… Bueno, qué se le va a hacer, le veré el… O sea, el sostén…* ¡Horror! ¡Por todos los santos! ¡No llevaba sostén! Rápidamente la cubrió con la sábana. Bien… Ahora por abajo… Se sentía menos incómodo porque podía maniobrar a tientas por debajo de la manta. Tiró con todas sus fuerzas de las perneras del pantalón. Alabado sea el Señor, la braguita no se movió de su sitio…

—¿Camille? ¿Tiene fuerzas para ducharse?

No hubo respuesta.

Sacudió la cabeza de lado a lado, en un gesto de desaprobación. Fue al cuarto de baño, llenó un barreño con agua caliente, vertió en ella unas gotas de colonia y se armó con una manopla de baño.

¡Valor, soldado!

Apartó las sábanas y le refrescó el cuerpo, primero rozándolo apenas con la manopla, y después ya con algo más de decisión.

Le frotó la cabeza, el cuello, la cara, la espalda, las axilas, el pecho, puesto que no había más remedio, y de hecho, ¿se le podía llamar pecho a eso? La tripa y las piernas. Lo demás, ya vería ella… Escurrió la manopla y se la puso en la frente.

Ahora necesitaba una aspirina… Tiró con tanta fuerza del cajón de la cocina que desperdigó por el suelo todo lo que contenía. Diantre. Una aspirina, una aspirina…

Franck estaba en la puerta, con el brazo por debajo de la camiseta, rascándose el bajo vientre:

—Uuuaaa… —dijo, bostezando—, ¿qué pasa aquí? ¿Qué coño es todo este jaleo?

—Estoy buscando una aspirina…

—En el armarito…

—Gracias.

—¿Te duele el tarro?

—No, es para una amiga…

—¿La piba del séptimo?

—Sí.

Franck se rió con malicia:

—Espera, espera, ¿estabas con ella? ¿Estabas arriba con ella?

—Sí, apártate, por favor…

—Qué dices tío, no me lo creo… ¡Entonces ya te has *estrenao*!

Sus sarcasmos lo perseguían por el pasillo:

—¿Qué pasa? ¿Que te viene con lo de la jaqueca desde la primera noche? Joder, tío, pues lo llevas chungo…

Philibert entró y cerró la puerta, se dio la vuelta y murmuró con total claridad: «Tú también cállate la boca, leche…»

Esperó a que el comprimido efervescente se deshiciera del todo antes de volver a molestarla por última vez. Le pareció oírle susurrar «papá…» A no ser que fuera «para», pues probablemente ya no tuviera más sed. Philibert no sabía.

Volvió a mojar la manopla, la arropó bien con las sábanas, y permaneció allí un momento.

Desconcertado, asustado y orgulloso de sí mismo.

Sí, orgulloso de sí mismo.

Camille se despertó con la música de U2. Al principio creyó estar en casa de los Kessler, y volvió a quedarse dormida. No, pensó confusa, no, eso no era posible... Ni Pierre, ni Mathilde, ni su asistenta podían poner a Bono a pleno volumen de esa manera. Había algo que no cuadraba... Abrió lentamente los ojos, gimió a causa del dolor de cabeza, y aguardó en la penumbra hasta poder reconocer algo.

Pero ¿dónde estaba? ¿Qué...?

Camille ladeó la cabeza. Todo su cuerpo parecía querer oponerse. Sus músculos, sus articulaciones, y las pocas chichas que tenía se negaban a hacer el más mínimo movimiento. Apretó los dientes y se incorporó unos centímetros. Sentía escalofríos y volvía a sudar abundantemente.

La sangre latía en sus sienes. Esperó un momento, inmóvil, con los ojos cerrados, a que pasara el dolor.

Abrió delicadamente los párpados y constató que se encontraba en una cama extraña. La luz pasaba apenas entre los intersticios de los estores, y unas enormes cortinas de terciopelo, medio desprendidas de la barra, colgaban miserablemente a cada lado. Delante de ella había una chimenea de mármol, sobre la cual se veía un espejo lleno de manchitas oscuras. El papel pintado era de flores, de unos colores que Camille no acertaba a distinguir del todo. Había cuadros por todas partes. Retratos de hombres y mujeres vestidos de negro que parecían tan asombrados como ella de encontrarla allí. Camille se volvió entonces hacia la mesilla de noche y descubrió una preciosa jarra de agua junto a un vasito de cristal con dibujos de Scoobidoo. Se moría de sed y la jarra estaba llena, pero no se atrevía a tocarla: ¿en qué siglo la habrían llenado?

¿Pero dónde diablos estaba, y quién la había traído a este museo?

Junto a una palmatoria vio una pequeña nota de papel: «No me he atrevido a molestarla esta mañana. Me voy a trabajar. Volveré sobre las siete. Su ropa está doblada sobre la butaca. En la nevera encontrará algo de pato, y al pie de la cama, una botella de agua mineral. Philibert.»

¿Philibert? ¿Pero qué narices hacía en la cama de ese tío?

Socorro.

Camille se concentró para recuperar los retazos de una improbable orgía, pero sus recuerdos no iban más allá del bulevar Brune… Estaba sentada, doblada en dos bajo la marquesina de una parada de autobús, rogándole a un tío alto con un abrigo oscuro que le parara un taxi… ¿Sería Philibert? No, sin embargo… No, no era él, lo habría recordado…

Alguien acababa de apagar la música. Volvió a oír pasos, gruñidos, un portazo, y luego otro, y después nada más. Silencio.

Necesitaba urgentemente ir al cuarto de baño, pero esperó un poco más, atenta al menor ruido y agotada ante la sola idea de mover su pobre esqueleto.

Apartó las sábanas y levantó el edredón que le pareció casi tan pesado como un muerto.

Al tocar el suelo, los dedos de sus pies se encogieron. Unas babuchas de cabritilla la esperaban a la orilla de la alfombra. Se levantó, vio que llevaba la parte de arriba de un pijama de hombre, se calzó las zapatillas y se echó su cazadora vaquera por los hombros.

Giró el picaporte despacito y se encontró en un inmenso pasillo, muy oscuro, que tendría por lo menos quince metros de largo.

Y se puso a buscar el cuarto de baño...

No, eso era un armario, esto una habitación de niño con dos camitas y un caballito balancín todo apolillado. Esto... Camille no sabía qué sería... ¿Un despacho, tal vez? Había tantos libros sobre una mesa delante de la ventana que apenas podía entrar la luz del día. Un sable y una bufanda blanca colgaban de la pared, así como una cola de caballo, enganchada a una anilla de latón. Una auténtica cola de un caballo de verdad. Qué reliquia más rara...

¡Ahí estaba! ¡El cuarto de baño!

La taza, así como el pomo de la cisterna eran de madera. Ésta, dado lo vieja que era, tenía que haber visto pasar múltiples generaciones de bombachitos de encaje... Camille tuvo ciertas reticencias al principio, pero no, todo funcionaba perfectamente. El ruido de la cisterna era desconcertante. Como si acabaran de caérsele encima las cataratas del Niágara...

Sentía vértigo, pero prosiguió su periplo en busca de unas aspirinas. Entró en una habitación que parecía una leonera. Había ropa tirada por todas partes, así como revistas, latas de refresco vacías y hojas de papel: nóminas,

131

fichas técnicas de cocina, un manual de mantenimiento GSXR, y diferentes Letras del Tesoro. Sobre la preciosa cama estilo Luis XVI había un horroroso edredón de colorines, y toda la parafernalia necesaria para fumar porros aguardaba su momento sobre la fina marquetería de la mesilla de noche. Buf, la habitación olía a tigre...

La cocina estaba en la otra punta del pasillo. Era una habitación fría, gris y triste, con un viejo suelo de baldosas pálidas con cabujones negros. Las encimeras eran de mármol, y los pequeños armarios estaban casi todos vacíos. Nada, salvo la presencia ruidosa de un antiguo frigorífico, dejaba suponer que allí viviera alguien... Encontró el tubo de comprimidos efervescentes, cogió un vaso junto al fregadero, y se sentó en una silla de formica. Los techos tenían una altura vertiginosa, y el blanco de las paredes llamó su atención. Debía de ser una pintura muy antigua, a base de plomo, y los años le habían dado una pátina aterciopelada. No era un blanco marfil, ni crema, sino el blanco del arroz con leche, o de los entremeses sosos del comedor del colegio... Realizó mentalmente varias mezclas, y se prometió a sí misma volver algún día con dos o tres tubos de pintura para investigar. Camille se perdió en el piso y pensó que nunca volvería a encontrar su habitación. Se desplomó sobre la cama, pensó un segundo en llamar a su jefa en Todoclean pero se quedó dormida al instante.

22

—¿Qué tal se encuentra?

—¿Es usted, Philibert?

—Sí…

—¿Estoy en su cama?

—¿En mi cama? Pero, pero… por supuesto que no… Jamás me…

—¿Dónde estoy?

—En los aposentos de mi tía Edmée, la tía Mée, para los amigos… ¿Qué tal se encuentra, querida?

—Agotada. Como si me hubieran pegado una paliza…

—He llamado a un médico…

—¡No, no tenía que hacerlo!

—¿No tenía que hacerlo?

—Ay, bueno… Por qué no… Ha hecho usted bien… De todas maneras voy a necesitar una baja laboral…

—He puesto a calentar sopa…

—No tengo hambre…

—Tendrá que hacer un esfuerzo. Tiene que alimentar-se un poco, si no su cuerpo no tendrá fuerzas suficientes para desterrar a este virus fuera de sus fronteras… ¿Por qué sonríe?

—Porque habla como si fuera la guerra de los Cien Años…

—¡Espero que no le lleve tanto tiempo! Ah, ¿oye la puerta? Debe de ser el médico…

—¿Philibert?

—¿Sí?

—No llevo nada encima... ni talonario, ni dinero, nada...

—No se preocupe. Ya arreglaremos eso más tarde... Cuando llegue el momento del tratado de paz...

23

—¿Y bien?

—Está dormida.

—Ah…

—¿Es familiar suyo?

—Es una amiga…

—¿Qué tipo de amiga?

—Pues es… esto… una vecina, o sea, u…una vecina amiga —se trabó Philibert.

—¿La conoce bien?

—No. No muy bien.

—¿Vive sola?

—Sí.

El médico esbozó una mueca.

—¿Le preocupa algo?

—Sí, por así decirlo, sí… ¿Tiene usted una mesa? ¿Algún sitio donde pueda sentarme?

Philibert lo llevó a la cocina. El médico sacó su libreta de recetas.

—¿Conoce su apellido?

—Fauque, creo…

—¿Lo cree o está seguro?

—¿Su edad?

—Veintiséis años.

—¿Seguro?

—Sí.

—¿Trabaja?

—Sí, en una empresa de mantenimiento.

—¿Cómo?

—Limpia oficinas…

—¿Estamos hablando de la misma persona? ¿De la chica que descansa en esa gran cama antigua al fondo del pasillo?

—Sí.

—¿Sabe cuál es su horario de trabajo?

—Trabaja por la noche.

—¿Por la noche?

—Sí, bueno, a primera hora de la noche, cuando las oficinas se quedan vacías…

—Parece usted contrariado —se atrevió a decir Philibert.

—Lo estoy. Su amiga está agotada… Francamente, no le queda ni un gramo de fuerza… ¿Se había dado usted cuenta de ello?

—No, bueno, sí… Saltaba a la vista que tenía mala cara, pero yo… El caso es que no la conozco muy bien, ¿sabe?… Yo… Yo me limité a ir a buscarla la otra noche porque no tiene calefacción y…

—Escúcheme, le voy a hablar claramente: dado su estado de anemia, su peso y su tensión, podría hospitalizarla inmediatamente, pero cuando le he mencionado esta posibilidad, me ha parecido tan angustiada que… Bueno, yo no tengo su historial, ¿comprende? No conozco ni su pasado, ni sus antecedentes, y no quiero precipitarme, pero cuando se encuentre un poco mejor, tendrá que someterse a una serie de pruebas, es evidente…

Philibert se retorcía las manos.

—Mientras tanto, una cosa está muy clara: tiene usted que ayudarla a recuperarse. Es absolutamente necesario

que la obligue a alimentarse y a dormir, porque si no...
Bueno, por ahora le voy a firmar una baja de diez días.
Aquí tiene también una receta para los analgésicos y la vitamina C, pero se lo repito: nada de esto podrá sustituir nunca un buen filetón, pasta, verdura y fruta fresca, ¿comprende?

—Sí.

—¿Tiene familia en París?

—No lo sé. ¿Y la fiebre?

—Un gripazo. No hay nada que hacer... Esperar a que pase... Vigile que no se abrigue demasiado, evite las corrientes, y oblíguela a guardar cama durante varios días...

—Bueno...

—¡Ahora el que parece preocupado es usted! Bueno, es verdad que se lo he pintado todo muy negro, pero... tampoco tanto en realidad... ¿La cuidará bien, verdad?

—Sí.

—Y dígame, ¿ésta es su casa?

—Pues... sí...

—¿Cuántos metros cuadrados tiene en total?

—Algo más de trescientos...

—¡Caray! —exclamó el médico con un silbido—. Tal vez le parezca un poco indiscreto pero ¿qué hace usted en la vida?

—Arca de Noé.

—¿Cómo?

—No, nada. ¿Qué le debo?

24

—Camille, ¿está usted durmiendo?

—No.

—Mire, tengo una sorpresa para usted…

Abrió la puerta y entró empujando su chimenea sintética.

—He pensado que le haría ilusión…

—Huy… Es usted muy amable, pero no me voy a quedar aquí, ¿sabe…? Mañana me subo a mi casa…

—No.

—No, ¿qué?

—Subirá usted cuando también suba el barómetro, mientras tanto se quedará aquí para descansar, lo ha dicho el médico. Y le ha dado diez días de baja…

—¿Tantos?

—Pues sí…

—Tengo que mandarla…

—¿Cómo?

—La baja…

—Voy a buscarle un sobre.

—No, pero… No puedo quedarme tanto tiempo, no… No quiero.

—¿Prefiere ir al hospital?

—No bromee con eso…

—No estoy bromeando, Camille.

Camille se echó a llorar.

—No les dejará que me lleven al hospital, ¿verdad?

—¿Se acuerda de la guerra de la Vendée?

—Pues... No mucho, no...

—Ya le prestaré unos cuantos libros... Mientras tanto recuerde que está en casa de los Marquet de la Durbellière, ¡y que aquí no les tenemos miedo a los *Bleus*!

—¿Los *Bleus*?

—La República. Quieren meterla en un hospital público, ¿no es así?

—Seguramente...

—Entonces no tiene usted nada que temer. ¡Echaré aceite hirviendo a los camilleros por el hueco de la escalera!

—Está usted totalmente chalado...

—¿No lo estamos todos un poco? ¿Por qué se ha rapado usted la cabeza, vamos a ver?

—Porque ya no tenía fuerzas para lavarme el pelo en el pasillo...

—¿Se acuerda de lo que le dije sobre Diana de Poitiers?

—Sí.

—Pues bien, acabo de encontrar algo en mi biblioteca, espere...

Volvió con un libro de bolsillo deteriorado, se sentó en el borde de la cama y carraspeó.

—*Toda la Corte —salvo la señora d'Étampes, por supuesto* (más tarde le diré por qué)*— convenía en que era adorablemente hermosa. Se imitaban sus andares, sus gestos, sus peinados. De hecho, sirvió para establecer los cánones de belleza, los cuales todas las mujeres, durante cien años, buscaron ardientemente seguir:*

Tres cosas blancas: la piel, los dientes, las manos.

Tres negras: los ojos, las cejas, los párpados.

Tres rojas: los labios, las mejillas, las uñas.

Tres largas: el cuerpo, el cabello, las manos.
Tres cortas: los dientes, las orejas, los pies.
Tres estrechas: la boca, la cintura, el empeine.
Tres gruesas: los brazos, los muslos, las pantorrillas.
Tres pequeñas: el pezón, la nariz, la cabeza.
Una bonita forma de expresarlo, ¿verdad?

—¿Y cree usted que me parezco a ella?

—Sí, bueno, según ciertos criterios…

Estaba colorado como un tomate.

—No… no todos, por supuesto, pero ¿sa… sabe usted?, es una cuestión de estilo, de gra… gracia, de… de…

—¿Es usted quien me ha desnudado?

Se le cayeron las gafas sobre el regazo y se puso a ta…tartamudear como nunca.

—Yo… yo… Sí, o sea… yo… yo… Muy ca… castamente, se lo pro… prometo, primero la ta… tapé con las sábanas, y…

Camille le tendió sus gafas.

—¡Eh, no se ponga así! Era sólo por saberlo, nada más… Estooo… ¿estaba también el otro?

—¿Q… quién?

—El cocinero…

—No. ¡Por supuesto que no!

—Ah, bueno, menos mal… Ayyy… Me duele tanto la cabeza…

—Voy a bajar a la farmacia… ¿Necesita algo más?

—No. Gracias.

—Muy bien. Ah, sí, tenía que decirle que… nosotros aquí no tenemos teléfono… pero si quiere avisar a alguien, Franck tiene un móvil en su habitación y…

—No hace falta, gracias. Yo también tengo uno… Sólo necesito el cargador, que lo tengo arriba…

—Si quiere puedo ir yo a buscarlo…

—No, no, puede esperar…

—Como usted quiera.

—¿Philibert?

—¿Sí?

—Gracias.

—Pero si no es nada…

Estaba ahí, de pie delante de ella, con su pantalón demasiado corto, su chaqueta demasiado ceñida y sus brazos demasiado largos.

—Es la primera vez en mucho tiempo que me cuidan de esta manera…

—Pero si no es nada…

—Sí, sí, de verdad… Quiero decir… sin esperar nada a cambio… Porque usted… no espera nada, ¿verdad?

Philibert estaba escandalizado:

—Pero, pero… ¿qué… qué se imagina usted?

Camille ya había vuelto a cerrar los ojos.

—No me imagino nada, se lo digo: no tengo nada que dar.

25

Camille ya no sabía ni qué día era. ¿Sábado? ¿Domingo? Hacía años que no dormía tanto.

Philibert acababa de asomarse para ofrecerle un plato de sopa.

—Me voy a levantar. Me voy a la cocina con usted…

—¿Está usted segura?

—¡Claro que sí, hombre! Ni que me fuera a romper…

—De acuerdo, pero no venga a la cocina, hace demasiado frío. Espéreme en el saloncito azul…

—¿Cómo?

—Ahí va, es verdad… ¡Seré tonto! Ya no es verdaderamente azul, puesto que está vacío… La habitación que da al vestíbulo, ¿sabe a cuál me refiero?

—¿La del sofá?

—Bueno, sofá tal vez sea demasiado decir… Franck lo encontró un día tirado en la acera y lo subió hasta aquí con uno de sus amigos… Es feísimo, pero he de reconocer que es muy cómodo…

—Dígame, Philibert, ¿qué es este lugar exactamente? ¿Quién es el dueño? ¿Y por qué vive como si fuera una casa okupada?

—¿Cómo?

—¿Cómo si estuviera de cámping?

—Oh, desgraciadamente es una sórdida historia de herencia… Como las hay en todas partes… Incluso en las mejores familias, ¿sabe usted…?

Parecía sinceramente contrariado.

—Ésta es la casa de mi abuela materna, que falleció el año pasado, y mientras se solucionan los asuntos de la sucesión, mi padre me ha pedido que me instale aquí, para evitar que se convierta en una casa de… ¿Cómo lo ha llamado usted?

—¿De okupas?

—¡De okupas, eso! Pero no me refiero a esos jóvenes drogadictos con imperdibles en la nariz, no, hablo de personas mucho mejor vestidas, pero cuánto menos elegantes: nuestros primos hermanos…

—¿Sus primos aspiran a heredar esta casa?

—¡Y creo que hasta se han gastado ya el dinero que pensaban sacar de ella, los pobres! Un consejo de familia se reunió pues con un notario, y se me designó portero, conserje, y vigilante nocturno. Por supuesto, al principio hubo alguna que otra maniobra de intimidación… De hecho numerosos muebles se volatilizaron, como habrá podido constatar, y más de una vez he abierto la puerta a distintos ordenanzas, pero ya todo parece haberse normalizado… Este asunto tan engorroso ya sólo concierne al notario y a los abogados…

—¿Cuánto tiempo estará usted aquí?

—No lo sé.

—¿Y sus padres aceptan que hospede a desconocidos como el cocinero o yo?

—En lo que a usted respecta, no será necesario que se enteren, me imagino… Y en cuanto a Franck, fue casi un alivio para ellos… Saben lo torpe que soy… Pero bueno, están lejos de imaginarse cómo es este chico y… ¡Menos mal! ¡Creen que lo conocí a través de la parroquia!

Philibert se reía.

—¿Les ha mentido?

—Digamos que me he mostrado algo… evasivo…

144

Camille había adelgazado tanto que se podía meter los faldones de la camisa por dentro del vaquero sin tener que desabrochárselo.

Parecía un fantasma. Se hizo una mueca en el gran espejo de su habitación para demostrarse lo contrario, se anudó al cuello su pañuelo de seda, se puso la chaqueta, y se aventuró en ese increíble dédalo haussmaniano.

Acabó por encontrar el horroroso sofá hecho polvo y se asomó a las ventanas de la habitación para ver los árboles llenos de escarcha del Campo de Marte.

Cuando se dio la vuelta, tranquilamente, con el espíritu todavía en las nubes y las manos en los bolsillos, dio un respingo y no pudo evitar soltar un estúpido gritito.

Justo detrás de ella había un tío alto, todo vestido de cuero negro, con botas y casco.

—Esto… hola —consiguió articular Camille por fin.

El hombre no contestó nada y se dio la vuelta.

Se quitó el casco en el pasillo y entró en la cocina frotándose el pelo:

—Eh, Philou, macho, ¿quién es el maricón que está en el salón? ¿Uno de tus amiguitos de los *boy scouts,* o qué?

—¿Cómo?

—El marica que hay detrás de mi sofá…

Philibert, que ya estaba bastante nervioso por la magnitud de su desastre culinario, perdió algo de su flema aristocrática:

—El marica, como tú dices, se llama Camille —le corrigió con voz tensa—, es amiga mía, y te ruego que te comportes como un caballero pues tengo intención de hospedarla aquí durante un tiempo…

—Bueno, vale… No te pongas así… ¿Dices que es una chica? ¿Seguro que hablamos de la misma persona? ¿El flacucho ese sin pelo?

—En efecto, es una joven…

—¿Estás seguro?

Philibert cerró los ojos.

—¿Ese tío es tu novieta? O sea, ¿es ella? Bueno, ¿y qué le estás preparando? ¿Perdices confitadas?

—Es una sopa, mira tú por dónde…

—¿Esto? ¿Una sopa?

—Pues claro que sí. Una sopa de sobre, pero de las mejores del mercado, de puerros y patatas…

—Vaya una mierda. Además se te ha quemado, va a estar asquerosa… ¿Y qué más le has echado? —añadió horrorizado, levantando la tapa de la cacerola.

—Pues… quesitos de la Vaca que ríe y trozos de pan de molde…

—¿Para qué? —preguntó Franck alarmado.

—Es que el médico me dijo que la tenía que… ayudar a recuperarse…

—Joder, pues si se recupera con eso, ¡la felicito! *Pa'* mí que con eso más bien la mandas al otro barrio…

Dicho esto, cogió una cerveza de la nevera y fue a encerrarse en su habitación.

Cuando Philibert se reunió con su protegida, ésta seguía algo desconcertada:

—¿Es él?

—Sí —murmuró Philibert, dejando la gran bandeja sobre una caja de cartón.

—¿Nunca se quita el casco?

—Sí, pero cuando vuelve los lunes por la noche, siempre está de un humor malísimo… En general, esos días evito cruzarme con él…

—¿Es porque tiene demasiado trabajo?

—No, justamente los lunes libra… No sé lo que hace… Se marcha por la mañana tempranito, y vuelve siempre con un humor de perros… Problemas familiares, creo… Tenga, sírvase mientras aún está caliente…

—Eh… ¿qué es esto?

—Una sopa.

—Ah —dijo Camille, tratando de revolver el extraño brebaje.

—Una sopa a mi manera… Una especie de ponche, si prefiere llamarlo así…

—Aaaah… Perfecto —dijo Camille, riéndose.

También esta vez se trataba de una risa nerviosa.

SEGUNDA PARTE

1

—¿Tienes un momento? Tenemos que hablar…

Philibert siempre desayunaba leche con cacao, y su mayor placer era apagar el fuego justo antes de que se saliera la leche. Más que un rito o una manía, era su pequeña victoria cotidiana. Su hazaña, su triunfo invisible. La leche volvía a bajar y el día podía empezar: Philibert dominaba la situación.

Pero aquella mañana, desconcertado, agredido incluso por el tono de su compañero de piso, apagó el fuego equivocado. La leche salió a borbotones y un olor desagradable invadió de pronto la habitación.

—¿Cómo?
—Digo que tenemos que hablar.
—Hablemos —respondió tranquilamente Philibert, dejando el cazo en remojo—, te escucho…
—¿Cuánto tiempo se va a quedar?
—¿Perdón?
—Mira, no te hagas el listo, ¿eh? Tu amiguita. ¿Cuánto tiempo se va a quedar?
—Tanto como desee…
—Te mola, ¿es eso?
—No.
—Mentiroso. Se te ve el plumero… Con tus modales exquisitos, esos aires de noble que te das y todo eso…

—¿Estás celoso?

—¡No, joder! ¡Sólo faltaba! ¿Yo, celoso de un saco de huesos? Oye, tío, que no soy una hermanita de la caridad, ¿eh?

—No digo celoso de mí, sino de ella. ¿Tal vez sientes que te falta espacio, y no te apetece desplazar el vasito con tu cepillo de dientes unos centímetros más hacia la derecha?

—Hala, ya saltó… Tú y tus frases grandilocuentes… Cada vez que abres el pico, parece que tus palabras tuvieran que quedar escritas en algún lado de lo bien que suenan…

—…

—Mira tío, ya sé que ésta es tu casa… Pero el problema no es ése. Puedes invitar a quien te dé la gana, hospedar a quien te dé la gana, puedes incluso ir por ahí haciendo obras benéficas si te sale de los cojones, pero joder tío, yo qué sé… Estábamos aquí de puta madre los dos, ¿no?

—¿Tú crees?

—Pues sí, lo creo. Vale, yo tengo mi mal genio, y tú tienes todas tus estúpidas manías, tus historias, tus chorradas compulsivas, pero en general todo marchaba bien hasta ahora…

—¿Y por qué habrían de cambiar las cosas?

—Pfff… Cómo se ve que no conoces a las tías… Ojo, que esto no te lo digo para ofenderte, ¿eh? Pero es verdad… Mira, macho, en cuanto metes a una tía en una casa, todo se va a la mierda… Todo se complica, todo se vuelve una jodienda, y hasta los mejores colegas terminan cabreados, tío… ¿Se puede saber de qué te ríes?

—Pues de que hablas como… como un actor en una película… No sabía que fuera tu… tu colega.

—Vale, olvídalo. Yo lo único que te digo es que me lo podrías haber comentado antes, nada más.

—Te lo iba a comentar.

—¿Cuándo?

—Ahora, en este momento, ante mi tazón de leche con cacao, si me hubieras dejado prepararármelo…

—Vale, entonces me disculpo… Ah, no, mierda, no puedo disculparme solo, ¿no?

—Exactamente.

—¿Te vas al curro?

—Sí.

—Yo también. Anda, venga, te invito a un chocolate en el bar de la esquina…

Ya en el patio interior del edificio, Franck gastó sus últimos cartuchos:

—Además, ni siquiera sabemos quién es… Ni siquiera sabemos de dónde ha salido esta tía…

—Te voy a enseñar de dónde ha salido… Sígueme.

—Oye… no cuentes conmigo para tragarme los siete pisos a pata…

—Sí. Justamente, cuento contigo. Sígueme.

Desde que se conocían, era la primera vez que Philibert le pedía algo. Franck refunfuñó todo lo que pudo y más, y lo siguió por la escalera de servicio.

—¡Joder, qué frío hace aquí dentro!

—Esto no es nada… Espera a estar arriba del todo…

Philibert abrió el candado y empujó la puerta.

Franck se quedó callado unos segundos.

—¿Aquí es donde vive?

—Sí.

—¿Seguro?

—Ven, te voy a enseñar otra cosa…

Lo llevó hasta el fondo del pasillo, abrió la puerta destartalada de una patada, y añadió:

—Su cuarto de baño... Abajo, el retrete, y arriba, la ducha... No me negarás que es ingenioso este sistema...

Bajaron la escalera en silencio.

Franck no recuperó el habla hasta el tercer café:
—Bueno, vale, sólo una cosa entonces... Explícale de mi parte lo importante que es para mí dormir por la tarde y todo eso...
—Sí, se lo diré. Se lo diremos los dos. Pero a mi juicio eso no debería representar un problema porque ella también estará durmiendo...
—¿Por qué?
—Trabaja de noche.
—¿Qué hace?
—Limpia.
—¿Qué?
—Trabaja de señora de la limpieza...
—¿Estás seguro?
—¿Por qué habría de mentirme?
—No sé... Lo mismo es bailarina en un bar de alterne...
—Tendría más... más curvas, ¿no?
—Sí, tienes razón... Oye, tú al final no eres tan tonto, ¿eh? —añadió, dándole una gran palmada en la espalda.
—Cu... cuidado, me... me has hecho soltar el cruasán, i... imbécil... Mira, ahora pa... parece una medusa...
A Franck le traía sin cuidado, estaba leyendo los titulares del periódico que estaba encima de la barra.

Se desperezaron los dos a la vez.
—Oye...
—¿Qué?
—¿Y esta tía no tiene familia?
—¿Ves? —contestó Philibert—. Ésa es una pregunta que nunca me he permitido hacerte...

154

Franck levantó la vista para sonreírle.

Al llegar a sus fogones, le pidió a su pinche que le guardara un poco de caldo.
—¡Eh!
—¿Qué?
—Del bueno, ¿eh?

2

Camille había decidido no tomarse ya más el medio comprimido de Lexomil que el médico le había recetado para dormir. Por un lado, ya no soportaba esa especie de estado semicomatoso en el que se quedaba sumida, y por otro, no quería correr el riesgo de caer en quién sabe qué adicción. Durante toda su infancia, había visto a su madre histérica ante la sola idea de tener que dormir sin sus pastillas y esas crisis la habían traumatizado para siempre.

Acababa de despertar de otra de sus innumerables siestas, no tenía ni la más remota idea de la hora que era, pero decidió levantarse, espabilarse, y vestirse por fin para subir a su casa y ver si estaba preparada para retomar el curso de su vida allí donde la había dejado.

Al cruzar la cocina para llegar a la escalera de servicio, vio una notita debajo de una botella llena de un líquido amarillento.

Calentar en una cacerola, sobre todo que no llegue a er-
vir. Añadir la pasta justo antes, calentar durante 4 minutos
remobiendo *despacito.*
No era la letra de Philibert…

Alguien había arrancado su candado y había arrasado con todo lo que poseía en este mundo, sus últimas amarras, su minúsculo reino, todo.

Instintivamente se precipitó sobre la maletita roja despanzurrada en el suelo. No, menos mal, no se habían llevado nada, y ahí seguían sus cuadernos de dibujo…

Con la boca torcida y el corazón en un puño, se puso a ordenar para ver lo que faltaba.

No faltaba nada, y no era de extrañar, pues Camille no poseía nada. Ah, sí, una radio despertador… Ea, toda esa carnicería por un chisme que había comprado en el bazar de los chinos y le había costado cuatro perras…

Recuperó su ropa, la metió toda en una caja de cartón, se agachó para coger su maleta y se marchó sin mirar atrás. Esperó a estar en la escalera para relajarse un poco.

Una vez ante la puerta de la escalera de servicio, dejó toda su impedimenta en el suelo, y se sentó en un escalón para liarse un cigarrillo. El primero en mucho tiempo… La luz se había apagado, pero no importaba, al contrario. Al contrario, murmuró, al contrario…

Estaba pensando en esa estúpida teoría según la cual mientras uno se está hundiendo, no puede hacer nada, hay que esperar a tocar fondo para darse ese pequeño impulso tan sano con el talón, el único que permite volver a salir a la superficie…

Bueno.

Ya había tocado fondo, ¿no?

Camille miró su caja de cartón, se pasó la mano por el rostro anguloso y se apartó para dejar pasar a un bicho asqueroso que correteaba entre dos grietas.

A ver… Tranquilizadme un poco… ¿Ya había tocado fondo, no?

Cuando entró en la cocina, el que dio un respingo fue él:

—Ah, ¿está aquí? Pensaba que estaba durmiendo…

—Hola.

—Franck Lestafier.

—Camille.

—¿Ha… ha visto mi nota?

—Sí, pero…

—¿Está trasladando sus cosas? ¿Necesita que le eche una mano?

—No, yo… A decir verdad sólo me queda esto… Me han robado.

—Vaya, qué putada.

—Sí, eso mismo digo yo… No se me ocurre una palabra mejor… Bueno, me vuelvo a la cama porque estoy un poco mareada, y…

—¿Quiere que le prepare el consomé?

—¿Cómo?

—El consomé.

—¿Qué consomé?

—¡Pues el caldo este! —se irritó Franck.

—Ah, perdone… No, gracias. Primero voy a dormir un poco…

—¡Eh! —le gritó, cuando ya estaba en el pasillo—. ¡Si está mareada es justamente porque no come bastante!

Camille suspiró. Hacía falta un poco de diplomacia… Vista la pinta de bruto que tenía el tío, más valía no fastidiarla ya desde el primer día. Volvió pues a la cocina y se sentó en el otro extremo de la mesa.

—Tiene razón.

El tipo refunfuñó para el cuello de su camisa. A ver si se aclara… Pues claro que tenía razón… Joder, ahora iba a llegar tarde…

159

Le dio la espalda para ponerse manos a la obra.

Vertió el contenido de la cacerola en un plato hondo, sacó de la nevera un paquete de papel de estaño y lo abrió con mucho cuidado. Dentro había una cosa verde que empezó a cortar en pedacitos, espolvoreándolos sobre la sopa hirviendo.

—¿Eso qué es?

—Cilantro.

—¿Y esa pasta cómo se llama?

—Perlas de Japón.

—¿En serio? Qué nombre más bonito…

Franck cogió su cazadora y se marchó dando un portazo, meneando la cabeza en un gesto de incredulidad:

¿En serio? Qué nombre más bonito…

Pero qué tía más tonta…

Camille suspiró y cogió el plato sin pensar, preguntándose quién habría sido su ladrón. ¿El fantasma del pasillo? ¿Un visitante que se habría perdido? ¿Habría entrado por el tejado? ¿Volvería? ¿Debía contárselo a Pierre?

El olor, el aroma más bien, del caldo no le dejó seguir dándole vueltas al tarro. Mmm, era maravilloso, y casi le dieron ganas de ponerse una toalla en la cabeza para inhalarlo bien. ¿Pero qué tenía esa sopa? El color era extraño. Cálido, graso, con reflejos dorados como el amarillo de cadmio… Con las perlas translúcidas y los puntitos verde esmeralda de los trocitos de hierba, daba gusto verla… Camille permaneció así unos segundos, con deferencia, la cuchara suspendida en el aire, y luego se tomó el primer sorbo, con mucho cuidado porque estaba muy caliente.

Exceptuando la infancia, se encontró en el mismo estado que Marcel Proust: «atenta a lo que en ella ocurría de extraordinario» y se terminó el plato religiosamente, cerrando los ojos entre cada cucharada.

Tal vez fuera porque se moría de hambre sin saberlo, o porque llevaba tres días esforzándose por tragarse, entre muecas, las sopas de sobre de Philibert, o tal vez fuera también porque había fumado menos, pero en todo caso, una cosa era segura: nunca en su vida había disfrutado tanto comiendo sola. Se levantó para ver si quedaba un poco en la cacerola. Desgraciadamente, no... Se llevó el plato a la boca para no perderse ni una gota, chasqueó la lengua, lavó su cubierto y cogió el paquete de pasta empezado. Con unas cuantas perlas escribió «¡Qué rico!» sobre la notita de Franck y se volvió a la cama, acariciándose la tripa bien llena.

Gracias, Jesusito.

El final de su convalecencia transcurrió demasiado deprisa. No veía nunca a Franck, pero sabía cuándo estaba en
casa: portazos, cadena de música, televisión, conversaciones animadas al teléfono, risotadas y tacos, nada de todo
aquello era natural, Camille lo notaba. Franck hacía ruido
y dejaba que su vida resonara por toda la casa como un
perro que mea aquí y allá para marcar su territorio. Algunas veces Camille sentía muchas ganas de volverse a su
casa para recuperar su independencia y no deberle ya
nada a nadie. Otras veces, no. Otras veces, sentía escalofríos ante la sola idea de volver a tumbarse en el suelo y
subir los siete pisos agarrándose a la barandilla para no
caer.

Era complicado.

Ya no sabía dónde estaba su lugar y aparte apreciaba
mucho a Philibert... ¿Por qué tendría siempre que fusti-
garse y llorar con lágrimas de sangre, apretando los dientes? ¿Por su independencia? Pues vaya una conquista...
Durante años sólo había soñado con eso, y total, ¿para
qué? ¿Para llegar adónde? ¿A ese cuchitril, a fumar cigarrillo tras cigarrillo, rumiando su triste suerte? Qué patético. Y qué patética ella también. Iba a cumplir veintisiete
años y hasta la fecha no había conseguido nada bueno. Ni
amigos, ni recuerdos, ni motivo alguno para otorgarse la
más mínima benevolencia. ¿Qué había pasado? ¿Por qué

nunca había logrado cerrar las manos y conservar entre sus dedos dos o tres cosas un poco valiosas? ¿Por qué?

Camille estaba pensativa, y descansada. Y cuando ese curioso personaje venía a leerle libros, cuando cerraba con cuidado la puerta, levantando los ojos al cielo porque el bestia ese estaba escuchando su música «de salvaje», Camille le sonreía y por un momento escapaba al ojo del huracán...

Había vuelto a dibujar.
Porque sí.
Por nada. Por ella misma. Por gusto.

Había cogido un cuaderno nuevo, el último, y lo había domesticado empezando por plasmar en él todo cuanto la rodeaba: la chimenea, los dibujos del papel pintado, la falleba de la ventana, las sonrisas bobas de Sammy y de Scoobidoo, los marcos, los cuadros, el camafeo de la dama y la levita severa del caballero. Una naturaleza muerta de su ropa con la hebilla de su cinturón arrastrando por el suelo, las nubes, la estela de un avión, la copa de los árboles tras los hierros del balcón y un autorretrato desde su cama.

Por culpa de las manchitas del espejo y de su cabello corto, parecía un chico con varicela...

Volvía a dibujar de nuevo como respiraba. Volviendo las páginas sin pensar y parando tan sólo para verter un poco de tinta china en un pequeño cuenco y recargar el cartucho de su pluma. Hacía años que no se sentía tan tranquila, tan viva, tan sencillamente viva...

Pero lo que le gustaba por encima de todo eran los ademanes de Philibert. Parecía tan cautivado por sus historias, su rostro se volvía de pronto tan expresivo, tan encendido o tan abatido (¡ah, la pobre María Antonieta…!) que le había pedido permiso para esbozar su retrato.

Por supuesto, Philibert había tartamudeado un poco, para no faltar a la costumbre, pero pronto había olvidado el ruido de la pluma que corría sobre el papel.

Unas veces leía así:

—*Pero la señora d'Étampes no vivía el amor como la señora de Châteaubriant, el mero entretenimiento no le bastaba en absoluto. Soñaba ante todo con obtener favores para ella y su familia. Tenía treinta hermanos… Con tesón, se puso manos a la obra.*

»*Hábil como era, supo aprovechar todos los momentos de descanso que otorgaba la necesidad de recuperar el aliento entre dos noches de amor para arrancarle al rey, colmado y jadeante, los cargos o ascensos que deseaba.*

»*Por fin, todos los Pisseleu llegaron a desempeñar cargos importantes y generalmente eclesiásticos, pues la amante del rey era "piadosa"…*

»*Antoine Seguin, su tío materno, llegó a ser abad de Fleury-sur-Loire, obispo de Orleans, cardenal y, por fin, arzobispo de Toulouse. Charles de Pisseleu, su hermano, logró el puesto de abad de Bourgueil y el de obispo de Condom…*

Philibert levantaba la cabeza:

—De Condom… No me negará que es divertido…

Y Camille se apresuraba a plasmar esa sonrisa, ese entusiasmo divertido de un joven que repasaba la historia de Francia como otros hojearían una revista porno.

Otras veces, Philibert leía:

—*… como las cárceles resultaban ya insuficientes, Ca-*

rrier, autócrata omnipotente, rodeado de colaboradores dignos de él, habilitó nuevas prisiones y confiscó naves en el puerto. Pronto el tifus habría de hacer estragos entre los miles de seres encarcelados en condiciones espantosas. Como la guillotina no funcionaba al ritmo deseado, el procónsul ordenó que se fusilara a miles de presos y añadió a los pelotones de ejecución un «cuerpo de enterradores». Después, como los prisioneros seguían llegando a las ciudades, inventó los ahogamientos.

»Por su parte, el general de brigada Westermann escribe: "La Vendée ya no existe, ciudadanos republicanos. Ha perecido, bajo nuestro sable libre, con sus mujeres y sus niños. Acabo de enterrarla en los pantanos y en los bosques de Savenay. Siguiendo las órdenes que me habéis dado, he aplastado a los niños bajo los cascos de los caballos, y asesinado en masa a las mujeres, y así, al menos éstas ya no alumbrarán más bandidos. No tengo un solo prisionero que reprocharme."

Y no había nada más que dibujar que una sombra en el rostro tenso de Philibert.

—¿Me está escuchando o está dibujando?

—Lo escucho mientras dibujo…

—Este Westermann… Mire por dónde, este monstruo que sirvió a su nueva patria con tanto fervor será capturado junto con Danton unos meses más tarde y decapitado con él…

—¿Por qué?

—Acusado de cobardía… Era un tibio…

Otras veces, pedía permiso para sentarse en la butaca al pie de la cama y ambos leían en silencio.

—¿Philibert?

—Mmm…

166

—Eso de las postales…

—¿Sí?

—¿Va a durar mucho?

—¿Perdón?

—¿Por qué no hace de la Historia su profesión? ¿Por qué no intenta ser historiador, o profesor? ¡Podría usted enfrascarse en todos estos libros durante sus horas de trabajo, y encima le pagarían por ello!

Philibert dejó el libro sobre la pana desgastada de sus rodillas huesudas y se quitó las gafas para frotarse los ojos:

—Lo intenté… Soy licenciado en Historia, y me presenté tres veces a las oposiciones para Archivos y Bibliotecas, pero suspendí…

—¿No era lo suficientemente bueno?

—¡Oh, sí que lo era! Bueno… —dijo, poniéndose colorado—, eso creo… Lo creo humildemente, pero… Nunca he podido aprobar un examen… Me angustio demasiado… Cada vez que lo intento pierdo el sueño, la vista, el pelo, ¡hasta los dientes!, y todas mis capacidades. Leo las preguntas, sé las respuestas, pero soy incapaz de escribir una sola línea. Me quedo petrificado ante la hoja en blanco…

—Pero aprobó el examen de bachillerato, ¿no? ¿Y la licenciatura?

—Sí, pero a qué precio… Y nunca a la primera… Bueno, y además era verdaderamente fácil… La licenciatura la obtuve sin haber pisado jamás la Sorbona… o sólo para escuchar clases magistrales de grandes profesores a los que admiraba y que no tenían nada que ver con mi programa de estudios…

—¿Qué edad tiene?

—Treinta y seis años.

—Pero, con una licenciatura, en esa época habría podido ser profesor, ¿no?

—¿Me imagina usted en un aula con treinta chavales?

—Sí.

—No. La sola idea de dirigirme a un público, por restringido que sea, me da escalofríos. Tengo… tengo dificultades para… para desenvolverme en sociedad, creo…

—¿Y en el colegio? ¿Cuando era pequeño?

—No fui al colegio hasta sexto. Y encima, me metieron interno… Fue un año horrible. El peor de mi vida… Como si me hubieran tirado a una piscina sin saber nadar…

—¿Y después?

—Después, nada. Sigo sin saber nadar…

—¿En sentido literal o metafórico?

—En ambos, mi general.

—¿Nunca le enseñaron a nadar?

—No. ¿Para qué?

—Pues… para nadar…

—Culturalmente, provenimos más bien de una generación de soldados de infantería y artillería, ¿sabe…?

—¿Pero qué me está usted contando? ¡No le hablo de dirigir una batalla! ¡Le hablo de ir a la playa! Y para empezar, ¿por qué no fue antes al colegio?

—Era mi madre quien nos daba clase…

—¿Como la de san Luis?

—Exactamente.

—¿Cómo se llamaba, que no me acuerdo?

—Blanca de Castilla…

—Sí, eso. ¿Y por qué? ¿Vivían demasiado lejos?

—Había una escuela pública en el pueblo de al lado, pero sólo estuve en ella unos pocos días…

—¿Por qué?

—Porque era pública, justamente…

—¡Ah! Otra vez esa historia de *Bleus,* ¿no es eso?

—Eso es…

—¡Eh, pero eso era hace dos siglos! ¡Desde entonces las cosas han evolucionado!

—Que hayan cambiado es innegable. Pero evolucionado… No… no estoy tan seguro…

—…

—¿La escandalizo?

—No, no, respeto sus… sus…

—¿Mis valores?

—Sí, si quiere, si la palabra le parece adecuada. Pero entonces, ¿de qué vive?

—¡Vendo postales!

—Eso es absurdo… No tiene sentido…

—¿Sabe?, en comparación con mis padres, yo estoy muy… muy evolucionado, como dice usted, he tomado ciertas distancias al fin y al cabo…

—¿Y sus padres cómo son?

—Pues…

—¿Como si estuvieran disecados? ¿Embalsamados? ¿Metidos en un frasco de formol con flores de lis?

—Algo de eso hay, en efecto… —contestaba Philibert, divertido.

—¿¡No me irá a decir que se desplazan en una silla con porteadores, no!?

—No, ¡pero porque ya no encuentran porteadores!

—¿Qué hacen?

—¿Cómo?

—¿En qué trabajan?

—Son propietarios agrícolas.

—¿Nada más?

—Es mucho trabajo, ¿sabe…?

—Pero… ¿son ustedes muy ricos?

—No, en absoluto. Al contrario…

—Esto es increíble… ¿Y cómo pudo sobrevivir en el internado?

—Gracias al Gaffiot.

—¿Y ése quién es?

—No es nadie, es un diccionario de latín muy gordo

que metía en la cartera, para utilizarla como honda. Cogía la cartera por la correa, le daba vueltas y… ¡zaca!, descalabraba al enemigo…

—¿Y luego?

—¿Luego, qué?

—¿Actualmente?

—Pues bien, querida mía, actualmente la cosa es muy sencilla, tiene ante sí un magnífico ejemplar de *Homo Degeneraris,* es decir, ¡un ser en absoluto apto para la vida en sociedad, totalmente aislado, ridículo y anacrónico!

Philibert se reía.

—¿Cómo se las va a apañar?

—No lo sé.

—¿Va a un psiquiatra?

—No, pero he conocido a una chica en mi lugar de trabajo, una especie de locuela divertida e insistente que está venga a decirme que la acompañe una tarde a su taller de teatro. Ella ha probado todos los psiquiatras posibles e imaginables, y sostiene que el teatro es el más eficaz…

—¿En serio?

—Según ella, sí…

—¿Y no sale usted nunca? ¿No tiene amigos? ¿Ninguna afición? ¿Ningún… contacto con el siglo veintiuno?

—No. No muchos, no… ¿Y usted?

5

La vida retomó pues su curso. Camille se enfrentaba al frío al caer la noche, cogía el metro en sentido contrario a la multitud que volvía del trabajo y observaba todos esos rostros extenuados.

Esas madres que se quedaban dormidas con la boca abierta contra los cristales llenos de vaho antes de ir a recoger a sus hijos a zonas ajardinadas de la periferia, esas señoras cargadas de bisutería que pasaban bruscamente las hojas de sus revistas de televisión, humedeciéndose cada tanto sus dedos índices demasiado puntiagudos, esos señores calzados con mocasines y calcetines de colorines que subrayaban con rotuladores fluorescentes informes improbables suspirando ruidosamente, y esos jóvenes ejecutivos de piel grasa que se entretenían partiendo ladrillos en las pantallitas de sus móviles de prepago…

Y todos los demás, los que no tenían nada mejor que hacer que agarrarse instintivamente a las barras de seguridad para no perder el equilibrio… Los que no veían nada ni a nadie. Ni los anuncios de Navidad —días de oro, regalos de oro, salmón a precio de saldo y *foie* a precio de mayorista—, ni el periódico del vecino, ni al pesado de turno con la mano tendida y su lamento nasal mil veces repetido, y ni siquiera a esa joven sentada justo delante, que bosquejaba sus miradas inexpresivas y los pliegues de sus gabardinas grises…

Después, Camille intercambiaba cuatro palabras sin importancia con el guardia de seguridad del edificio, se cambiaba de ropa apoyándose en su carrito de limpieza, se ponía un pantalón de chándal sin forma, una bata de nailon turquesa *Profesionales a su servicio,* e iba entrando en calor trabajando como una loca antes de volver a enfrentarse al frío, fumarse el enésimo cigarrillo del día y coger el último metro.

Cuando la vio, SuperJosy se metió los puños hasta el fondo de los bolsillos y le plantó una mueca casi dulce:

—Caray… Ha vuelto el fantasma… Adiós a mis diez euros… —masculló.

—¿Cómo?

—Una apuesta con las chicas… Pensaba que no iba a volver…

—¿Por qué?

—No sé, tenía esa corazonada… ¡Pero nada, los pago y no se hable más! Bueno, y ahora basta de charla y a trabajar. Con este tiempo de perros, nos lo ponen todo perdido. Una se pregunta si esta gente no ha aprendido nunca para qué sirve un felpudo… Mire, mire, ¿ha visto cómo está el vestíbulo?

Mamadou se acercó arrastrando los pies:

—Eh, tú has dormido como un bebé toda la semana, ¿a que sí?

—¿Cómo lo sabes?

—Por tu pelo. Ha crecido muy deprisa…

—¿Y tú estás bien? No tienes muy buena cara…

—Estoy bien, estoy bien…

—¿Hay algo que te preocupa?

—Que si hay algo que me preocupa, dice… Tengo varios críos enfermos, un marido que se juega la paga, una cuñada que me pone de los nervios, un vecino que se ha cagado en el ascensor, y me han cortado el teléfono, pero quitando eso, todo bien…

—¿Por qué lo ha hecho?

—¿Quién?

—El vecino.

—Por qué, eso no lo sé, pero ya le he avisado, ¡la próxima vez que lo haga, le hago comerse la mierda! ¡Eso te lo aseguro! ¿Y de qué te ríes, si se puede saber...?

—¿Qué les pasa a tus hijos?

—Uno tiene tos, y el otro gastroenteritis... Bueno, vamos a dejar de hablar de esto porque me pongo triste, y cuando me pongo triste, no valgo *pa' na'*...

—¿Y tu hermano? ¿No los puede curar con toda esa magia que sabe?

—¿Y los caballos? ¿No te parece que también podría saber cuáles van a ganar? Mira, no me hables de ese vaina...

El cochino de la quinta planta debía de haberse avergonzado de verdad pues su despacho estaba más o menos ordenado. Camille dibujó un ángel visto de espaldas, con un par de alas por encima del traje y una bonita aureola.

En el piso también, cada uno empezaba a encontrar su lugar. Los movimientos incómodos del principio, ese ballet incierto y todos esos gestos torpes se fueron transformando poco a poco en una coreografía discreta y rutinaria.

Camille se levantaba a última hora de la mañana, pero se las apañaba siempre para estar en su habitación hacia las tres, cuando Franck volvía del trabajo. Éste se marchaba de nuevo hacia las seis y media y a veces se cruzaba en la escalera con Philibert. Camille tomaba el té con él, o una cena ligera antes de marcharse a su vez al trabajo, del cual nunca volvía antes de la una de la madrugada.

A esa hora Franck aún no se había ido a la cama, escuchaba música o veía la tele. Efluvios de hierba se colaban por debajo de su puerta. Camille se preguntaba cómo conseguía aguantar ese ritmo de locos, y muy pronto tuvo la respuesta: no lo aguantaba.

Entonces, inevitablemente, a veces estallaba. Se ponía a gritar como un loco al abrir la nevera porque la comida estaba mal ordenada, o mal embalada, y entonces Franck la dejaba sobre la mesa, tirando de paso la tetera, y regañándolos, furioso:

—¡Joder! ¿Cuántas veces hay que deciros las cosas? ¡La mantequilla tiene que ir en una mantequillera porque coge todos los olores! ¡Y el queso, igual! ¡El film transparente está para algo, hostia! ¿Y esto qué es? ¿Lechuga? ¿Por qué la dejáis en una bolsa de plástico? ¡Las bolsas lo echan todo a perder! ¡Te lo he dicho mil veces, Philibert! ¿Dónde están todos los envases que os traje el otro día? Bueno, ¿y esto? Ese limón de ahí… ¿qué coño hace en el compartimento de los huevos? Un limón empezado hay que embalarlo, o darle la vuelta sobre un plato, *capito?*

Luego se marchaba con su cerveza, y nuestros dos criminales esperaban a oír el portazo antes de retomar su conversación:

—Pero de verdad dijo: «*Si no hay pan, que les den bollos…*»

—Pero claro que no, por Dios… ella nunca hubiera pronunciado una estupidez así… Era una mujer muy inteligente, ¿sabe…?

Por supuesto, podrían haber dejado sus tazas de té, suspirando, y haberle replicado que se le veía muy nervioso para no comer nunca en casa y no utilizar la nevera más que para poner a enfriar sus cervezas… Pero no, no valía la pena.

Ya que le gustaba gritar, pues que gritara.

Que gritara…

Y además, Franck no esperaba más que eso. La más mínima ocasión para saltarles a la yugular. A Camille sobre todo. La tenía enfilada, y cada vez que se cruzaba con ella, le ponía una cara de odio de aquí te espero. Por mucho que Camille se pasara la mayor parte del tiempo en su habitación, a veces se cruzaban en un pasillo, y entonces ella se hundía bajo el peso de todas esas vibraciones asesinas que, según su humor, le hacían sentirse terriblemente incómoda, o le arrancaban una media sonrisa.

—¿Y ahora qué pasa? ¿De qué coño te ríes? Te hace gracia mi careto, ¿o qué?

—No, no. No me río por nada, por nada…

Y Camille se apresuraba a pasar a otra cosa.

En las zonas comunes Camille se mantenía a raya. Deje este lugar tan limpio como le gustaría encontrarlo al entrar, se encerraba en el cuarto de baño cuando Franck no estaba en casa, escondía todos sus productos de belleza, pasaba dos veces mejor que una la bayeta por la mesa de la cocina, vaciaba su cenicero en una bolsita de plástico que se tomaba la molestia de cerrar con un nudo antes de tirarla a la basura, trataba de pasar lo más desapercibida posible, se hacía pequeñita, esquivaba los golpes, pero siempre terminaba por preguntarse si al final no acabaría marchándose antes de lo previsto…

Volvería a pasar frío, qué se le iba a hacer, pero ya no tendría que aguantar a ese gilipollas, qué alivio.

Philibert se entristecía mucho:

—Pero Ca… Camille… Es usted de… demasiado inteligente para de… dejarse impresionar por este… este zangolotino, por Dios… Está usted por… por encima de todo esto, ¿no se da cuenta?

—Pues no, justamente. Estoy exactamente al mismo nivel. Y por eso duele tanto…

—¡No, mujer, no! ¡Por supuesto que no! ¡Por Dios, si ustedes dos no navegan por las mismas aguas! Pero, ¿ha… ha visto usted cómo escribe? ¿Lo ha oído reír cuando escucha las groserías de ese estúpido pre… presentador? ¿Lo ha visto alguna vez leer algo que no sean sus revistas de motos de segunda mano? Pe… pero bueno, ¡pero si este chico tiene dos años de edad mental! Po… pobre, no es culpa suya… Me… me imagino que debió de entrar a trabajar en una cocina muy joven, y desde en… entonces no ha salido… Vamos, tó… tómese las cosas con un poco de distancia… Sea más tolerante, «pase de todo», como dicen ustedes…

—…

—¿Sabe lo que me contestaba mi madre cuando me atrevía a evocar (con una voz a… apenas audible) la mitad de la mitad de los horrores a los que me sometían mis compañeros de cuarto, en el internado?

—No.

—«Aprenda, hijo mío, que las babas del sapo no alcanzan a la blanca paloma.» Eso me contestaba…

—¿Y le consolaba?

—¡En absoluto! ¡Al contrario!

—¿Lo ve…?

—Sí, pero usted, con usted no es lo… lo mismo. Ya no tiene doce años… Y además no se trata aquí de tener que be… beberse el orín de un mocoso…

—¿Le obligaron a hacer eso?

—Desgraciadamente, sí…

—Entonces claro… Entonces comprendo que lo de la blanca paloma, a usted…

—Como usted bien dice, lo de la blanca pa… paloma, nunca pude digerirlo… De hecho, aún la… la tengo aquí atragantada —bromeó Philibert algo forzadamente, señalándose la nuez.

—Sí… Bueno, veremos cómo van yendo las cosas…

—Y además, la verdad es muy simple, y usted sabe cuál es tan bien como yo: está ce… celoso. Se muere de celos. Intente ponerse en su lugar… Tenía la casa para él so… solo… iba y venía cuando y como le daba la gana, a menudo en calzoncillos, o persiguiendo a sus chicas por los pasillos. Podía gritar, blasfemar, eructar cuando quisiera, y nuestra relación se limitaba a algunos intercambios de orden p… práctico sobre el estado de la fontanería o las reservas de papel higiénico…

»Yo casi nunca salía de mi habitación y cuando necesitaba concentrarme me ponía tapones en los oídos. Franck estaba aquí como un rey… Hasta tal punto que incluso debía de tener la impresión de que, *in fine,* ésta era su casa… Y de pronto llega usted, y todo se va al traste. No sólo tiene que subirse la bragueta, sino que además sufre de nuestra complicidad, nos oye reír a veces y le… le llegan retazos de conversaciones de las que me imagino no debe de entender gran cosa… No de… debe de resultar fácil para él, ¿no cree?

—No pensaba que yo pudiera abultar tanto en esta casa…

—No, al contrario, es usted mu… muy discreta, pero si quiere que… que le diga la verdad… creo que usted le impone…

—¡Ésta sí que es buena! —exclamó Camille—. ¿Yo? ¿Que yo le imponga? No lo dirá usted en serio. Pero si nunca antes me había sentido tan despreciada…

—¿Pero qué dice, insensata? Este chico no tiene mucha cultura, eso es un hecho, pero está lejos de ser e… estúpido, y no se puede decir que sus novietas y usted jueguen en la misma liga precisamente, ¿sabe…? ¿Ha coincidido ya con a… alguna desde que está aquí?

—No.

—Pues ya verá usted, ya… Es s… sorprendente, de

verdad… Sea como fuere, se lo ruego, manténgase por encima de todo esto. Hágalo por mí, Camille…

—Pero no me voy a quedar aquí mucho tiempo, lo sabe muy bien…

—Yo tampoco. Él tampoco, pero mientras tanto, intentemos vivir como buenos vecinos… El mundo ya da bastante miedo de por sí, ¿no le parece? Y además, me… me hace usted ta… tartamudear cuando dice to… tonterías…

Camille se levantó para apagar el fuego.

—N… no parece usted muy convencida…

—Sí, sí, lo voy a intentar. Pero no se me dan muy bien este tipo de enfrentamientos… En general tiro la toalla antes de empezar siquiera a buscar mis argumentos…

—¿Por qué?

—Porque sí.

—¿Porque es menos cansado?

—Sí.

—No es una buena estrategia, créame. A… a largo plazo, será su ruina.

—Ya lo ha sido.

—A propósito de estrategia, la semana que viene voy a asistir a una co… conferencia sobre las artes militares de Napoleón Bonaparte, ¿le apetece acompañarme?

—No, pero ahora que lo menciona, le escucho; hábleme de Napoleón…

—¡Ah! Tema amplísimo este… ¿Quiere limón con el té?

—¡Quite, quite! ¡Yo el limón ya no lo toco! De hecho, ya no pienso tocar nada…

Philibert la miró con aire reprobador:

—Manténgase p… por encima de todo eso, le he dicho.

6

El tiempo recuperado, vaya nombrecito para un sitio al que la peña iba a palmarla... Desde luego, a quién se le ocurre...

Franck estaba de mal humor. Su abuela ya no le dirigía la palabra desde que estaba allí ingresada, y él tenía que estrujarse la cabeza desde que salía de París para encontrar cosas que contarle. La primera vez no había pensado en nada, y se pasaron la tarde mirándose sin decir nada... Por fin se colocó delante de la ventana, y se puso a comentar en voz alta lo que ocurría en el aparcamiento: los familiares cargando y descargando viejos en los coches, las parejas discutiendo, los niños correteando entre los coches, uno que *acababa* de llevarse una colleja, una chica llorando, que si el Porsche Roadster, la Ducati, el serie 5 nuevecito y el continuo ir y venir de las ambulancias. Una jornada verdaderamente apasionante.

La señora Carminot se encargó del traslado y él llegó tan campante el primer lunes, sin imaginarse ni remotamente lo que lo esperaba...

Para empezar el lugar en sí... Por motivos económicos, se había tenido que contentar con una residencia pública construida deprisa y corriendo en las afueras de la ciudad, entre un restaurante de carretera y una planta de tratamiento de residuos. Una Zona de Urbanización Concertada, una Zona de Intervención Urbanística, una Zona de Urbanización Prioritaria, una mierda. Una gran mierda colocada en medio de ninguna parte. Se perdió, y se tiró dando vueltas más de una hora por todas esas naves gigantescas buscando un nombre de calle que no existía y parándose en cada rotonda para tratar de descifrar unos planos incomprensibles, y cuando por fin aparcó la moto, y se quitó el casco, por poco sale volando del viento que hacía. «¿Pero de qué va esta movida? ¿Desde cuándo se planta a los viejos en plena corriente? Y yo que siempre había oído decir que el viento les hace perder la cabeza… Joder… Por favor, no puede ser verdad… No puede estar aquí… Que me haya equivocado, por favor…»

Dentro hacía un calor infernal, y conforme se iba acercando a su habitación, Franck notaba un nudo cada vez más grande en la garganta, tan grande que necesitó varios minutos antes de poder pronunciar una sola palabra.

Todos esos viejos tan feos, tristes, deprimentes, venga a quejarse y a gemir, arrastrando las zapatillas, haciendo ruidos de succión con la boca, con las dentaduras postizas, esos viejos con esos tripones y esos brazos esqueléticos. Uno con un tubo en la nariz, otro que hablaba solo en un rincón, y una hecha un ovillo en la silla de ruedas, como si le acabara de dar un ataque de tetania… Hasta se le veían las medias y el pañal…

¡Y qué calor, hostia! ¿Por qué no abrían nunca las ventanas? ¿Para que la palmaran antes?

Cuando volvió el lunes siguiente, se dejó puesto el casco hasta la habitación 87 para no tener que volver a ver nada de aquello, pero una enfermera lo pilló por banda y le ordenó que se lo quitara inmediatamente porque estaba asustando a los ancianos.

180

Su abuela ya no le dirigía la palabra, pero buscaba sus ojos para quedárselo mirando, para desafiarlo y avergonzarlo: «¿Qué? ¿Estás orgulloso, hijo? Contéstame. ¿Estás orgulloso?» Eso le repetía en silencio mientras él apartaba las cortinas, buscando su moto con la mirada.

Estaba demasiado nervioso para poder dormir. Seguía acercando el sillón a su cama, buscaba las palabras adecuadas, frases, anécdotas, chorradas y luego, cansado, terminaba por encender la televisión. No le prestaba atención, miraba el reloj que había detrás en la pared y contaba las horas que le quedaban de estar allí: dentro de dos horas me largo, dentro de una hora me largo, dentro de veinte minutos...

Como cosa excepcional, aquella semana se presentó un domingo porque Potelain no lo necesitaba en el curro. Atravesó deprisa el vestíbulo, encogiéndose apenas de hombros al descubrir la nueva decoración chillona y a todos esos pobres viejos con sombreritos de fiesta.

—¿Qué pasa, es carnaval o qué? —le preguntó a la señora de bata blanca que subió con él en el ascensor.

—Estamos ensayando una pequeña función navideña... Es usted el nieto de la señora Lestafier, ¿verdad?

—Sí.

—Su abuela no coopera demasiado...

—¿Ah, no?

—No. No mucho que digamos... Es más terca que una mula...

—Yo creía que sólo era así conmigo. Pensaba que con ustedes sería más... mmm... más fácil...

—Oh, con nosotros es encantadora. Una joya. Amabilísima. Pero con los demás ancianos, en cambio... No quiere verlos y antes prefiere quedarse sin almorzar que bajar al comedor...

—¿Y entonces? ¿No come?

—Bueno, al final hemos acabado cediendo… Se queda en su habitación…

Como no lo esperaba hasta el día siguiente, Paulette se sorprendió al verlo allí y no tuvo tiempo de ponerse la máscara de anciana ultrajada. Por una vez, no estaba en la cama, tiesa como un palo, sino sentada junto a la ventana, cosiendo algo.

—¿Abuela?

Vaya, le hubiera gustado adoptar su expresión de reproche, pero no pudo reprimir una sonrisa.

—¿Estás mirando el paisaje?

Casi le dieron ganas de decirle la verdad: «¿Me tomas el pelo? ¿Qué paisaje? No. Estoy atenta, esperando verte aparecer. Me paso los días así… Incluso cuando sé que no vas a venir, aquí estoy. Aquí estoy siempre… ¿Sabes?, ahora ya reconozco el ruido de tu motocicleta a lo lejos y espero hasta ver que te quitas el casco para meterme en la cama y presentarte mi fachada de enfado…» Pero se contuvo y se contentó con refunfuñar.

Franck se dejó caer a sus pies y apoyó la espalda contra el radiador.

—¿Estás bien?

—Mmm.

—¿Qué estás haciendo?

—…

—¿Estás cabreada?

—…

Se miraron fijamente sin decir nada durante quince minutos por lo menos, y después Franck se rascó la cabeza, cerró los ojos, suspiró, se movió un poco para colocarse delante de ella, y soltó con voz monocorde:

—Escúchame, Paulette Lestafier, escúchame bien:

»Vivías sola en una casa que adorabas y que yo también adoraba. Todas las mañanas te despertabas al alba, te preparabas tu malta y te la tomabas mirando el color de las nubes para saber qué tiempo haría. Luego dabas de comer a tus animalitos, ¿no?: a tu gato, a los gatos de los vecinos, a tus petirrojos, a tus paros y a todos los gorriones de la creación. Cogías las tijeras de podar, y aseabas a tus flores antes de asearte tú. Te vestías, y esperabas la visita del cartero o del carnicero. El gordo de Michel, ese caradura que siempre te cortaba filetes de 300 gramos cuando se los habías pedido de 100, y eso que sabía muy bien que ya no tenías buena dentadura... ¡Pero tú no decías nada! Por miedo a que el martes siguiente se olvidara de tocar el claxon... El resto de la carne lo ponías en la olla para dar sabor a la sopa. Hacia las once cogías tu cesta y te acercabas al café de Grivaud para comprar el periódico y tu pan de dos libras. Hace tiempo que ya no te lo comías, pero seguías comprándolo... Por costumbre... Y para dárselo a los pájaros... A menudo te encontrabas con una amiga de toda la vida que se había leído las esquelas antes que tú, y hablabais de vuestros muertos suspirando. Después, le dabas noticias mías. Aunque no tuvieras... Para esa gente, yo ya era tan famoso como Bocuse, ¿verdad? Vivías sola desde hace casi veinte años, pero seguías poniéndote un mantel limpio, una vajilla bonita, una copa para el agua y flores en un jarrón. Si mal no recuerdo, en primavera eran anémonas, en verano, reinas margaritas, y en invierno comprabas un ramo en el mercado, repitiéndote en cada comida que era muy feo y demasiado caro... Por la tarde te echabas una siestecita en el sofá, y tu gato aceptaba subirse a tus rodillas durante unos segundos. Luego terminabas lo que habías empezado por la mañana en el jardín o en el huerto. Ay, el huerto... Ya no hacías gran cosa allí, pero con todo aún te

183

daba de comer un poco y no te gustaba que Yvonne compara las zanahorias en el supermercado. Para ti, era el colmo de la deshonra…

»Las noches ya se te hacían un poquitín más largas, ¿verdad? Esperabas que te llamara, pero yo no lo hacía, entonces encendías la tele, hasta que todas esas tonterías te dieran sueño. La publicidad te hacía despertar sobresaltada. Dabas una vuelta por la casa, arropándote bien en tu chal, y cerrabas las persianas. Ese ruido, el ruido de las persianas que crujen en la penumbra lo oyes todavía, y lo sé porque a mí me pasa igual. Ahora vivo en una ciudad tan agotadora que ya no se oye nada, pero esos ruidos, el de las persianas de madera y el de la puerta del cobertizo, me basta aguzar el oído para oírlos…

»Es verdad, no te llamaba, pero pensaba en ti, ¿sabes…? Y cada vez que iba a verte no necesitaba los informes de la santa de Yvonne que me llevaba aparte, apretándome el brazo, para comprender que todo eso se estaba yendo al garete… No me atrevía a decirte nada, pero me daba perfecta cuenta de que el jardín no estaba tan arreglado como antes, ni el huerto tan bien cuidado… Me daba cuenta de que tú ya no eras tan coqueta, que tu pelo tenía un color verdaderamente raro y que llevabas la falda del revés. Veía que tenías sucios los fogones, que los jerseys feísimos que seguías tejiéndome estaban llenos de agujeros, que llevabas medias descabaladas y que te dabas golpes con todo… Sí, no me mires así, abuela… Siempre he visto esos cardenales enormes que intentabas esconder debajo de tus rebecas…

»Te podría haber dado la tabarra mucho antes con todo esto… Obligarte a ir al médico, y regañarte para que dejaras de cansarte jardineando con esa vieja azada que ya no podías ni levantar, habría podido pedirle a Yvonne que te vigilara, que te controlara y me mandara los resultados de tus análisis de sangre… Pero no, me decía a mí

184

mismo que era mejor dejarte en paz, y que cuando ya no estuvieras bien, por lo menos no te arrepentirías de nada, y yo tampoco… Por lo menos habrías vivido bien. Feliz. Tranquila. Hasta el final.

»Ahora, ha llegado ese día. Aquí estamos… y tienes que resignarte, abuela. En lugar de estar de morros conmigo, tendrías que pensar en la suerte que has tenido de vivir más de ochenta años en una casa tan bonita y…

Paulette lloraba.

—… y además eres injusta conmigo. ¿Acaso tengo yo la culpa de estar lejos, y de estar solo? ¿Acaso tengo yo la culpa de que seas viuda? ¿Acaso tengo yo la culpa de que no hayas tenido más hijos que la loca de mi madre para que se ocuparan ahora de ti? ¿Acaso tengo yo la culpa de no tener hermanos para repartirnos los días de visita?

»No, yo no tengo la culpa. Mi única culpa es haber elegido un trabajo tan mierda. Aparte de currar como un esclavo, no puedo hacer nada, ¿y lo peor sabes qué es?, que aunque quisiera, no sabría hacer otra cosa… No sé si te das cuenta, pero trabajo todos los días salvo los lunes, y ese día, vengo aquí a verte. Venga, no te hagas la sorprendida… Ya te había dicho que los domingos hago horas extra para pagarme la moto, así que ya ves, no tengo un solo día para dormir hasta las tantas… Todas las mañanas entro a currar a las ocho y media, y por la noche nunca termino antes de las doce… Por eso tengo que dormir un rato por la tarde porque si no, no aguanto.

»Así que, ea, mira, ésa es mi vida: nada. No hago nada. No veo nada. No conozco nada y lo peor es que no entiendo nada… En toda esta mierda sólo había una cosa positiva, una nada más, y era la casa que había encontrado, con esta especie de tío raro del que suelo hablarte. Ese que es noble, ¿te acuerdas? Bueno, pues hasta eso, últimamente, es una mierda… Se ha traído a casa a una tía que vive ahora con nosotros, y que me toca las pelotas de una manera que no te puedes ni imaginar... ¡Y ni siquiera es su novia! No sé si ese tío llegará a mojar alguna vez, esto... perdón, no sé si llegará a dar el paso alguna vez... No, no es más que una pobre chica que le ha dado por proteger, y ahora, el ambiente en casa es francamente difícil, y tendré que buscarme otro sitio... Pero bueno, eso no es tan grave, me he mudado tantas veces que ya no es que me importe mucho... Ya me las apañaré... Pero en cambio, contigo, no me las puedo apañar, ¿entiendes? Por una vez, tengo un buen jefe. Te cuento a menudo que siempre anda gritando y tal, pero a pesar de eso es un tío legal. No sólo se trabaja bien con él, sino que encima es un crack... Con él de verdad tengo la impresión de estar progresando, ¿entiendes? Así que no me puedo largar así como así, en todo caso no antes de finales de julio. Porque le he dicho lo que pasaba contigo, ¿sabes? Le he dicho que quería volver a trabajar por aquí para estar más cerca de ti y sé que me ayudará, pero con el nivel que tengo ya, no quiero aceptar cualquier cosa. Si vuelvo por aquí, será para ser segundo cocinero en un restaurante normal, o para ser chef en uno de cocina tradicional. Ya no quiero hacer de criado, ya he tenido bastante... Así que tienes que tener paciencia, y dejar de mirarme con esa cara porque si no, te lo digo claramente: ya no vendré más a verte.

»Te lo repito, sólo tengo un día libre a la semana y si ese día me tiene que deprimir, entonces estoy apañado... Además, llegan las fiestas de Navidad y voy a currar aún más que de costumbre, así que tú también tienes que ayudarme un poco, joder...

»Espera, una última cosa... Me ha dicho una empleada que no querías ver a los demás viejos, que conste que te entiendo porque tus amiguitos no parecen la alegría de la huerta, pero por lo menos podrías hacer un pequeño

186

esfuerzo… A lo mejor, quién sabe, también hay por aquí otra Paulette, escondida en su habitación, tan perdida como tú… A lo mejor a ella también le gustaría hablar de su jardín y de su maravilloso nieto, ¿pero cómo quieres que te encuentre si te quedas aquí encerrada, de morros, como una cría?

Paulette lo miraba desconcertada.

—Bueno, pues ya está, he dicho todo lo que me agobiaba, y ahora no puedo levantarme porque me duele el c… el trasero. Bueno, a ver, ¿qué estás cosiendo ahí?

—¿Eres tú, Franck? ¿Eres tú de verdad? Es la primera vez en mi vida que te oigo hablar durante tanto tiempo… ¿No estarás enfermo, no?
—Qué va, no estoy enfermo, sólo cansado. Estoy hasta el cuello, ¿entiendes?

Paulette se lo quedó mirando largo rato y luego sacudió la cabeza como si por fin despertara de su torpor. Le mostró su labor:
—Huy, no es nada… Es de Nadège, una chiquita muy amable que trabaja aquí por las mañanas. Es su jersey, se lo estoy zurciendo… Ya que estamos, ¿me puedes enhebrar la aguja, que no encuentro mis gafas?
—¿No te importa volverte a la cama, para que yo me pueda sentar en el sillón?

En cuanto se repantingó en el sillón, se quedó dormido.
El sueño de los justos.

Lo despertó el sonido de la bandeja.

—¿Qué es eso?

—La cena.

—¿Por qué no bajas al comedor?

—La cena siempre nos la sirven en la habitación…

—¿Pero qué hora es?

—Las cinco y media.

—¿Pero de qué va esta gente? ¿Os hacen cenar a las cinco y media?

—Sí, los domingos es así. Para que se puedan marchar antes…

—Pues vaya… ¿Pero qué es eso? Qué mal huele, ¿no?

—No sé lo que es y prefiero no saberlo…

—¿Qué es? ¿Pescado?

—No, parece más bien un gratén de patatas, ¿no crees?

—Qué dices, pero si huele a pescado… Y esa cosa marrón de ahí, ¿qué es?

—Una compota…

—Anda ya…

—Sí, creo que sí…

—¿Estás segura?

—Huy, qué sé yo…

En ese punto estaban de su investigación cuando volvió a aparecer la chica:

—¿Ya? ¿Ha terminado?

—Pero oiga —intervino Franck—, si acaba de traerle la bandeja hace dos minutos… ¡Déjele al menos tiempo para comer tranquilamente!

La chica se marchó dando un portazo.

—Es así todos los días, pero los domingos es aún peor… Tienen prisa por marcharse… No se les puede culpar, ¿eh?

La anciana bajó la cabeza.

—Ay, pobre abuela… Todo esto es una mierda… Una mierda…

Paulette dobló su servilleta.

—¿Franck?

—¿Qué?

—Quería pedirte perdón…

—No, la culpa es mía. Nada funciona como a mí me gustaría. Pero no importa, ya empiezo a acostumbrarme…

—¿Me la puedo llevar ya?

—Sí, sí, llévesela…

—Felicite al cocinero, señorita —añadió Franck—, de verdad, estaba todo delicioso…

—Bueno, pues me voy a ir yendo…

—¿Te importa esperar a que me ponga el camisón?

—Vale.

—Ayúdame a levantarme…

Oyó ruido de agua en el cuarto de baño y se volvió de espaldas púdicamente mientras su abuela se metía en la cama.

—Apaga la luz, mi vida…

Paulette encendió su lamparita de noche.

—Ven, siéntate aquí, un minutito nada más…

—Sólo un minutito, ¿eh? Que no vivo a la vuelta de la esquina…

—Un minutito.

Apoyó la mano en la rodilla de su nieto y le hizo una pregunta del todo inesperada:

—Dime una cosa, esa chica de la que me hablabas antes… La que vive con vosotros… ¿Cómo es?

—Tonta, pretenciosa, flaca y tan chalada como Philibert…

—Caray…

—Y…

—¿Qué?

—Parece una intelectual… No, no es que lo parezca,

lo es. Philibert y ella siempre están metidos en sus libros, y como todos los intelectuales, son capaces de hablar durante horas de cosas que le traen al pairo a todo el mundo, pero además, lo más raro es que trabaja de señora de la limpieza…

—¿De verdad?

—De noche…

—¿De noche?

—Sí… Ya te digo, es de lo más rara… Y si vieras lo flaca que está… Te daría hasta pena…

—¿Es que no come?

—Ni idea. Me trae sin cuidado.

—¿Cómo se llama?

—Camille.

—¿Cómo es?

—Ya te lo he dicho.

—¿Cómo es de cara?

—Eh, ¿pero por qué me preguntas todo esto?

—Para que te quedes más tiempo conmigo… No, porque me interesa.

—Pues a ver, tiene el pelo muy corto, casi rapado, castaño, castaño claro… Tiene los ojos azules, creo. Yo qué sé… bueno, claros en todo caso. Y… ¡bueno, yo qué sé, te he dicho que paso!

—Y su nariz, ¿cómo es?

—Normal y corriente.

—…

—También me parece que tiene pecas… Y también… ¿Por qué sonríes?

—Por nada, dime, te estoy escuchando…

—No, paso, me largo, que eres una pesada…

—Odio el mes de diciembre. Tanta fiesta me deprime…

—Ya lo sé, mamá. Es la cuarta vez que me lo dices desde que estamos aquí…

—¿A ti no te deprime?

—Y aparte, ¿qué tal todo? ¿Has ido al cine?

—¿Qué se me ha perdido a mí en el cine?

—¿Vas a ir a Lyon en Navidad?

—Qué remedio… Ya sabes cómo es tu tío… Le trae sin cuidado cómo me encuentre, pero si me pierdo su pavo, me monta un cirio… ¿Te vienes conmigo este año?

—No.

—¿Por qué?

—Tengo que trabajar.

—¿Tienes que barrer las agujas del árbol de Navidad? —le preguntó, sarcástica.

—Exactamente.

—¿Me estás tomando el pelo?

—No.

—Que conste que yo te entiendo, eh… Tener que aguantar a todos esos imbéciles alrededor de una fuente de langostinos, no hay cosa peor, ¿eh?

—Eres una exagerada. Pero si son simpáticos al fin y al cabo…

—Pfff… la simpatía también me deprime, mira lo que te digo…

—Invito yo —dijo Camille, interceptando la cuenta—. Bueno, tengo que irme…

—Anda, ¿te has cortado el pelo? —le preguntó su madre delante de la boca de metro.

—Me preguntaba si te darías cuenta…

—Estás francamente horrorosa. ¿Por qué lo has hecho?

Camille bajó las escaleras corriendo.
Un poco de aire, rápido.

8

Supo que estaba allí antes siquiera de verla. Por el olor.

Una especie de perfume dulzón y empalagoso que le dio arcadas. Se dirigió rápidamente hacia su cuarto y los vio en el salón. Franck estaba medio tumbado en el suelo, riéndose como un tonto mientras miraba a una chica contonearse. Había puesto la música a todo volumen.

—Hola —les lanzó al pasar.

Cuando cerraba la puerta de su habitación, le oyó mascullar:

«Tú, ni caso. Pasa de ella, te digo... Venga, coño, sigue moviéndote...»

No era música, era ruido. Una cosa de locos. Las paredes, los marcos de los cuadros y el parqué temblaban. Camille esperó unos segundos más y luego fue a interrumpirlos:

—Tienes que bajar la música... Vamos a tener problemas con los vecinos...

La chica se había quedado inmóvil, y empezó a reírse como una tonta.

—Eh, Franck, ¿es ella? ¿Es ella? ¿Eh? ¿Eres tú la Conchita?

Camille se la quedó mirando un buen rato. Philibert tenía razón: era asombroso.

Un concentrado de estupidez y vulgaridad. Zapatos de plataforma, vaqueros con volantes, sujetador negro, jersey de malla muy ancha, mechas caseras y labios de caucho, no faltaba un detalle.

—Sí, soy yo. —Y dirigiéndose a Franck, añadió—: baja el volumen, por favor...

—¡Joder, qué pesada eres, tía! Anda... vete a la camita y no des la vara...

—¿No está Philibert en casa?

—No, está con Napoleón. Venga, tía, que te vayas a la cama te hemos dicho.

La chica se reía ahora a más no poder.

—¿Dónde está el retrete? Eh, ¿dónde está el retrete?

—Baja el volumen o llamo a la poli.

—Sí, eso, llama a la poli y deja de tocarnos los huevos. ¡Venga! ¡Que te largues, he dicho!

Pero para mala suerte de Franck, Camille volvía de pasar unas horas con su madre.

Pero eso, Franck no podía saberlo...

Mala suerte para Franck, pues.

Camille entró en su habitación, pisoteó todo lo que estaba tirado por el suelo, abrió la ventana, desenchufó la cadena de música, y la tiró al vacío desde un cuarto piso.

Volvió al salón y soltó tranquilamente:

—Bien. Ya no necesito llamar a la poli...

Y, dándose la vuelta, añadió:

—Eh, tú, pedorra... Cierra esa bocaza que tienes, no te vayan a entrar moscas.

Se encerró con llave en su habitación. Franck aporreó la puerta, gritó, rugió, la amenazó con las peores represalias. Mientras tanto, Camille se miraba sonriendo en el espejo, y descubrió en él un autorretrato interesante. Des-

graciadamente, en ese momento no hubiera podido dibujar nada: tenía las manos demasiado húmedas…

Esperó hasta oír cerrarse la puerta de un buen portazo
antes de aventurarse en la cocina, comió un bocado y se
fue a la cama.

Franck se tomó la revancha en plena noche.

Hacia las cuatro de la madrugada, Camille se despertó
por el jaleo de gemidos que venía de la habitación de al
lado. Él gruñía, ella gemía. Él gemía, ella gruñía.

Camille se levantó y permaneció un momento en la oscuridad, preguntándose si no sería mejor hacer la maleta
inmediatamente y volver a su buhardilla.

No, murmuró, no, eso es lo que más le gustaría a él…
Qué jaleo, Dios mío, pero qué jaleo… Seguro que lo hacían aposta, si no, no era posible… Probablemente Franck
le estaba diciendo que exagerara… ¿Pero es que la tía esa
tenía un botón que al apretarlo sonaba «aaahhh, aaahhh»,
o qué?

Había ganado él.
Camille había tomado una decisión.
Ya no pudo volver a dormirse.

Por la mañana se levantó temprano y se puso manos a
la obra en silencio. Deshizo su cama, dobló las sábanas y
buscó una gran bolsa para llevarlas a la lavandería. Recogió sus cosas y las metió todas en la misma caja de cartón
que cuando llegó. Camille se sentía mal. Lo que la angustiaba no era tanto volver allá arriba, sino dejar esa habitación… El olor a polvo, la luz, el ruido sordo de las cortinas de seda, los crujidos, las pantallas de las lámparas y el
brillo apagado y dulce del espejo. Esa impresión extraña
de encontrarse fuera del tiempo… Lejos del mundo…

Los antepasados de Philibert habían terminado por aceptarla y Camille se había entretenido dibujándolos de otra manera, y en otras situaciones. El viejo marqués sobre todo había resultado ser mucho más divertido de lo que se había imaginado. Más alegre... Más joven... Desenchufó su chimenea y lamentó la ausencia de un recogecable. No se atrevió a hacerla rodar por el pasillo y la dejó ante su puerta.

Después cogió su cuaderno, se preparó una taza de té y volvió a sentarse en el cuarto de baño. Se había prometido llevárselo consigo. Era la habitación más bonita de la casa.

Quitó todas las cosas de Franck, su desodorante X de Mennen «para nosotros los hombres», su viejo cepillo de dientes de cochino, sus maquinillas Bic, su gel para pieles sensibles —ésa sí que era buena— y su ropa que apestaba a fritanga. Lo metió todo en la bañera.

La primera vez que había entrado ahí, no había podido reprimir un «¡Oh!» de admiración, y Philibert le había contado que se trataba de un modelo de la casa Porcher que databa de 1894. Un antojo de su bisabuela, que era la parisina más coqueta de la *Belle Époque*. Un poco demasiado, de hecho, a juzgar por cómo arqueaba las cejas su abuelo cuando la evocaba y contaba sus calaveradas... Todo Offenbach estaba ahí...

Cuando instalaron la bañera, todos los vecinos se congregaron para poner una denuncia, pues temían que reventara el suelo, y después para admirarla y extasiarse ante ella. Era la más bonita del edificio, y tal vez incluso de toda la calle...

Estaba intacta; desportillada, pero intacta.

Camille se sentó sobre el cesto de la ropa sucia y dibujó la forma del suelo de baldosas, los frisos, los arabescos, la gran bañera de porcelana con sus cuatro patas de león con garras, los apliques cromados que habían perdido su brillo, la enorme alcachofa de ducha que no había escupido nada desde la guerra del 14, las jaboneras, con su forma de pileta de agua bendita, y los toalleros medio desempotrados de la pared. Los frascos vacíos, *Shocking* de Schiaparelli, *Transparent* de Houbigant, o *Le Chic* de Molyneux, las cajas de polvos de arroz *La Diaphane,* los iris azules que corrían por el borde del bidé y los lavabos tan trabajados, tan barrocos, tan cargados de flores y de pájaros que a Camille siempre le había dado reparo dejar su horroroso neceser sobre el borde amarillento. Parte del inodoro había desaparecido, pero el depósito de agua de la cisterna seguía en la pared y Camille terminó su inventario dibujando las golondrinas que revoloteaban allí arriba desde hacía más de un siglo.

Casi había llegado al final del cuaderno. Sólo quedaban dos o tres páginas…

No tuvo el valor de hojearlo y vio en ello una señal. Fin del cuaderno, fin de las vacaciones.

Enjuagó su taza y salió del cuarto de baño cerrando la puerta sin hacer ruido. Mientras las sábanas daban vueltas en la lavadora, fue a una tienda de sonido y le compró a Franck otra cadena de música. No quería deberle nada. No le había dado tiempo a ver la marca de la suya y se dejó guiar por el vendedor.

Eso le gustaba mucho, dejarse guiar…

Cuando volvió, el piso estaba vacío. O silencioso. Camille no buscó saber cuál de las dos cosas. Depositó la caja de cartón de Sony delante de la puerta de su vecino de pasillo, dejó las sábanas sobre su antigua cama, se despidió de la galería de antepasados, cerró las persianas y arrastró su chimenea hasta la puerta de la escalera de servicio. No encontró la llave. Bueno, dejó la caja de cartón con sus cosas encima, su hervidor, y se marchó a trabajar.

Conforme iba anocheciendo y el frío volvía a la carga con la saña de costumbre, Camille sintió que se le secaba la boca y se le endurecía el estómago: los pedruscos estaban ahí de nuevo. Hizo un gran esfuerzo para no llorar y terminó por convencerse de que era como su madre: le deprimían las fiestas.

Trabajó sola y en silencio.

Ya no tenía muchas ganas de proseguir el viaje. No lo conseguía, y no le quedaba más remedio que reconocerlo.

Volvería a subir ahí arriba, a la habitacioncita de Louise Leduc, y se quedaría allí.

Por fin.

Una breve nota sobre el escritorio del señor Excerdo la sacó de sus pensamientos negros:

¿Quién es usted?, preguntaba una letra negra y apretada.

Dejó sus productos de limpieza y sus trapos, tomó asiento en el enorme sillón de cuero, y buscó dos hojas blancas.

En la primera dibujó una especie de muñecajo, hirsuto y desdentado, apoyado en una escoba, con una sonrisa malvada. Una botella de vino peleón asomaba por el bolsillo de su bata, *Todoclean, profesionales a su servicio, etc.,* y afirmaba: *Ésta soy yo…*

En la otra hoja dibujó una *pin-up* de los años cincuenta. Con la mano en la cadera, una boquita de piñón, una pierna doblada y el busto comprimido en un bonito delantal de encaje. Sostenía un plumero en la mano, y replicaba: *No hombre, no… soy yo…*

Camille utilizó un rotulador fino para colorearle las mejillas…

Por culpa de todas esas tonterías, perdió el último metro y volvió andando. Bah, qué más daba… Otra señal más… Casi había tocado fondo, pero no del todo, ¿no?

Un pequeño esfuerzo más.

Unas horas más pasando frío y se acabó.

Cuando abrió la puerta del edificio, Camille recordó que no había devuelto sus llaves y que tenía que arrastrar sus cosas por la escalera de servicio.

¿Y escribirle una nota a su anfitrión, tal vez?

Se dirigió a la cocina y le disgustó ver que había luz. Seguramente sería el señor Marquet de la Durbellière, caballero de la triste figura, con su patata caliente en la boca y su lista de argumentos estúpidos para retenerla. Durante un instante, pensó en dar media vuelta. No tenía valor para escuchar sus tartamudeos. Pero bueno, en el caso de que no muriera esa misma noche, necesitaba su chimenea…

9

Estaba sentado en el otro extremo de la mesa, jugueteando con la anilla de su lata de cerveza.

Camille apretó el picaporte y sintió que se le clavaban las uñas en la palma de la mano.

—Te estaba esperando —le dijo él.

—¿Ah, sí?

—Sí...

—...

—¿No quieres sentarte?

—No.

Permanecieron así, en silencio, durante un buen rato.

—¿No habrás visto las llaves de la escalera de servicio? —terminó por preguntar Camille.

—Las tengo en el bolsillo...

Camille suspiró:

—Dámelas.

—No.

—¿Por qué?

—Porque no quiero que te vayas. El que se larga soy yo... Si te vas de aquí, Philibert estará cabreado conmigo hasta el día en que se muera... Hoy mismo, cuando ha visto la caja de cartón con tus cosas, me ha empezado a dar la vara, y desde entonces no ha salido de su habitación... Así que me voy a marchar. No por ti, por él. No puedo hacerle esto. Volverá a ser como era antes, y no quiero. No se merece eso. A mí me ayudó cuando estaba jodido, y no quiero hacerle daño. No quiero volver a verlo sufrir, y retorcerse de nervios cada vez que alguien le pregunta algo, eso ya no puede ser... Ya estaba mejor antes de que tú llegaras, pero desde que estás aquí, está casi normal, y sé que se medica menos, así que... No hace falta que te vayas... Yo tengo un colega que me presta su casa después de Navidad...

Silencio.

—¿Te puedo coger una cerveza?

—Claro.

Camille se sirvió y se sentó frente a él.

—¿Puedo encenderme un cigarro?

—Que sí, claro. Haz como si yo ya no estuviera aquí...

—No, eso no puedo. Es imposible... Cuando estás en una habitación, hay tanta electricidad en el aire, tanta agresividad que no puedo ser natural, y...

—¿Y?

—Y me pasa lo mismo que a ti, mira tú por dónde, estoy cansada. No por las mismas razones, supongo... Trabajo menos, pero es lo mismo. Es por otra cosa, pero es lo mismo. Es mi cabeza la que está cansada, ¿entiendes? Además, quiero irme. Me doy perfecta cuenta de que ya no soy capaz de vivir en compañía y yo...

—¿Tú, qué?

—No, nada. Que estoy cansada, te digo. Y tú no eres capaz de dirigirte a los demás de una manera normal. Siempre tienes que gritar, que ser agresivo... Me imagino que será por tu trabajo, que te habrá contagiado el ambiente de las cocinas... Yo qué sé... Y bueno, en realidad me resbala... Pero una cosa está clara: os voy a devolver vuestra intimidad.

—No, el que os deja soy yo, no tengo más remedio, te digo... Para Philou, cuentas más tú, has llegado a ser más importante que yo... Así es la vida —añadió Franck, riéndose.

Y, por primera vez, se miraron a los ojos.

—¡Yo lo alimentaba mejor que tú, eso seguro! Pero a mí me traían sin cuidado las canas de María Antonieta... Pero vamos, me traían al pairo por completo, y eso es lo que me ha perdido... ¡Ah, por cierto!, gracias por el equipo de música...

Camille se había levantado:

—Es más o menos el mismo que tenías antes, ¿no?

—Seguro que sí...

—Fantástico —concluyó Camille con voz monocorde—. Bueno, ¿y las llaves?

—¿Qué llaves?

—Venga...

—Tus cosas están otra vez en tu cuarto, y te he vuelto a hacer la cama.

—¿En forma de petaca?

—Joder, tía, eres la hostia...

Camille iba a salir de la cocina cuando Franck le señaló el cuaderno con la barbilla:

—¿Eso lo has hecho tú?

—¿Dónde lo has encontrado?

—Eh... Tranqui, tía... Estaba ahí, encima de la mesa... No he hecho más que hojearlo mientras te esperaba...

Camille iba a cogerlo cuando él añadió:

—Si te digo algo amable, ¿no me vas a morder?

—Prueba a ver...

Franck cogió el cuaderno, pasó algunas páginas, lo volvió a dejar sobre la mesa y esperó un poco más, hasta que Camille se dio por fin la vuelta:

—Mola un montón, sabes... Es precioso... Está súper bien dibujado... Es... bueno, o sea... Yo no es que entienda mucho de esto, ¿eh? No entiendo nada, vamos.

Pero llevo casi dos horas esperándote aquí, en esta cocina donde hace una rasca que te cagas, y el tiempo se me ha pasado volando. No me he aburrido ni un segundo. He... he mirado todas esas caras... Mi Philou, y toda esa peña... Qué bien los has captado, qué guapos haces que sean todos... Y el piso... Yo hace más de un año que vivo aquí y pensaba que estaba vacío, o sea, no veía nada... Y tú, tú... Vamos, que mola un montón...

—...

—Pero tía, ¿y ahora por qué lloras?

—Los nervios, creo...

—Joder, pues vaya... ¿Quieres otra cerveza?

—No, gracias. Me voy a ir a la cama...

Cuando estaba en el cuarto de baño, lo oyó aporrear la puerta de la habitación de Philibert, gritando:

—¡Venga, tío! Tranqui. ¡Está aquí, no se ha largado! ¡Ya puedes ir a mear, si quieres!

A Camille le pareció ver que el marqués le sonreía entre patilla y patilla al apagar la luz, y se quedó dormida inmediatamente.

10

El tiempo había mejorado un poco. Había una alegría, una ligereza, *something in the air.* La gente iba corriendo de un lado a otro para comprar regalos y Josy Bredart se había teñido el pelo de nuevo. Unos reflejos caoba preciosos que hacían resaltar la montura de sus gafas. Mamadou también se había puesto unas extensiones fantásticas. Les había dado una lección de peluquería una noche, entre planta y planta, mientras brindaban las cuatro con una botella de champán que habían comprado con el dinero de la apuesta.

—¿Pero cuánto te tiras en la peluquería para que te depilen así toda la frente?

—Oh… Tampoco mucho… Dos o tres horas a lo mejor… Hay peinados que llevan mucho más tiempo, ¿sabes? A mi Sissi le llevó más de cuatro horas…

—¡Más de cuatro horas! ¿Y qué hace durante todo ese tiempo? ¿Se porta bien?

—¡Pues claro que no se porta bien! Hace como nosotras, se divierte, come, y nos escucha contar nuestras historias… Nosotros contamos muchas historias… Mucho más que vosotros…

—¿Y tú, Carine? ¿Qué vas a hacer en Navidad?

—Voy a engordar dos kilos. ¿Y tú, Camille, qué vas a hacer en Navidad?

—Yo voy a perder dos kilos… No, es broma…

—¿La celebras con tu familia?

—Sí —les mintió.

—Bueno, basta de charla y a trabajar... —dijo Super-Josy, dándose golpecitos en la esfera del reloj.

¿Cómo se llama?, leyó Camille sobre el escritorio.

Tal vez era pura coincidencia, pero la foto de su mujer y de sus hijos había desaparecido. Mmm, qué chico más previsible... Camille tiró la hoja y pasó el aspirador.

También en el piso el ambiente era algo más relajado. Franck ya no dormía allí y pasaba como un rayo cuando venía a echarse la siesta por la tarde. Ni siquiera había desembalado su nuevo equipo de música.

Philibert no hizo nunca la menor alusión a lo que se había tramado a sus espaldas la noche en que se fue a su conferencia sobre Napoleón. Era una persona que no toleraba el más mínimo cambio. Su equilibrio pendía de un hilo, y Camille apenas empezaba a ser consciente de la gravedad de su acto la noche en que fue a buscarla a su buhardilla... Lo violento que tenía que haber sido para él... También pensaba en lo que Franck le había dicho de que se medicaba...

Philibert le anunció que se tomaba unas vacaciones y que estaría fuera hasta mediados de enero.

—¿Se marcha a su castillo?

—Sí.

—¿Le hace ilusión?

—Bueno, me alegra volver a ver a mis hermanas...

—¿Cómo se llaman?

—Anne, Marie, Catherine, Isabelle, Aliénor y Blanche.

—¿Y su hermano?

—Louis.

—Todo nombres de reyes y de reinas...

—Pues sí…

—¿Y el suyo?

—Oh, yo… Yo soy el patito feo…

—No diga eso, Philibert… Mire, yo no entiendo nada de todas estas historias suyas de la aristocracia, y eso de los apellidos rimbombantes a mí nunca me ha interesado mucho. Si quiere que le diga la verdad, me parece incluso un pelín ridículo, un poco… anticuado, pero una cosa está muy clara: usted es un príncipe. Un verdadero príncipe.

—Oh —dijo él, ruborizándose—, un hidalguito nada más, un hidalgüelo de provincias, como mucho…

—Un hidalguito, sí, eso es exactamente… Y dígame, ¿cree que el año que viene ya podremos tutearnos?

—¡Ah! ¡Ya saltó otra vez mi querida sufragista! Siempre queriendo revoluciones… A mí me va a costar tutearla, ¿sabe…?

—A mí, no. A mí me encantaría decirle: Philibert, te agradezco mucho todo lo que has hecho por mí, porque no lo sabes, pero, en cierta manera, me has salvado la vida…

Philibert no contestó nada, y una vez más, bajó la mirada.

11

Camille se levantó temprano para acompañarlo a la estación. Estaba tan nervioso que tuvo que arrancarle el billete de las manos para validarlo por él. Fueron a tomarse un chocolate, pero Philibert ni lo probó. Conforme se iba acercando la hora de su tren, Camille veía cómo se le crispaba la cara. Sus tics nerviosos habían vuelto, y era de nuevo el pobre infeliz del supermercado. Un chico alto, nervioso y torpe que tenía que meterse las manos en los bolsillos para no arañarse la cara cuando se ajustaba las gafas.

Camille le puso la mano en el brazo.

—¿Se encuentra bien?

—S… sí, mu… muy bien, e… está al t… tanto de la hora, ¿verdad?

—Eeeeh —le dijo ella—. Eeeeh… Tranquilo… Tranquilo…

Philibert trató de asentir con la cabeza.

—¿Tanto le agobia reunirse con su familia?

—N… no —contestó, a la vez que decía que sí con la cabeza.

—Piense en sus hermanitas…

Philibert le sonrió.

—¿Cuál es su preferida?

—La… la pequeña…

—¿Blanche?

—Sí.

—¿Es guapa?

—Es... es más que eso todavía... Es... es dulce conmigo...

No fueron capaces de besarse, pero Philibert la cogió por el hombro en el andén:

—Se... se va a cuidar mucho, ¿verdad?

—Sí.

—¿Se... se va con su familia?

—No...

—¿Ah, no? —preguntó con una mueca.

—Yo no tengo hermanita que me haga soportable todo lo demás...

—Ah...

Asomado a la ventanilla, Philibert la sermoneó:

—¡So... sobre todo no se deje impresionar por nuestro cocinerito, eh!

—Qué va, qué va... —lo tranquilizó Camille.

Philibert añadió algo, pero Camille no lo oyó por culpa de la megafonía. En la duda, dijo que sí con la cabeza, y el tren arrancó.

Decidió volver a pie y se equivocó de camino sin darse cuenta. En lugar de tomar a la izquierda y bajar por el bulevar Montparnasse hasta llegar a la Academia Militar, siguió todo recto y fue a parar a la calle Rennes. Fue por culpa de las tiendas, las guirnaldas, la animación...

Camille era como un insecto; la atraía la luz y la sangre caliente de la muchedumbre.

Tenía ganas de ser parte de esa multitud, de ser como toda esa gente, de ir con prisa, de estar emocionada y atareada. Tenía ganas de entrar en las tiendas y comprar tonterías para mimar a las personas a las que quería. Aflojó el paso para preguntarse: ¿a quién quería? *Vamos, vamos,* se reprendió, subiéndose el cuello de la chaqueta, *no empieces, anda, están Pierre y Mathilde, Philibert, y tus amigas de Todoclean... Aquí, en esta tienda de bisutería seguro que encuentras alguna cosita para Mamadou, que es tan coqueta...* Y por primera vez desde hacía mucho tiempo, hizo lo mismo que todo el mundo, y al mismo tiempo: se paseó por las calles, calculando su paga extra... Por primera vez en mucho tiempo, no pensaba en el día de mañana. Y no era una simple expresión. El día de mañana, o sea, el día siguiente.

Por primera vez desde hacía mucho tiempo, el día siguiente le parecía... posible e imaginable. Sí, eso era exactamente: posible e imaginable. Tenía un lugar en el que le gustaba vivir. Un lugar extraño y singular, como las personas que lo habitaban. Camille apretaba con fuerza las llaves que tenía en el bolsillo, pensando en las semanas que acababan de pasar. Había conocido a un extraterrestre. Un ser generoso, anacrónico, que estaba a mil leguas del mundo real, y no parecía vanagloriarse en absoluto de ello. También estaba el cabeza de chorlito del otro. Bueno, con él sería todo más complicado... Quitando sus historias de motos y de cacerolas, Camille no veía muy bien qué más se podía sacar de él, pero por lo menos le había emocionado su cuaderno, bueno, tanto como emocionado... qué exagerada, digamos que le había llamado la atención. Era más complicado, y a la vez podía ser más sencillo: el manual de instrucciones parecía bastante básico...

Sí, había progresado, pensaba Camille, pisando huevos detrás de la gente.

El año anterior por esa época se encontraba en un estado tan lamentable que no había sabido decirle su nombre al tío del Samu que la había recogido en la calle, y el año anterior, estaba trabajando tanto que ni se había dado cuenta de que era Navidad; su «benefactor» se abstuvo de recordárselo no fuera a ser que perdiera el ritmo... Así que lo podía decir, ¿no? Podía pronunciar esas pocas palabras que no hace tanto tiempo se le hubieran quedado atragantadas en la garganta: estaba bien, se encontraba bien y la vida era bella. Uf, por fin lo había dicho. *Anda, tonta, no te pongas colorada. No te des la vuelta. Tranquila, nadie te ha oído pronunciar estas locuras.*

Tenía hambre. Entró en una panadería y se compró unos pastelillos. Unas cositas riquísimas, ligeras y dulces. Se chupó largo rato los dedos antes de atreverse a volver a entrar en una gran superficie, donde encontró regalitos para todo el mundo. Un perfume para Mathilde, bisutería para las chicas, unos guantes para Philibert, y unos puros para Pierre. ¿Se podía ser más convencional? No. Eran los regalos de Navidad más tontos del mundo, pero eran perfectos.

Terminó sus compras cerca de la plaza de Saint-Sulpice y entró en una librería. Eso también era la primera vez que lo hacía en mucho tiempo... Ya no se atrevía a aventurarse en ese tipo de sitios. Era difícil de explicar, pero le hacía demasiado daño, era... No, no podía decir eso... Ese abatimiento, esa cobardía, ese riesgo que ya no quería correr... Entrar en una librería, ir al cine, ver exposiciones o echar una ojeada a los escaparates de las galerías de arte era tocar con el dedo su mediocridad, su pusilanimidad, y recordar que había tirado la toalla un día de desesperación y que desde entonces ya nunca la había recuperado...

Entrar en cualquiera de esos lugares cuya legitimidad dependía de la sensibilidad de algunos era recordar que su vida era vana...

Camille prefería las secciones de cualquier gran superficie.

¿Quién podía entender eso? Nadie.

Era una batalla personal. La más invisible de todas. La más desgarradora también. ¿Y cuántas noches de trabajo, de soledad y de limpiar retretes tendría que infligirse todavía para salir vencedora?

Al principio evitó la sección de Bellas Artes, que conocía de memoria por haberla frecuentado mucho en la época en que intentaba estudiar en la facultad del mismo nombre, y luego, más tarde, con fines menos gloriosos... De hecho, no tenía intención de visitar esa sección. Era demasiado pronto. O demasiado tarde justamente. Era como esa historia de tocar fondo e impulsarse hacia arriba... ¿Tal vez estaba en un momento de su vida en el que ya no podía contar con la ayuda de los grandes maestros?

Desde que había tenido edad para sujetar un lápiz, le habían repetido que tenía talento. Mucho talento. Demasiado. Era muy prometedora, demasiado lista o demasiado mimada. A menudo sinceros, otras veces más ambiguos, esos halagos no la habían llevado a ninguna parte, y ahora, cuando ya sólo valía para llenar frenéticamente de bosquejos cuaderno tras cuaderno, como una obsesa, Camille se decía que no le importaría nada cambiar esas dos toneladas de talento por un poco de inocencia. O por una pizarra mágica, por ejemplo... Una pasada y, ¡hala!, borrarlo todo. Adiós técnica, adiós referencias, adiós talento, adiós todo. A empezar de cero.

Así que mira, el bolígrafo se coge entre los dedos índice y pulgar... No, de hecho, lo puedes coger como te dé la gana. Luego, es muy fácil, ya no tienes que pensar en nada. Tus manos ya no existen. Ya no son lo importante.

No, así no está bien, sigue siendo demasiado bonito. No se te pide que hagas algo bonito, ¿sabes…? Lo bonito nos trae sin cuidado. Para eso ya están los dibujos de los niños y el papel cuché de las revistas. Eh, tú, genio, tú que crees que tienes tanto talento pero estás vacía por dentro, ponte unas manoplas, hala, que sí, que te las pongas te digo, y quizá por fin verás que dibujarás un círculo fallido casi perfecto…

Camille deambuló pues entre los libros. Se sentía perdida. Había tantos, y hacía tanto tiempo que había perdido el hilo de la actualidad que todas esas fajas rojas en las portadas la mareaban. Miraba las cubiertas, leía las sinopsis, comprobaba la edad de los autores, haciendo una mueca cuando veía que habían nacido después que ella. No era un método de selección muy bueno que digamos… Se dirigió hacia la sección de libros de bolsillo. El papel de mala calidad y la letra pequeña la intimidaban menos. La portada de ese libro, en la que salía un niño con gafas de sol, era muy fea, pero el principio de la historia le gustaba:

«Si tuviera que resumir mi vida con un solo hecho, esto es lo que diría: tenía siete años cuando el cartero me atropelló la cabeza. Ningún otro acontecimiento habrá sido más formador para mí. Mi existencia caótica, tortuosa, mi cerebro enfermo y mi fe en Dios, mis agarradas con las alegrías y las penas, todo eso, de una forma o de otra, se deriva de ese instante en el que, una mañana de verano, la rueda trasera izquierda del todoterreno de Correos aplastó mi cabeza de niño contra la gravilla ardiente de la reserva apache de San Carlos.»

No estaba mal, no… Además el libro era un buen tocho, bien gordo y bien denso. Había diálogos, fragmentos de cartas y unos bonitos subtítulos. Siguió hojeándolo y, al final del primer tercio aproximadamente, leyó lo siguiente:

«"*Gloria*", *dijo Barry, adoptando su tono doctoral. "Éste es tu hijo Edgar. Hace tiempo que aguarda el momento de volver a verte.*"

»*Mi madre miró a todos lados, salvo hacia mí. "¿Queda alguna todavía?", le preguntó a Barry con una vocecita aguda que me encogió el estómago.*

»*Barry suspiró y fue a la nevera a buscar otra lata de cerveza. "Es la última, luego iremos a comprar más." La dejó encima de la mesa, delante de mi madre, y luego sacudió ligeramente el respaldo de su silla. "Gloria, es tu hijo", volvió a decir, "está aquí".*»

Sacudir el respaldo de la silla... ¿Tal vez fuera ése el truco?

Cuando, cerca del final, cayó sobre este párrafo, cerró el libro, segura de sí misma:

«*Sinceramente, no tengo ningún mérito. Salgo con mi cuaderno y la gente se pone a mis pies. Llamo a su puerta y me cuentan su vida, sus pequeños triunfos, sus motivos de rabia y sus anhelos ocultos. En cuanto a mi cuaderno, que de todas maneras sólo llevo para aparentar, me lo suelo guardar en el bolsillo, y escucho pacientemente hasta que me hayan dicho todo lo que tenían que decir. Después viene lo más fácil. Vuelvo a mi casa, me instalo delante de mi máquina Hermès Jubilé y hago lo que llevo haciendo desde hace casi veinte años: escribo todos los detalles interesantes.*»

Una cabeza espachurrada en la infancia, una madre medio zumbada y un cuadernito en el fondo del bolsillo...

Qué imaginación...

Un poco más adelante, Camille descubrió el último libro ilustrado de Sempé. Se quitó la bufanda y se la sujetó entre las piernas junto con el abrigo para extasiarse más cómodamente. Pasó las páginas despacio y, como a cada vez, se le colorearon las mejillas de placer. Nada le gustaba tanto como ese pequeño mundo de grandes soñadores, ese trazo certero, las expresiones de los rostros, las marquesinas de los chalés de la periferia, los paraguas de las señoras mayores, y la infinita poesía de las situaciones. ¿Cómo lo hacía? ¿Dónde encontraba Sempé todo aquello? Camille volvió a ver los cirios, los incensarios y el gran altar barroco de su personaje preferido, la beata. Esta vez, estaba sentada en el fondo de la iglesia, con un móvil en la mano, y la cabeza ligeramente inclinada hacia atrás, tapándose la boca con la mano: «*¿Marthe? Soy Suzanne. Estoy en la iglesia Sainte-Eulalie-de-la-Rédemption, ¿quieres que pida algo para ti?*»

Buenísimo.

Unas páginas después, un señor se dio la vuelta al oírla reírse sola. Y eso que no era nada, tan sólo una señora gorda que hablaba con un pastelero mientras éste seguía trabajando. El pastelero tenía un gorro de cocinero, una expresión como desengañada, y una barriguita monísima. La señora decía: «*El tiempo ha pasado, he rehecho mi vida, pero ¿sabes, Roberto?, nunca te he olvidado…*» Ella llevaba un sombrero con forma de pastel, una especie de bocadito de crema igualito a los que el pastelero acababa de hacer…

No era apenas nada, dos o tres trazos de tinta, y sin embargo se la veía parpadear con una cierta languidez nostálgica, con la cruel indolencia de quien se sabe aún deseable… Pequeñas Ava Gardner de extrarradio, mujercitas fatales de pelo teñido…

Seis minúsculos trazos para decir todo eso… ¿Cómo lo hacía?

Camille devolvió esa maravilla a su estantería pensando que el mundo se dividía en dos categorías: los que comprendían los dibujos de Sempé, y los que no los comprendían. Por muy ingenua y maniquea que pudiera parecer, esa teoría se le antojaba absolutamente pertinente. Por poner un ejemplo, ella conocía a una persona que, cada vez que hojeaba un *Paris-Match* y descubría una de esas viñetas, no podía evitar ridiculizarse: «Yo francamente no le veo la gracia a esto… A ver si alguien me explica algún día de qué hay que reírse…» Mala suerte, esa persona era su madre. Sí, desde luego, qué mala suerte…

De camino hacia la caja, se cruzó con la mirada de Vuillard. Esto tampoco es una mera expresión: la estaba mirando, a ella. Con dulzura.

Autorretrato con bastón y canotier… Camille conocía ese cuadro, pero nunca había visto una reproducción tan grande. Era la portada de un enorme catálogo. Entonces, ¿había una exposición en ese momento? ¿Pero dónde?

—En el Grand Palais —le confirmó uno de los vendedores.

—¿Ah, sí?

Qué extraña coincidencia… No había dejado de pensar en él en esas últimas semanas… Los tapices recargados de su habitación, el diván con su colcha, los cojines bordados, las alfombras amontonadas y la luz tamizada de las lámparas… Más de una vez, Camille se había hecho la reflexión de que tenía la impresión de estar en un cuadro de Vuillard… Esa misma sensación de estar dentro de un útero, un capullo. Una sensación atemporal, tranquilizadora, agobiante, opresiva también…

Hojeó el ejemplar de exposición y volvió a sufrir una crisis aguda de admiracionitis. Era tan bonito… Tan bonito… Esa mujer de espaldas abriendo una puerta… Su

corsé rosa, su vestido negro de tubo y ese perfecto contoneo… ¿Cómo había podido plasmar ese movimiento? ¿El
ligero contoneo de una mujer elegante vista de espaldas?

¿Sin emplear nada más que un poco de pintura negra?

¿Cómo era posible ese milagro?

*«Cuanto más puros son los elementos empleados, más
pura es la obra. En pintura, hay dos medios de expresión, la
forma y el color, cuanto más puros son los colores, más pura
es la belleza de la obra…»*

Fragmentos del diario de Vuillard componían los comentarios.

Su hermana dormida, la nuca de Misia Sert, las amas
de cría en los parques, los estampados de los vestidos de
las niñas, el retrato de Mallarmé a carboncillo, los estudios para el de Yvonne Printemps, esa linda carita carní-
vora, las páginas garabateadas de su agenda, la sonrisa de
Lucie Belin, su amiga… Plasmar una sonrisa es totalmente imposible, y él, sin embargo, lo había logrado… Desde
hace casi un siglo, recién interrumpida su lectura, esta
mujer nos sonríe dulcemente y parece decirnos: *«Ah,
¿eres tú?»* con un lánguido movimiento de la nuca…

Y ese pequeño lienzo de ahí, Camille no lo conocía…
No era un lienzo, de hecho, sino un dibujo sobre cartón… *La oca…* Genial… Cuatro tipos, dos de los cuales
vestidos con traje de etiqueta y chistera, intentando atrapar a una oca burlona… Esas masas de colores, la brutali-
dad de los contrastes, la incoherencia de las perspecti-
vas… ¡Oh, qué bien debió de pasárselo Vuillard ese día!

Una hora larga y una tortícolis más tarde, Camille terminó por levantar la cabeza del catálogo y miró el precio:
ay ay ay, cincuenta y nueve euros… No. No era razonable.
El mes que viene tal vez… Para ella, tenía ya otra idea de

regalo: una pieza de música que había oído en la radio el otro día mientras barría la cocina.

Gestos ancestrales, escoba paleolítica y baldosas hechas polvo, Camille refunfuñaba, enfrascada en su tarea, cuando la voz de una soprano le erizó, uno a uno, cada pelo de los antebrazos. Se acercó a la radio conteniendo el aliento: *Nisi Dominus,* Vivaldi, *Vespri Solenni per la Festa dell'Assunzione di Maria Vergine...*

Bueno, ya estaba bien de soñar, de extasiarse y de gastar, era hora de volver al trabajo...

Aquella noche se alargó más por culpa de la copa de Navidad organizada por el comité de empresa de una de las sociedades de las que se encargaban. Josy meneó la cabeza en un gesto reprobador al ver todo aquel desorden, y Mamadou se llevó mandarinas y pastelitos para sus hijos. Perdieron el último metro, pero no importaba: ¡Todoclean les pagaba un taxi a todas! ¡Qué derroche! Cada una eligió a su taxista riendo, y se desearon feliz Navidad anticipadamente pues sólo Camille y Samia se habían apuntado para trabajar el 24.

12

Al día siguiente, domingo, Camille comió en casa de los Kessler. Imposible escaquearse. No estaban más que ellos tres, y la conversación fue más bien animada. No hubo preguntas delicadas, ni respuestas ambiguas, ni silencios violentos. Una verdadera tregua de Navidad. ¡Ah, sí! En un momento dado, cuando Mathilde se inquietó por sus condiciones de supervivencia en la buhardilla, Camille tuvo que mentir un poco. No quería mencionar su mudanza. Aún no... Por desconfianza... El mequetrefe aún no se había marchado, y todavía podía surgir algún psicodrama...

Sopesando su regalo, Camille aseguró:
—Ya sé lo que es...
—No.
—¡Que sí!
—Pues venga, a ver, di... ¿Qué es?
El regalo estaba envuelto en papel de estraza. Camille quitó el lazo, alisó bien el papel, y se preparó para el examen.

Pierre estaba nerviosísimo. Ojalá esta tonta se volviera a poner a ello...

Cuando terminó, Camille volvió el dibujo hacia él: el sombrero de paja, la barba pelirroja, los ojos como dos grandes botones, la chaqueta oscura, el quicio de la puerta, y el pomo con dibujos en espiral, era exactamente como si acabara de calcar la portada.

Pierre tardó un momento en comprender:

—¿Cómo lo has hecho?

—Ayer me pasé más de una hora mirándolo…

—¿Ya lo tienes?

—No.

—Uf…

Un momento después:

—¿Te has vuelto a poner a ello?

—Un poco…

—¿En este plan? —dijo, indicando el retrato de Édouard Vuillard—. ¿Copiando?

—No, no… Yo… hago bosquejos… bueno, casi nada… Cositas así, vaya…

—¿Por lo menos disfrutas con ello?

—Sí.

Pierre se estremecía de impaciencia:

—Aaaah, perfecto… ¿Me los dejas ver?

—No.

—¿Y qué tal está tu madre? —interrumpió Mathilde, siempre tan diplomática—. ¿Sigue al borde del abismo?

—Más bien al fondo…

—Entonces es que todo va bien, ¿no?

—Perfectamente —sonrió Camille.

Pasaron el resto de la tarde hablando de pintura. Pierre comentó el trabajo de Vuillard, buscó afinidades, estableció paralelismos y se perdió en interminables digresiones. Varias veces se levantó para ir a buscar a su biblioteca las pruebas de su perspicacia y, al cabo de un rato, Camille tuvo que sentarse en una esquinita del sofá para dejar sitio a Maurice (Denis), a Pierre (Bonnard), a Félix (Valloton) y a Henri (de Toulouse-Lautrec).

Como marchante, Pierre era un pesado, pero como

aficionado ilustrado, era verdaderamente maravilloso. Por supuesto, decía tonterías —¿y quién no lo hacía en materia de arte?— pero las decía bien. Mathilde bostezaba, y Camille se iba terminando la botella de champán. *Piano ma sano.*

Cuando su rostro hubo casi desaparecido tras las volutas de humo de su puro, se ofreció a llevarla a casa en coche. Camille dijo que no. Había comido demasiado y se imponía una buena caminata.

El piso estaba vacío y le pareció demasiado grande, se encerró en su habitación y pasó el resto de la noche sin despegar la vista de su regalo.

Durmió unas horas por la mañana y se reunió con Samia más temprano que de costumbre, era Nochebuena y las oficinas se vaciaban a las cinco de la tarde. Trabajaron deprisa y en silencio.

Samia se marchó la primera y Camille se quedó un momento bromeando con el guardia de seguridad:

—¿Pero te han obligado a ponerte la barba y el gorro?

—¡Qué va, era una iniciativa personal para crear ambientillo!

—¿Y ha funcionado?

—Pfff, ya ves… La peña pasa… El único que lo ha notado ha sido mi perro… No me ha reconocido y me ha gruñido, el muy idiota… Te lo juro, he tenido perros imbéciles, pero éste se lleva la palma…

—¿Cómo se llama?

—*Matrix.*

—¿Es una perra?

—No, ¿por?

—Eh… no, por nada, por nada… Bueno, pues adiós… Feliz Navidad, *Matrix* —le dijo al gran doberman tumbado a sus pies.

—No esperes que te conteste, no se cosca de nada te digo...

—No, no —contestó Camille riendo—, si no lo esperaba...

Este tío era el Gordo y el Flaco en uno.

Eran casi las diez de la noche. La gente, muy elegante, iba de aquí para allá cargada de paquetes. A las señoras ya les dolían los pies con sus zapatitos de salón, los niños zigzagueaban entre las horquillas de las aceras y los señores consultaban sus agendas delante de los telefonillos.

Camille observaba todo aquello, divertida. No tenía prisa e hizo cola ante el escaparate de una tienda de comida preparada para comprarse una buena cena. O más bien una buena botella. Para comer no sabía muy bien qué elegir... Al final le señaló al dependiente un trozo de queso de cabra y dos panecillos con nueces. Bah, era más que nada para acompañar al vino...

Descorchó la botella y la dejó no muy lejos de un radiador para ponerla a temperatura ambiente. Luego se dedicó a ella. Llenó la bañera, y se tiró dentro más de una hora, con la nariz a ras del agua caliente. Se puso el pijama, unos gruesos calcetines y eligió su jersey preferido. Uno de cachemira carísimo... Vestigio de una época remota... Desembaló la cadena de música de Franck, la instaló en el salón, se preparó una bandeja con la cena, apagó todas las luces y se acurrucó en el viejo sofá, envuelta en su edredón.

Hojeó el libreto; el *Nisi Dominus* estaba en el segundo disco. Bueno, las Vísperas de la Ascensión no era exactamente la misa adecuada, y además, iba a escuchar los salmos en desorden, no tenía ni pies ni cabeza...

Bueno, pero ¿qué más daba?

¿Qué más daba?

Pulsó el botón del mando a distancia y cerró los ojos: estaba en el séptimo cielo...

Sola, en ese piso inmenso, con un vaso de buen vino en la mano, escuchando la voz de los ángeles.

Hasta los adornos de pasamanería de la araña se estremecían de placer.

Cum dederit dilactis suis somnum.
Ecce, haereditas Domin filii: merces fructus ventris.

Era la pista número 5, y debió de escucharla unas catorce veces.

Y una vez más, a la decimocuarta vez, su caja torácica explotó en mil pedazos.

Un día que iban los dos solos en el coche y Camille acababa de preguntarle por qué escuchaba siempre la misma música, su padre le contestó: «La voz humana es el instrumento más bello, el más emocionante... Y ni el mejor virtuoso del mundo podrá darte jamás ni la mitad de la mitad de la emoción que te proporciona una bella voz... Es lo que los seres humanos tenemos de divino... Es algo que uno comprende al hacerse viejo, me parece... Bueno, yo por lo menos he tardado en reconocerlo, pero dime... ¿quieres oír otra cosa? ¿Quieres *La mamá de los pececitos*?»

Ya se había bebido la mitad de la botella y acababa de poner el segundo disco cuando alguien encendió la luz.

Fue horrible, Camille se tapó los ojos con las manos y la música le pareció de golpe fuera de contexto, y las voces, incongruentes, nasales incluso. En dos segundos, era como estar en el purgatorio.

—Anda, ¿estás aquí?

—…

—¿No estás en tu casa?

—¿Allí arriba?

—No, en casa de tus padres…

—Pues ya ves que no…

—¿Has currado hoy?

—Sí.

—Ah, bueno, pues perdona, perdona… Pensaba que no había nadie…

—No pasa nada…

—¿Qué es eso que escuchas? ¿La Castafiore?

—No, una misa…

—¿En serio? ¿Eres creyente?

Tenía que presentárselo sin falta al guardia de seguridad del perro… Vaya par… Mucho mejores que los dos viejitos de los Teleñecos…

—No, no especialmente… ¿Te importa apagar la luz, por favor?

Franck obedeció y salió de la habitación, pero ya no era lo mismo. Se había roto el hechizo. Camille ya no sentía exaltación alguna, y hasta el sofá había perdido su forma de nube. Sin embargo trató de concentrarse, cogió el libreto y buscó dónde se había quedado:

Deus in adiutorium meum intende

¡Dios, ven en mi auxilio!

Sí, de eso se trataba exactamente.

Al parecer, el tonto del culo ese estaba buscando algo en la cocina y gritaba, vengándose de las puertas de todos los armarios. Volvió al salón y le preguntó:

—Oye, ¿no habrás visto los dos Tupper amarillos?

Aaaajjjj, hay que fastidiarse…

—¿Los grandes?

—Sí.

—No. Yo no los he tocado...

—Joder, me cago en la puta... En esta casa no se encuentra nunca nada... ¿Se puede saber qué coño hacéis con la vajilla? ¿Os la coméis, o qué?

Camille le dio al botón de pausa, suspirando:

—¿Te puedo hacer una pregunta indiscreta? ¿Por qué buscas un Tupper amarillo en Nochebuena a las dos de la mañana?

—Porque sí. Lo necesito.

Bueno, ya no había nada que hacer, a la porra el disco. Camille se levantó y apagó la música.

—¿Ésa es mi cadena de música?

—Sí... Me he tomado la libertad de...

—Joder, es súper bonita... ¡Caray, tía, no me has *comprao* cualquier cosa!

—Pues no, caray, tío, no te he *comprao* cualquier cosa...

Abrió como platos sus ojos de besugo:

—¿Por qué repites lo que yo digo?

—Por nada. Feliz Navidad, Franck. Anda, venga, vamos a buscar tu chisme... Mira, ahí está, encima del microondas...

Camille volvió a sentarse en el sofá mientras Franck ordenaba la nevera. Después, cruzó la habitación sin decir una palabra y fue a darse una ducha. Camille se escondió detrás de su copa de vino. Seguramente se había acabado toda el agua caliente...

—¡Joder, ¿pero quién ha gastado toda el agua caliente, hostia?!

Volvió media hora más tarde, vestido tan sólo con unos vaqueros.

Como quien no quiere la cosa, tardó un momentito

227

más de lo necesario en ponerse el jersey… Camille sonreía: su falta de sutileza clamaba al cielo…

—¿Puedo? —preguntó, señalando la alfombra.

—Tú, como en tu casa…

—No me lo puedo creer, ¿estás comiendo?

—Queso y uvas…

—¿Y antes?

—Nada…

Franck hizo un gesto de desaprobación con la cabeza.

—Pero es un queso muy bueno, ¿sabes…? Y las uvas también son muy buenas… Y el vino… Por cierto, ¿quieres un poco?

—No, no, gracias…

Uf, pensó Camille, le hubiera roto el corazón tener que compartir su Mouton-Rothschild con él…

—¿Qué tal?

—¿Cómo dices?

—Te pregunto que qué tal estás —repitió él.

—Pues… bien… ¿Y tú?

—Cansado…

—¿Trabajas mañana?

—No.

—Qué bien, así puedes descansar.

—No.

Una maravilla de conversación.

Franck se acercó a la mesita de centro, se apoderó de una funda de disco y sacó una china:

—¿Te preparo uno?

—No, gracias.

—Qué chica más seria…

—He elegido otra cosa —dijo Camille, blandiendo su copa de vino.

—Haces mal.

228

—¿Por qué, el alcohol es peor que la droga?

—Sí, y puedes creerme, porque yo, borrachos en mi vida he visto mogollón… Y además esto no es droga… Esto es como un dulce, es como Toblerone pero para adultos…

—Si tú lo dices…

—¿No quieres probar?

—No, que me conozco… ¡Seguro que me gusta!

—¿Y?

—Y nada… Es sólo que tengo un problema de voltaje… No sé cómo decirte… Muchas veces tengo la sensación de que me falta un botón… Ya sabes, un chisme para regular el volumen… Siempre me paso en un sentido o en otro… Nunca consigo encontrar un buen equilibrio, y mis inclinaciones siempre terminan mal…

Camille se sorprendió de sí misma. ¿Por qué se confiaba así? ¿Estaría algo borracha, tal vez?

—Cuando bebo, bebo demasiado, cuando fumo, me hago polvo, cuando amo, pierdo la razón, y cuando trabajo, me deslomo… No sé hacer nada normalmente, serenamente, no…

—¿Y cuando odias?

—Eso ya no lo sé…

—Yo creía que a mí me odiabas…

—Todavía no —sonrió Camille—, todavía no… Cuando eso ocurra ya verás… Ya verás la diferencia…

—Bueno… ¿qué? ¿Se ha terminado la misa?

—Sí.

—¿Y ahora qué escuchamos?

—Pues… la verdad es que no creo que nos gusten las mismas cosas…

—A lo mejor sí que tenemos algo en común… Espera… Déjame pensar… Seguro que encuentro un cantante que te guste a ti también…

—Venga, a ver, dime.

Franck estaba concentrado en la preparación de su porro. Cuando lo terminó, fue a su habitación, volvió y se acuclilló delante de la cadena de música.

—¿Qué es?

—Una trampa para chicas.

—¿Es Riccardo Cocciante?

—No, hombre, no…

—¿Julio Iglesias? ¿Louis Mariano? ¿Frédéric François?

—No.

—¿Herbert Léonard?

—Calla…

—¡Ah, ya lo tengo! ¡Roch Voisine!

I guess I'll have to stay… This album is dedicated to you…

—Nooooooo.

—Síiiiiiii.

—¿Marvin Gaye?

—A ver —dijo, encogiéndose de hombros—, una trampa para chicas… Ya te lo había dicho…

—Me encanta.

—Ya lo sé…

—¿Tan predecibles somos?

—No, desgraciadamente no sois nada predecibles, pero Marvin Gaye es que no falla, oye. Todavía no he conocido a una sola chica a quien no le encante…

—¿Ninguna?

—Hombre, tanto como ninguna… ¡Alguna seguro que sí! Pero no me acuerdo. No fueron importantes… O no tuvimos ocasión de llegar hasta ahí…

—¿Has conocido a muchas chicas?

—¿Qué quiere decir «conocer»?

230

—¡Eh! ¿Por qué lo quitas?

—Porque me he equivocado, no era lo que quería poner…

—¡Que sí, que lo dejes! ¡Es mi disco preferido! Querías el de *Sexual Healing,* ¿no? Pufff, vosotros sí que sois predecibles… ¿Al menos te sabes la historia de ese disco?

—¿De cuál?

—*Here my dear.*

—No, ése no lo escucho mucho…

—¿Quieres que te la cuente?

—Espera… que me voy a poner cómodo… Pásame un cojín…

Se encendió el porro y se tumbó a la romana, con la cabeza apoyada en la palma de la mano.

—Te escucho…

—Bueno… yo… yo no soy como Philibert, ¿eh?, no te cuento todos los detalles… A ver, *Here my dear* quiere decir más o menos «aquí tienes, querida».

—¿Qué es lo que tiene?

—Pues… el disco… —explicó Camille—. El primer gran amor de Marvin Gaye era una chica que se llamaba Anna Gordy. Dicen que el primer amor es siempre el último, no sé si será verdad, pero para él, en todo caso, está claro que no habría llegado a ser lo que fue si no la hubiera conocido… Era la hermana de un pez gordo de la Motown, el fundador me parece: Berry Gordy. Ella estaba súper bien introducida en todo el mundillo, y él, se moría de impaciencia, desbordaba talento, apenas tenía veinte años, y ella casi el doble cuando se conocieron. Bueno, fue un flechazo, pasión, romance y toda la pesca, y de ahí, hala, directo al estrellato… Fue ella quien lo lanzó, lo encarriló, lo ayudó, lo guió, lo animó, etc. Una especie de Pigmalión, por decirlo de alguna manera…

—¿Una especie de qué?

—De gurú, de guía, de combustible… Tuvieron mu-

231

chas dificultades para tener un hijo, y al final terminaron por adoptar uno, después, rebobino hacia delante, llegamos a 1977 y la pareja empieza a llevarse mal. Él había llegado a lo más alto, era una estrella, un dios incluso… Y su divorcio, como todos los divorcios, fue encarnizado. Ya te imaginarás que lo que estaba en juego no era moco de pavo… Total, que fue sangriento, y para calmar a todo el mundo y saldar sus cuentas, el abogado de Marvin Gaye propuso que todo el dinero recibido por los derechos de autor de su siguiente disco fuera a parar íntegro a su ex. El juez se mostró de acuerdo, y nuestro ídolo se frotaba las manos: tenía pensado hacerle un disco de mierda en un par de días para quitarse de encima el muerto… Pero ¿qué ocurrió?, que no podía… No se puede liquidar una historia de amor como ésa. Bueno… los hay que lo consiguen muy bien, pero él no… Cuanto más pensaba en ello, más llegaba a la conclusión de que era una ocasión demasiado bonita… o demasiado estúpida… Entonces se encerró y compuso esta pequeña maravilla que cuenta toda su historia: su encuentro, su pasión, las primeras grietas, su hijo, los celos, el odio, la rabia… ¿Oyes la rabia, ahí? *Anger,* cuando todo se va a la mierda… Y luego la calma, y el comienzo de un nuevo amor… Es un regalo precioso, ¿no te parece? Se entregó a fondo, sacó lo mejor de sí mismo para un disco que, de todas maneras, no le iba a reportar ni un centavo…

—¿Le gustó?

—¿A quién, a ella?

—Sí.

—No, no le gustó nada. Estaba furiosa y durante mucho tiempo le reprochó haber expuesto su vida privada a la vista de todos… Mira, ésta es: *This is Anna's Song…* ¿Oyes qué bonito? Reconoce que esto no suena a revancha… Que es todavía amor…

—Sí…

—Te ha dejado pensativo…

—¿Tú te lo crees?

—¿El qué?

—¿Que el primer amor es siempre el último?

—No lo sé… Espero que no…

Escucharon el final del disco sin volver a dirigirse la palabra.

—Bueno, hala… Joder, son casi las cuatro… Voy a estar fino yo, mañana…

Se levantó.

—¿Te vas con tu familia? —le preguntó Camille.

—Lo que queda de ella, sí…

—¿No te queda mucha?

—Me queda esto —dijo Franck, acercando mucho el índice al pulgar…

—¿Y a ti?

—Ésta —dijo ella, pasándose la mano por encima de la cabeza.

—Pues… bienvenida al club… Hala… buenas noches…

—¿Duermes aquí?

—¿Te molesta?

—No, no, era simple curiosidad…

Franck se dio la vuelta:

—¿Duermes conmigo?

—¿Cómo dices?

—Nada, nada, era simple curiosidad… —dijo riéndose.

13

Cuando Camille se levantó, a eso de las once, Franck ya se había marchado. Se preparó una gran tetera y se volvió a la cama.

Si tuviera que resumir mi vida con un solo hecho, esto es lo que diría: tenía siete años cuando el cartero me atropelló la cabeza...

Se despegó a duras penas del libro a última hora de la tarde para ir a comprar tabaco. Al ser fiesta no lo iba a tener muy fácil, pero no importaba, era sobre todo un pretexto para dejar reposar la historia, y darse el gusto de volver a encontrarse más tarde con su nuevo amigo.

Las grandes avenidas del distrito VII estaban desiertas. Caminó largo rato en busca de un café abierto y aprovechó para llamar a su tío. Los lamentos de su madre (he comido demasiado, etc.) se diluyeron un poco en el cariño lejano de los lazos familiares.

Ya había muchos árboles de Navidad tirados en las aceras...

Camille permaneció un momento observando a los acróbatas con patines del Trocadero y lamentó no haberse llevado el cuaderno. Más que sus piruetas, a menudo elaboradas y sin mucho interés, lo que le gustaba eran sus ingeniosas construcciones: trampolines temblorosos, pivotitos fluorescentes, latas de refrescos alineadas, tablas del revés, y mil otras maneras de partirse los piños enseñando los calzoncillos...

Pensaba en Philibert... ¿Qué estaría haciendo en ese preciso momento?

Pronto el sol desapareció y el frío se abatió de golpe sobre ella. Se pidió un sándwich en una de esas cafeterías elegantes que bordean la plaza y dibujó en el mantel de papel las caras aburridas de los adolescentes del barrio, que comparaban entre sí los talones con los aguinaldos de sus abuelas, abrazando por la cintura a unas chicas preciosas, artificiales como muñecas Barbie.

Camille se leyó otros cinco milímetros más de *La vida milagrosa de Edgar Mint* y volvió a cruzar el Sena, tiritando de frío.
Se sentía sola como un perro.

Me siento sola como un perro, se repetía a sí misma en voz baja, *me siento sola como un perro...*

¿Ir al cine tal vez? Bah... ¿Y luego con quién hablaría de la peli? ¿De qué sirven las emociones si no se pueden compartir? Se apoyó con todo su peso en la puerta cochera para abrirla, y para su gran decepción encontró el piso vacío.

Hizo un poco de limpieza para variar y retomó su libro. «No hay pena que un libro no pueda consolar», decía el gran sabio, vamos a ver si es verdad...
Cuando oyó el ruido de la cerradura, se hizo la sueca, y dobló las piernas por debajo del cuerpo, acurrucándose en el sofá.

Franck estaba con una chica. Una distinta. Menos llamativa.

Pasaron rápidamente por el pasillo y se encerraron en su habitación.

Camille volvió a poner un poco de música para cubrir el sonido de sus efusiones.

Ejem...

Hasta los cojones. Sí, esa era la expresión. Camille estaba hasta los cojones.

Por fin cogió su libro y emigró a la cocina, en la otra punta de la casa.

Un poco más tarde, sorprendió su conversación en el vestíbulo:

—Pero... ¿no te vienes conmigo? —preguntó la chica extrañada.

—No, estoy roto, no me apetece salir...

—Pero tío, no me toques las narices... He dejado plantada a toda mi familia para estar contigo... Me habías prometido que iríamos a cenar a algún sitio...

—Te he dicho que estoy roto...

—A tomar una copa, al menos...

—¿Tienes sed? ¿Quieres una cerveza?

—Aquí no...

—Pero si hoy está todo cerrado... ¡Y además yo mañana tengo que currar!

—O sea, no me lo puedo creer... Ya sólo me queda largarme ¿es eso?

—Anda —añadió él con más dulzura—, no irás a montarme un numerito... Pásate mañana por la noche por el restaurante...

—¿Cuándo?

—Hacia las doce...

—Hacia las doce... Lo que hay que oír... Hala, adiós...

—¿Te has cabreado?

—Adiós.

No imaginaba encontrarla en la cocina acurrucada en su edredón:

—Anda, ¿estabas aquí?

Camille levantó la mirada sin responder.

—¿Por qué me miras así?

—¿Cómo?

—Como si yo fuera una mierda.

—¡Yo no te miro así para nada!

—Sí, sí, lo veo perfectamente —dijo Franck, perdiendo los nervios—. ¿Tienes algún problema? ¿Qué pasa, te molesta algo?

—Mira tío… pasa de mí, ¿quieres?… No te he dicho nada. Tu vida me trae al pairo. ¡Haz lo que te dé la gana! ¡Yo no soy tu madre!

—Ah, vale. Eso ya está mejor.

—¿Qué hay de comer aquí? —preguntó, inspeccionando el contenido de la nevera—. Nada, por supuesto… Aquí nunca hay nada… Oye, ¿Philibert y tú de qué os alimentáis? ¿De libracos? ¿De las moscas a las que primero dais por culo?

Camille suspiró y se cruzó el chal sobre el pecho.

—¿Te largas? ¿Tú ya has comido?

—Sí.

—Ah, sí, es verdad, has engordado un poco, parece…

—Eh —le dijo Camille, dándose la vuelta—, yo no juzgo tu vida, y tú no juzgas la mía, ¿entendido? Por cierto, ¿no te ibas a vivir a casa de un colega tuyo después de las fiestas? Era eso, ¿no? Bueno, entonces ya sólo nos queda aguantarnos una semana… Tendríamos que poder conseguirlo, ¿no? Así que, mira, lo más sencillo sería que no me volvieras a dirigir la palabra…

Un poco después, Franck llamó a la puerta de su habitación.

—¿Sí?

Tiró un paquete sobre su cama.

—¿Qué es eso?

Ya había salido de la habitación.

Era un paquete cuadrado y blandito. El papel era horroroso, todo arrugado, como si ya lo hubieran utilizado otras veces, y olía raro. Un olor como a cerrado. A comedor de colegio...

Camille lo abrió con cuidado y al principio le pareció que era una fregona. Regalo de dudoso gusto del guaperas de la habitación de al lado. Pero no, era una bufanda, muy larga, de punto muy ancho, y muy mal tejida: un agujero, un hilo, dos puntos, un agujero, un hilo, etc. ¿Sería tal vez un nuevo punto? Los colores eran... bueno... especiales digamos...

Había también una pequeña nota.

Una letra de maestra de principios de siglo, de color azul pálido, temblorosa y barroca, pedía disculpas:

> Señorita,
> Franck no ha sabido decirme de qué color eran sus ojos, así que he puesto un poco de todo. Le deseo una feliz Navidad.
>
> PAULETTE LESTAFIER

Camille se mordió el labio. Con el libro de los Kessler, que no contaba porque sobreentendía algo así como: «Pues sí, hija, los hay que hacen una obra...», era su único regalo.

Uuuuf, qué fea era... Oh, qué bonita era...

Se puso de pie sobre su cama y se la enrolló alrededor del cuello a guisa de boa para divertir al marqués.

Guauuuuuuu…

¿Quién sería Paulette? ¿Su madre?

Terminó el libro de madrugada.

Bueno. Ya había pasado el día de Navidad.

14

De nuevo la misma rutina: de casa al trabajo, y del trabajo a casa. Franck ya no le dirigía la palabra, y ella lo evitaba cuanto podía. Por la noche rara vez estaba en casa.

Camille se espabiló un poco. Fue al jardín de Luxemburgo a ver la exposición de Botticelli, y la de Zao Wou-Ki en el Jeu de Paume, pero levantó los ojos al cielo cuando vio la cola que había para Vuillard. ¡Y además, enfrente estaba Gauguin! ¡Qué dilema! Vuillard estaba muy bien, pero Gauguin... ¡Un genio! Camille estaba ahí, indecisa, sin saber hacia qué lado tirar... Era horrible...

Al final dibujó a la gente que hacía cola, el tejado del Grand Palais, y la escalera del Petit Palais. Una japonesa la abordó, suplicándole que fuera a comprarle un bolso en la tienda Louis Vuitton. Le tendía cuatro billetes de quinientos euros, retorciéndose como si fuera cuestión de vida o muerte. Camille abrió mucho los brazos:
«*Look... Look at me... I am too dirty...*» Le señalaba sus zapatones, su vaquero dado de sí, su enorme jersey de hombre, su estrafalaria bufanda y el capote militar que Philibert le había prestado... «*They won't let me go in the shop...*» La japonesa hizo una mueca, se guardó los billetes y abordó a otro viandante diez metros más allá.

De repente, Camille decidió dar un rodeo por la avenida Montaigne. Por curiosidad.

Los guardias de seguridad eran verdaderamente impresionantes… Camille odiaba ese barrio en el que el dinero exhibía lo menos divertido que tenía que ofrecer: el mal gusto, el poder y la arrogancia. Apretó el paso delante del escaparate de Malo, la tienda de jerseys de cachemira —demasiados recuerdos—, y volvió caminando por los muelles del Sena.

En el trabajo, nada que destacar. El frío, una vez terminada su jornada, seguía siendo lo más difícil de soportar.

Volvía a casa sola, cenaba sola, dormía sola y escuchaba Vivaldi, rodeándose las rodillas con los brazos.

Carine tenía un plan para Nochevieja. A Camille no le apetecía nada ir, pero ya había pagado los treinta euros de la entrada, para así no tener más remedio que ir a la fiesta.

—Hay que salir un poco —se sermoneaba a sí misma.

—A mí no me gusta…

—¿Por qué no te gusta?

—No sé…

—¿Tienes miedo?

—Sí.

—¿De qué?

—Tengo miedo de que me agiten la pulpa como a un zumo de naranja… Y además… cuando me pierdo dentro de mí, es como si saliera… Me paseo por mi interior… Es un espacio amplio, ¿sabes…?

—¿Estás de coña? ¡Es enano! Anda, vente, que tu interior empieza a oler a cerrado…

Ese tipo de conversación entre ella y su pobre conciencia le roía el cerebro durante horas…

242

Cuando volvió a casa esa noche, se lo encontró en el descansillo:

—¿Se te han olvidado las llaves?

—…

—¿Llevas mucho tiempo aquí?

Franck hizo un gesto irritado señalándose la boca para indicar que no podía hablar. Camille se encogió de hombros. Ya no tenía edad para jugar a esa clase de paridas.

Franck se fue a la cama sin ducharse, sin fumar, y sin buscar una excusa para darle la vara. Estaba agotado.

Salió de su habitación a la mañana siguiente a eso de las diez y media, no había oído el despertador, y ni siquiera tenía fuerzas para cabrearse. Camille estaba en la cocina, Franck se sentó delante de ella, se sirvió un litro de café, y tardó un momento en decidirse a bebérselo.

—¿Qué tal estás?

—Cansado.

—¿Nunca te coges vacaciones?

—Sí. A primeros de enero… Para mudarme…

Camille miró por la ventana.

—¿Estarás en casa sobre las tres?

—¿Para abrirte?

—Sí.

—Sí.

—¿Nunca sales?

—Sí, de vez en cuando, pero esta vez no voy a hacerlo porque si no tú luego no vas a poder entrar…

Franck asintió con la cabeza como un zombi:

—Bueno, tengo que irme, si no me van a echar…

Se levantó para enjuagar su taza.

—¿Cuál es la dirección de tu madre?

Franck se quedó inmóvil delante del fregadero.

—¿Por qué me preguntas eso?

—Para darle las gracias…

—Darrrrle —tenía carraspera— las gracias, ¿por qué?

—Pues… por la bufanda.

—Aaaaah… ¡Pero si no te la ha hecho mi madre, sino mi abuela! —le corrigió, aliviado—. ¡La única que teje así de bien es mi abuela!

Camille sonreía.

—Oye, no es obligatorio que te la pongas, eh…

—Me gusta mucho…

—Yo no pude evitar llevarme un buen susto cuando me la enseñó…

Se reía.

—Bueno, y la tuya no es nada… Espera a ver la de Philibert…

—¿Cómo es?

—Naranja y verde.

—Seguro que se la pone… Lo único que lamentará es no poder besarle la mano en señal de gratitud…

—Sí, eso mismo me dije yo al marcharme… Menos mal que se trata de vosotros dos… Sois las dos únicas personas del mundo que conozco que puedan llevar esos horrores sin parecer ridículos…

Camille lo miró fijamente:

—Eh, ¿te das cuenta de que acabas de decir algo amable?

—¿Es amable decir que sois unos payasos?

—Ah, perdona… Creía que hablabas de nuestra elegancia natural…

Tardó un momento antes de contestar:

—No, hablaba de… de vuestra libertad, creo… De esa suerte que tenéis de vivir pasando olímpicamente de todo…

En ese momento, sonó su móvil. Qué pena, para una vez que trataba de decir algo filosófico…

244

«Enseguida llego, jefe… Que sí, de verdad, que ya estoy listo… Pues que los haga Jean-Luc… Espere, jefe, estoy intentando camelarme a una chica que es mucho más inteligente que yo, así que claro, me está llevando más tiempo del normal, a ver, qué remedio… ¿El qué? No, todavía no lo he llamado… De todas formas, ya le he dicho que no va a poder… Ya sé que están todos desbordados, ya lo sé… Vale, yo me encargo… Ahora mismo le llamo… ¿El qué?… ¿Que me olvide de esta chica? Sí, seguro que tiene usted razón, jefe…»

—Era mi jefe —le anunció, con una sonrisa boba.
—¿En serio? —le contestó ella.
Franck enjuagó su taza, salió de la cocina y frenó la puerta de milagro para impedir que se cerrara con un portazo.

Vale, esa chica era imbécil, pero no tenía un pelo de tonta, y eso era lo que molaba.

Con cualquier otra tía, habría colgado el teléfono y punto. Mientras que con ella, le había dicho que era su jefe para hacerla reír, y ella era tan lista que se había hecho la sorprendida para devolverle la broma. Hablar con ella era como jugar al ping-pong: ella aguantaba el ritmo y te mandaba un mate de repente, cuando menos te lo esperabas, y hacía que te sintieras menos tonto.

Franck bajaba las escaleras agarrándose a la barandilla y oía el crujido de la madera por encima de su cabeza. Con Philibert pasaba lo mismo, por eso le gustaba hablar con él…
Porque Franck sabía que no era tan burro como parecía, pero su problema eran justamente las palabras… Nunca encontraba las palabras adecuadas, entonces no

tenía más remedio que ponerse nervioso para hacerse entender… ¡Qué jodienda, de verdad!

Por todos esos motivos no le hacía ninguna gracia irse del piso… ¿Qué coño iba a hacer en casa de Kermadec? ¿Beber, fumar, ver DVD y hojear revistas de tuning en el retrete?

De puta madre.

Vuelta a la casilla de salida, cuando tenía veinte años.

Hizo su trabajo distraídamente.

La única chica del universo capaz de llevar una bufanda tejida por su abuela, y seguir estando guapa, nunca sería para él.

Qué cosas tenía la vida…

Se pasó por el obrador antes de irse, le cayó otra bronca por no haber llamado todavía a su antiguo pinche, y volvió a casa a acostarse.

Sólo durmió una hora porque tenía que ir a la lavandería. Reunió toda su ropa sucia y la metió en la funda de su edredón.

15

Desde luego…

Ahí estaba otra vez. Sentada junto a la máquina número siete con su bolsa de ropa mojada entre las piernas. Estaba leyendo.

Franck se sentó delante de ella sin que Camille se percatara de su presencia. Eso era algo que siempre lo fascinaba… Cómo eran capaces Philibert y ella de concentrarse… Le recordaba a ese anuncio en que un tío se comía tranquilamente un pedazo de queso mientras el mundo se venía abajo a su alrededor. De hecho, muchas cosas le recordaban a anuncios… Seguramente era porque de niño había visto mucho la tele…

Se entretuvo con el jueguecito siguiente: pon que acabas de entrar en esta lavandería de mala muerte de la avenida de La Bourdonnais, un 29 de diciembre a las cinco de la tarde y ves esa silueta por primera vez en tu vida, ¿qué pensarías?

Se arrellanó en su silla de plástico, se metió las manos en los bolsillos de la cazadora, y entornó los ojos.

Para empezar, pensarías que es un tío. Como la primera vez. Tal vez no una loca, pero sí un tío súper afeminado… Así que dejarías de mirar. Aunque… a pesar de todo te quedaría alguna duda… Por las manos que tiene, el cuello, esa forma de acariciarse el labio inferior con la uña del pulgar… Sí, dudarías un poco… ¿Tal vez sea una chica al fin y al cabo? Una chica vestida de tío. ¿Como si quisiera ocultar su cuerpo? Intentarías mirar a otra parte, pero no podrías evitar volverla a mirar. Porque habría algo… El aire era especial alrededor de esa persona. ¿O la luz, tal vez?

Sí. Eso era.

Si acabaras de entrar en una lavandería de mala muerte de la avenida de La Bourdonnais, un 29 de diciembre a las cinco de la tarde y vieras esta silueta bajo la triste luz de los neones, te dirías exactamente esto: ahí va… un ángel…

Camille levantó la cabeza en ese mismo momento, lo vio, se quedó un momento sin reaccionar como si no lo hubiera reconocido y terminó por sonreírle. Oh, casi nada, apenas un pequeño destello, un gestito de reconocimiento entre clientes habituales…

—¿Son tus alas? —le dijo, señalándole la bolsa.

—¿Cómo?

—No, nada…

Una de las secadoras dejó de dar vueltas y Camille suspiró, lanzándole una ojeada al reloj de pared. Un mendigo se acercó a la máquina y sacó una cazadora y un saco de dormir todo deshilachado.

Vaya, eso sí que era interesante… Los hechos ponían a prueba su teoría… Ninguna chica normal pondría su ropa a secar después de la de un mendigo, y Franck sabía muy bien de qué hablaba: llevaba casi quince años de lavanderías automáticas a sus espaldas…

Franck escrutó el rostro de Camille.

Ni el más mínimo ademán de echarse atrás, o de vacilación, ni un asomo de mueca. Se levantó, metió su ropa en la máquina rápidamente, y le preguntó si tenía cambio.

Luego volvió a su sitio y retomó su libro.

Franck estaba un poco decepcionado.

La gente perfecta le ponía un poco de los nervios...

Antes de volver a enfrascarse en su lectura, le dijo:

—Oye...

—Qué.

—Si le regalo a Philibert por Navidad una lavadora con secadora, ¿crees que se la podrás instalar antes de marcharte?

—...

—¿Por qué sonríes? ¿Qué pasa, he dicho una tontería?

—No, no...

Franck hizo un gesto con la mano:

—No lo entenderías...

—Eh —le dijo Camille, dándose golpecitos en los labios con los dedos índice y corazón—, ¿estás fumando demasiado últimamente, no?

—El caso es que eres una chica normal...

—¿Por qué me dices eso? Claro que soy una chica normal...

—...

—¿Te decepciona?

—No.

—¿Qué estás leyendo?

—Un diario de viaje...

—¿Está bien?

—Genial...

—¿De qué va?

—Oh... No sé si te interesaría...

—No, te lo digo tal cual, no me interesa un pimiento —dijo Franck riendo—, pero me gusta mucho que me cuentes... ¿Sabes?, ayer volví a escuchar el disco de Marvin Gaye...

—¿Ah, sí?

—Sí...

—¿Y qué tal?

—Pues el problema es que no me entero de nada... De hecho por eso me voy a ir a currar a Londres... Para aprender inglés...

—¿Cuándo te vas?

—En principio pensaba irme después del verano, pero ahora ya no sé, es un lío... Es por mi abuela, justamente... Es por Paulette...

—¿Qué le pasa?

—Pufff... no me apetece mucho hablar de esto... Mejor me cuentas tu libro de viajes...

Acercó su silla.

—¿Conoces a Durero?

—¿El escritor?

—No. El pintor.

—No lo había oído en mi vida...

—Sí, estoy segura de que habrás visto algunos de sus dibujos... Algunos son muy famosos... Una liebre... Unas malas hierbas... Unos dientes de león...

—...

—Bueno, pues Durero es mi dios. Bueno... tengo varios, pero él es el número uno... ¿Tú tienes algún dios?

—Pues...

—¿En tu trabajo, por ejemplo? Qué sé yo... ¿Escoffier, Carême, Curnonsky?

—Pues...

—¿Bocuse, Robuchon, Ducasse?

—¡Ah, quieres decir que si tengo modelos! Sí, tengo,

pero no son conocidos… bueno, o sea, no tanto… Se hacen notar menos, vaya… ¿Conoces a Chapel?

—No.

—¿Y a Pacaud?

—No.

—¿A Senderens?

—¿El del restaurante Lucas Carton?

—Sí… Jo, yo alucino con todo lo que sabes… ¿Cómo lo haces?

—Bueno, vamos a ver, lo conozco de oídas, pero nunca he ido…

—Ése sí que es bueno… Tengo hasta un libro en mi cuarto… Ya te lo enseñaré… Él o Pacaud, para mí son dos maestros… Y si son menos famosos que los demás, pues justamente es porque no salen de la cocina… Bueno, digo yo, no sé… Por lo menos es la idea que yo me hago… Aunque a lo mejor me cuelo por completo…

—Pero entre cocineros hablaréis un poco, ¿no? ¿Os contáis vuestras experiencias?

—No mucho… No somos muy habladores, ¿sabes…? Estamos demasiado cansados para darle al pico. Nos enseñamos cosas, truquitos, intercambiamos ideas, trozos de recetas que hemos sacado de aquí y de allá, pero poco más…

—Pues es una pena…

—Si supiéramos expresarnos bien, con frases bonitas y tal, no haríamos este trabajo, eso está claro. Yo por lo menos, lo dejaría enseguida.

—¿Por qué?

—Porque sí… Porque no tiene ningún sentido… Es un trabajo de esclavos… ¿Tú has visto mi vida cómo es? De locos. Bueno… esto… no me gusta nada hablar de mí… ¿Y tu libro, entonces, de qué iba?

—Sí, mi libro… Pues es el diario íntimo que escribió Durero durante su viaje a los Países Bajos entre 1520 y

1521... Es una especie de cuaderno, o de agenda... Es sobre todo la prueba de que hago mal en considerarlo un dios. La prueba de que él también era un tipo normal y corriente. Un tipo que contaba su dinero, que se ponía furioso cuando se daba cuenta de que acababa de dejarse engañar por alguien, que siempre dejaba tirada a su mujer, que no podía evitar perder dinero en el juego, un tipo ingenuo, goloso, machista y también un poco orgulloso... Pero bueno, nada de esto importa demasiado, al contrario, lo hace más humano... Y... entonces... ¿sigo?

—Sí.

—Al principio, el viaje lo emprende por un motivo muy serio, a saber, su supervivencia, la de su familia y las personas que trabajaban con él en su taller... Hasta ese momento, estaba bajo la protección del emperador Maximiliano I. Un megalómano perdido que le había hecho un encargo descabellado: representarlo a la cabeza de un cortejo extraordinario para inmortalizarlo para siempre... Una obra que será realizada por fin unos años más tarde, y que llegará a medir más de cincuenta y cuatro metros de largo... ¿Te haces una idea?

»Para Durero, era lo mejor que le podía pasar... Años de trabajo asegurado... Pero mala suerte, Maximiliano la palma poco después, y por ello, su renta anual queda en entredicho... Un drama... De modo que aquí tenemos a nuestro hombre, que se echa a los caminos con su mujer y su criada, para congraciarse con Carlos V, el futuro emperador, y con Margarita de Austria, la hija de su antiguo protector, porque es absolutamente necesario para él recuperar esa renta oficial...

»Éstas son pues las circunstancias... De modo que al principio de su viaje Durero está un poco agobiado, pero eso no le impide ser un turista perfecto, que se maravilla ante todo: los rostros, las costumbres, los trajes. Va a visitar a otros pintores, a artesanos, para admirar su obra. Entra en todas las iglesias, compra un montón de chucherías recién llegadas del Nuevo Mundo: un loro, un babuino, un caparazón de tortuga, coral, canela, y sobre todo, entusiasmo como para parar un tren, etc. Se comporta como un niño... Llegará incluso a dar un rodeo para ver una ballena varada pudriéndose a orillas del Mar del Norte... Y, por supuesto, dibuja. Como un loco. Tiene cincuenta años, está en la cumbre de su talento, y haga lo que haga, un loro, un león, una morsa, un candelabro o el retrato del posadero es... es...

—¿Qué?

—Toma, míralo tú mismo...

—¡No, no, que yo no entiendo nada de esto!

—¡Pero que no hace falta entender! Mira este anciano de aquí, ¿a que impone...? Y este joven tan guapo, ¿ves qué orgulloso se siente? ¿Ves cuánta seguridad en sí mismo aparenta? Se parece a ti, mira tú por donde... La misma altanería, la misma nariz...

—¿Ah, sí? ¿Te parece guapo?

—Tiene un poco cara de tonto, ¿no?

—Es por el sombrero...

—Ah, sí... Tienes razón —sonrió Camille—, debe de ser por el sombrero... ¿Y esa calavera de ahí? No me digas que no es adorable... Parece que nos estuviera desafiando, provocando: «Eh... a vosotros también os llegará la hora, chicos... Esto es lo que os espera...»

—A ver.

—Ésta. Pero lo que más me gusta son sus retratos, y lo que me fascina es la desenvoltura con la que los realiza. Aquí, en el transcurso de este viaje, los utiliza sobre todo como moneda de cambio, como un trueque, ni más ni menos: tu habilidad a cambio de la mía, tu retrato a cambio de una cena, un rosario, una baratija para mi mujer, o un abrigo de piel de conejo... Me hubiera encantado vivir en esa época... Para mí el trueque es una economía fantástica...

—¿Y cómo acaba? ¿Al final recupera el dinero?

—Sí, pero a qué precio… La gordinflona de Margarita lo desprecia, la muy tonta llegó incluso a rechazar el retrato de su padre, que Durero había hecho sólo para ella… ¡Así que él lo cambió por unas sábanas! Además, volvió enfermo, pilló no sé qué cosa al ir a ver a la ballena, justamente… La fiebre de los pantanos, creo… Anda, mira, ahí tienes una máquina libre…

Franck se levantó suspirando.

—Date la vuelta, no quiero que veas mis gayumbos…

—Huy, los tuyos no me hace falta verlos para imaginármelos… Los de Philibert serán más bien *boxers* sueltos, de rayas, pero tú, seguro que llevas esos *boxers* apretaditos, con la marca en la goma de la cintura…

—Pero qué lista eres… Anda, mira para otro lado de todas maneras…

Franck se concentró en su tarea, fue a buscar su media botella de detergente y apoyó los codos sobre la máquina:

—Pero no, no eres tan lista como pareces… Si no, no trabajarías de señora de la limpieza, harías como el tío del libro… Te lo currarías…

Silencio.

—Tienes razón… Yo sólo sé de gayumbos…

—¡Bueno, eso tampoco está tan mal, ¿eh?! Lo mismo tiene futuro… Por cierto, ¿estás libre el 31?

—¿Tienes una fiesta que proponerme?

—No. Un curro.

16

—¿Por qué no?

—¡Porque no valgo para nada!

—¡Pero si no se trata de que cocines! Sólo tienes que echar una mano en la preparación…

—¿Y qué es eso de la preparación?

—Es todo lo que se prepara de antemano para ganar tiempo en el momento del pistoletazo de salida…

—¿Y qué tendré que hacer?

—Pelar castañas, limpiar mízcalos, quitarles las pepitas a las uvas, lavar la lechuga… Vamos, un montón de cosas sin importancia…

—Ni siquiera sé si voy a saber hacer eso…

—Yo te lo enseñaré todo, y te explicaré bien…

—No tendrás tiempo…

—No. Por eso te pondré al corriente de todo antes. Mañana traeré material a casa y te formaré durante mi hora de descanso…

—…

—Anda, que te vendrá bien estar con gente… Tú vives sólo entre muertos, sólo hablas con tíos que ya no están aquí para contestarte… Estás siempre sola… Es normal que estés mal…

—¿Yo estoy mal?

—Sí.

—Mira, te lo pido como un favor… Le he prometido a

mi jefe que le encontraría a alguien para echarnos una mano, y no hay manera… Estoy jodido…

—…

—Anda… Un último esfuerzo… Después me largo y ya no me volverás a ver el pelo en tu vida…

—Tenía previsto ir a una fiesta…

—¿A qué hora tienes que estar allí?

—No sé, hacia las diez…

—No hay problema. Allí estarás. Yo te pago el taxi…

—Bueno…

—Gracias. Date la vuelta otra vez. Ya está seca mi ropa.

—Tengo que irme de todas maneras… Ya llego tarde…

—Vale, hasta mañana…

—¿Duermes en casa esta noche?

—No.

—¿Qué, decepcionada?

—Joooooder, tío, mira que eres *pesao*…

—¡Lo digo por ti, eh! Porque, ¿quién sabe?, a lo mejor te has colado en lo de los gayumbos, ¿eh…?

—¡Si supieras cómo paso de tus gayumbos!

—Pues tú te lo pierdes…

17

—¿Preparada?

—Te escucho. ¿Eso qué es?

—¿El qué?

—Ese maletín.

—¿Ah, esto? Es mi caja de cuchillos. Vienen a ser como para ti tus pinceles, vaya… Si no la tuviera, no serviría para nada —suspiró—. ¿Ves a qué se reduce mi vida? A una vieja caja que cierra mal…

—¿Desde cuándo la tienes?

—Ufff… Desde que era un chaval… Me la regaló mi abuela cuando empecé la formación profesional…

—¿Puedo echar una ojeada?

—Adelante.

—Cuéntame…

—¿El qué?

—Para qué sirven… Me gusta aprender…

—A ver… El grande es el cuchillo de cocina, o el cuchillo de chef, sirve para todo, el cuadrado es para los huesos, las articulaciones, o para aplanar la carne, el pequeñajo es el cuchillo normal, el que hay en todas las cocinas, de hecho cógelo, lo vas a necesitar… El largo sirve para cortar verduras bien finitas, ese pequeño de ahí sirve para quitar los nervios y la grasa de un pedazo de carne, y su hermano gemelo, el de la hoja rígida, es para deshuesarlo, ese súper fino es para preparar filetes de pescado, y el último, para cortar jamón…

—Y esto es para afilarlos…

—Yes.

—¿Y esto?

—Eso no es nada… Es para hacer lindezas, pero hace tiempo que no lo utilizo…

—¿Qué se hace con él?

—Maravillas… Ya te enseñaré algún día… Bueno, ¿estás preparada?

—Sí.

—Tú mira bien, ¿eh? Las castañas, te lo digo ya mismo, son una jodienda… Éstas ya las han metido en agua hirviendo, así que son más fáciles de pelar… Bueno, deberían… Sobre todo no hay que estropearlas… Las venitas tienen que quedar intactas, y que se vean bien… Después de la cáscara, hay esta pelusilla como de algodón, ésta de aquí, y la tienes que quitar con el mayor cuidado posible…

—¡Pero me voy a tirar horas!

—¡Claro! Para eso te necesitamos…

Franck se mostró paciente con ella. Después le explicó cómo limpiar los mízcalos con un trapo húmedo, y cómo raspar la tierra sin estropearlos.

Camille se divertía. Era hábil con las manos. Le desesperaba ser tan lenta comparada con él, pero se lo pasaba bien. Las pepitas de uva rodaban entre sus dedos, y pronto pilló el truquillo para sacarlas con la punta del cuchillo.

—Bueno, para lo demás, ya veremos mañana… La ensalada no debería causarte mucho problema…

—Tu jefe se dará cuenta enseguida de que no valgo para nada…

—¡Eso, fijo! Pero tampoco tiene mucho donde elegir… ¿Qué talla usas?

—No sé.

—Te conseguiré una chaqueta y un pantalón… ¿Y qué pie calzas?

—Un 40.

—¿Tienes zapatillas de deporte?

—Sí.

—No es lo ideal, pero por esta vez te apañas así…

Camille se lió un cigarrillo mientras Franck recogía la cocina.

—¿Dónde es tu fiesta?

—En Bobigny… En casa de una chica de mi curro…

—¿No te asusta empezar mañana por la mañana a las nueve?

—No.

—Te lo aviso, sólo habrá un pequeño descanso… Una hora como mucho… No hay que preparar almuerzo, pero por la noche serán más de sesenta cubiertos. Menú de degustación para todo quisque… Va a ser la pera… Doscientos veinte euros por barba, creo… Intentaré liberarte lo antes posible, pero me imagino que tendrás que estar ahí hasta las ocho de la tarde, como mínimo…

—¿Y tú?

—Pufff… Yo prefiero no pensarlo siquiera… Las cenas de Nochevieja siempre son una paliza… Pero bueno, pagan bien… Por cierto, para ti también pediré un buen pico…

—Oh, eso no importa…

—Sí, sí que importa. Verás mañana la que te espera…

18

—Hay que irse… El café nos lo tomamos allí.

—¡Pero si este pantalón me está enorme!

—No importa.

Cruzaron corriendo el Campo de Marte.

A Camille le sorprendió la agitación y la concentración que reinaban ya en la cocina.

Hacía tanto calor de repente…

—Aquí tiene, jefe. Un pinche recién salido del horno.

El chef rezongó algo, y les mandó a paseo con un gesto de la mano. Franck presentó a Camille a un tío alto, medio dormido todavía:

—Éste es Sébastien. Es el despensero. Es también tu jefe hoy, tu mandamás, ¿entendido?

—Encantada.

—Mmmm…

—Pero tú no tratarás con él, sino con su pinche…

Y dirigiéndose al chico:

—¿Cómo se llamaba, que no me acuerdo?

—Marc.

—¿Está aquí?

—En las cámaras frigoríficas…

—Bueno, aquí te la entrego…

—¿Qué sabe hacer?

—Nada. Pero ya lo verás, lo hace bien.

Y se marchó al vestuario a cambiarse.

—¿Te ha dicho Franck cómo pelar las castañas?

—Sí.

—Pues ahí están —le dijo, señalándole un montón enorme.

—¿Puedo sentarme?

—No.

—¿Por qué?

—En una cocina no se hacen preguntas, se dice «sí, señor», o «sí, jefe».

—Sí, jefe.

Sí, gilipollas. ¿Pero por qué había aceptado ese curro? Si estuviera sentada, trabajaría mucho más rápido...

Afortunadamente, ya estaba en marcha el café. Dejó su vasito en una estantería y se puso manos a la obra.

Un cuarto de hora más tarde —ya le dolían las manos—, alguien se dirigió a ella:

—¿Todo bien?

Camille levantó la mirada y se quedó desconcertada. No lo reconoció. Pantalón impecable, chaqueta perfectamente planchada, con su doble hilera de botones redondos y su nombre bordado en letras azules, pañuelito al cuello, delantal y trapo inmaculados, y gorro de cocinero bien plantado en lo alto de la cabeza. Camille, que sólo lo había visto vestido en plan zarrapastroso, lo encontró muy guapo.

—¿Qué pasa?

—Nada. Te encuentro muy guapo.

Y Franck, ese imbécil, ese chulo, ese fardón, ese ligón de tres al cuarto, ese bocazas, con su moto macarra y su larga lista de tías buenas que según él se había pasado por la piedra, sí, ése, no pudo evitar ponerse colorado.

—Será el prestigio del uniforme —añadió Camille para hacerle pasar el momento de corte.

—Sí… será eso…

Se alejó, dándole un empujón a un tío y mascullándole un insulto al pasar.

Nadie hablaba. Sólo se oía el chac-chac de los cuchillos, el clac-clac de los recipientes, el blom-blom de las puertas de la cocina, y el teléfono sonando cada cinco minutos en el despacho del chef.

Fascinada, Camille se debatía entre concentrarse para que no le echaran la bronca, y levantar la cabeza para no perderse detalle. Veía a Franck de espaldas, a lo lejos. Le pareció más alto y mucho más tranquilo que de costumbre. Le pareció que no lo conocía.

En voz baja, le preguntó a su compañero de faena:

—¿Franck qué hace?

—¿Quién?

—Lestafier.

—Se ocupa de las salsas y supervisa las carnes…

—¿Y eso es difícil?

El chico granujiento levantó los ojos al cielo:

—Mogollón. Es lo más difícil. Después del chef y del segundo cocinero, él es el número tres del equipo…

—¿Es bueno?

—Sí. Es gilipollas, pero es bueno. Más que bueno, es un crack. Y además, ya lo verás, el chef siempre le pregunta a él las cosas, y no al segundo… Al segundo lo vigila, mientras que a Lestafier, sólo le mira trabajar…

—Pero…

—Calla…

Cuando el chef dio una palmada para anunciar la hora de la pausa, Camille levantó la cabeza haciendo una mueca. Le dolía la nuca, la espalda, las muñecas, las manos, las piernas, los pies, y más cosas, sólo que ya no recordaba cuáles.

—¿Comes con nosotros? —le preguntó Franck.

—¿Es obligatorio?

—No.

—Entonces prefiero salir y caminar un poco…

—Como quieras… ¿Estás bien?

—Sí. Pero hace calor… Curráis mogollón…

—¿Estás de coña? ¡Pero si no estamos haciendo nada! ¡Si ni siquiera hay clientes!

—Jopé…

—¿Vuelves dentro de una hora?

—Vale.

—No salgas de golpe, ve acostumbrándote un poco al frío, que si no vas a pillar una pulmonía…

—Vale.

—¿Quieres que vaya contigo?

—No, no. Tengo ganas de estar sola…

—Tienes que comer algo, ¿eh?

—Sí, papá.

Franck se encogió de hombros.

—Tú misma…

Camille se compró un bocadillo asqueroso en un puesto para turistas y se sentó en un banco al pie de la Torre Eiffel.

Echaba de menos a Philibert.

Llamó al castillo de su familia.

—Buenas tardes, Aliénor de la Durbellière al aparato —dijo una voz infantil—. ¿A quién debo el honor?

Camille se quedó desconcertada.

—A… A… ¿Puedo hablar con Philibert, por favor?

—Estamos comiendo. ¿Quiere dejar algún recado?

—¿No está Philibert?

264

—Sí, pero estamos en la mesa. Se lo acabo de decir…

—Ah… Bueno, pues… No, nada, dígale sólo que un abrazo y que le deseo un feliz año…

—¿Me podría recordar su nombre?

—Camille.

—¿Camille a secas?

—Sí.

—Muy bien. Adiós, señora Asecas.

Adiós, mocosa pedorra.

¿Pero de qué iba eso? ¿De qué iba esa gente?

Pobre Philibert…

—¿La tengo que lavar cinco veces?

—Sí.

—¡Pues sí que va a estar limpia!

—Así es la cosa…

Camille se tiró la intemerata lavando la lechuga, y apartando las hojas más estropeadas. Había que mirar y re-mirar cada hoja, calibrarla e inspeccionarla con lupa. Nunca había visto unas hojas así, las había de todos los ta-maños, formas y colores.

—¿Esto qué es?

—Verdolaga.

—¿Y esto?

—Espinacas.

—¿Y esto?

—Jaramago.

—¿Y esto?

—Lechuga iceberg.

—Hala, qué nombre más bonito…

—Pero tía, ¿tú de dónde has salido? —le preguntó el pinche.

Camille no insistió.

Luego lavó hierbas aromáticas y las secó tallo a tallo con papel absorbente. Tenía que dejarlas en cuencos de acero inoxidable, cubrirlos muy bien con film transparente, y repartirlos por distintas cámaras frigoríficas. Cascó nueces y avellanas, peló higos, limpió una gran cantidad de mízcalos e hizo rodar bolitas de mantequilla entre dos espátulas estriadas. Sin equivocarse, tenía que dejar, en cada pequeño cuenco, una bolita de mantequilla con sal, y otra sin sal. En un momento dado le asaltó una duda, y tuvo que probar una de las bolitas con la punta del cuchillo. Buaj, no le gustaba nada la mantequilla, y a partir de ese momento se concentró el doble. Los camareros seguían sirviendo cafés a quienes se los pedían y se notaba en el aire que la tensión aumentaba por momentos.

Algunos ya no abrían la boca, otros soltaban tacos en voz baja, y el chef hacía de reloj parlante:

—Las cinco y veintiocho, señores… Las seis y tres minutos, señores… Las seis y diecisiete, señores…

Como si toda su intención fuera estresarlos al máximo.

Camille ya no tenía nada que hacer, y se apoyó en la mesa, levantando primero un pie y luego el otro, para aliviar el dolor de sus piernas. El tío que tenía al lado se entrenaba para hacer arabescos de salsa junto a una porción de *foie* servido en unos platos rectangulares. Con un gesto delicado, sacudía una cucharita con salsa y suspiraba al ver sus garabatos. Nunca quedaba contento. Y sin embargo era bonito…

—¿Qué quieres hacer?

—No sé… Algo un poco original…

—¿Puedo probar yo?

—Venga.

—Me da miedo echarlo a perder…

—No, no, tú ve sin miedo, es un plato que no sirve, es sólo para practicar…

Los cuatro primeros intentos fueron lamentables, pero al quinto, ya le había cogido el tranquillo...

—Anda, eso está muy bien... ¿Lo puedes volver a hacer?

—No —dijo Camille riendo—, mucho me temo que no... Pero... ¿no tenéis jeringuillas o algo así?

—Pues...

—¿Y peras de goma?

—Sí. Mira en el cajón...

—¿Me la llenas?

—¿Para qué?

—Nada, una idea nada más...

Camille se inclinó, sacó la lengua y dibujó tres ocas pequeñitas.

El chaval llamó al chef para que las viera.

—¿Qué tonterías son éstas? ¡Vamos, niños, que esto no es una película de Walt Disney!

Se alejó, sacudiendo la cabeza con aire reprobador.

Camille se encogió de hombros, tristona, y volvió a ocuparse de sus lechugas.

—Esto no es cocinar... Son tonterías... —seguía rezongando el chef desde el otro extremo de la habitación—, ¿y sabéis qué es lo peor? ¿Sabéis qué es lo que acaba conmigo? Pues que a esos idiotas les va a encantar... Hoy en día, ¡eso es lo que quiere la gente: tonterías! Pero bueno, hoy es Nochevieja, después de todo... Hala, señorita, hágame el favor de pintarrajearme un corral entero en sesenta platos... ¡Hala, a correr!

—Contesta «sí, jefe» —le susurró el pinche.

—¡Sí, jefe!

—No lo conseguiré nunca... —se lamentó Camille.

—No tienes más que dibujar una sola a cada vez...

—¿A la izquierda o a la derecha?

—A la izquierda sería más lógico…

—Queda un poco morboso, ¿no?

—Qué va, mola… De todas maneras, ya no tienes más remedio…

—Más me valía no haber abierto el pico…

—Principio número uno. Por lo menos habrás aprendido una cosa… Toma, la salsa…

—¿Por qué es roja?

—Está hecha a base de remolacha… Hala, venga, yo te voy pasando los platos…

Se cambiaron de sitio. Camille dibujaba, y el pinche cortaba los pedazos de *foie*, los colocaba en el plato, los espolvoreaba con sal fina y pimienta gruesa, y luego le pasaba el plato a otro chaval que disponía al lado la ensalada con gestos de orfebre.

—¿Qué hacen los demás?

—Van a cenar… Nosotros iremos luego… Somos los que inauguramos el baile, bajaremos a cenar cuando les toque a ellos… ¿Me vas a ayudar también con las ostras?

—¡¿Hay que abrirlas?!

—No, no, sólo dejarlas bien bonitas… Por cierto, ¿has pelado tú las manzanas verdes?

—Sí. Están ahí… ¡Mierda! Esto parece más un pato mareado…

—Perdona. Ya me callo.

Franck pasó junto a ellos, con el ceño fruncido. Los encontró muy alborotados. O muy contentos.

Lo cual no le hacía mucha gracia…

—¿Qué, os divertís? —les preguntó, con aire burlón.

—Se hace lo que se puede…

—Eh, cuidado… no se te vaya a calentar el plato.

—¿Por qué ha dicho eso?

—Olvídalo, es una cosa nuestra… Los que hacen los platos calientes se piensan que tienen una misión divina, mientras que a nosotros, por mucho que trabajemos como locos, siempre nos desprecian. Nosotros no tocamos el fuego… ¿Conoces bien a Lestafier?

—No.

—Ah, ya decía yo…

—¿Por qué?

—No, por nada…

Mientras los demás cenaban, dos negros limpiaron el suelo con agua abundante, y dieron una pasada con unos trapos para que se secara antes. El chef hablaba con un tío súper elegante en su despacho.

—¿Es ya algún cliente?

—No, es el *maître.*

—Caray… Pues sí que tiene clase, el tío…

—En el comedor todos van de punta en blanco… Al principio del turno, los que estamos limpios somos nosotros, y ellos pasan la aspiradora en mangas de camisa, pero conforme va pasando el tiempo, es al revés: nosotros apestamos y nos vamos poniendo guarros, y ellos pasan delante de nosotros, como un pincel, con sus peinados de peluquería y sus uniformes impecables…

Franck se acercó a verla justo cuando terminaba la última hilera de platos:

—Ya te puedes ir si quieres…

—No… Ahora ya no me apetece irme… Sería como perderme el espectáculo…

—¿Te queda algo de curro para ella?

—¡Y tanto! ¡Todo el que quiera! Se puede ocupar de la salamandra…

—¿Eso qué es? —quiso saber Camille.

—Es ese chisme de ahí, esa especie de grill que sube y baja… ¿Te puedes encargar de las tostadas?

—No hay problema… Ah, y… ¿me da tiempo a fumarme un cigarrito?

—Venga, baja.

Franck la acompañó.

—¿Estás bien?

—Genial. Al final este Sébastien es bastante majo…

—Psé…

—…

—¿Por qué pones esa cara?

—Porque… antes he intentado hablar con Philibert para desearle feliz año pero una mocosa pedorra me ha mandado a paseo…

—Anda, trae, que lo llamo yo…

—No. A estas horas también estarán en la mesa…

—Tú déjame hacer a mí…

—¿Oiga?… Perdonen que les moleste, Franck de Lestafier al aparato, el compañero de piso de Philibert… Sí… Eso es… Buenas noches, señora… ¿Podría hablar con él, si es tan amable?, es sobre la caldera… Sí… Eso es… Adiós, señora…

Le hizo un guiño a Camille, que exhalaba sonriendo el humo de su cigarrillo.

—¡Philou! ¿Eres tú, chavalote? ¡Feliz año, majete! No te mando un beso, pero te paso a tu princesita. ¿Qué? ¡No nos da por saco la caldera! Hala, que empieces el año con salud, y muchos besos a tus hermanas. Bueno… ¡sólo a las más tetonas!

Camille cogió el teléfono entornando los ojos. No, la caldera estaba bien. Sí, yo también le mando un beso. No,

Franck no la había encerrado en un armario. Sí, ella también se acordaba mucho de él. No, todavía no había ido a hacerse los análisis. Sí, a usted también, Philibert, le deseo un feliz año…

—Tenía la voz bien, ¿no? —añadió Franck.

—Sólo ha tartamudeado ocho veces.

—Pues eso, lo que yo decía.

Cuando regresaron a sus puestos, cambiaron las tornas. Los que aún no se habían puesto el gorro de cocinero lo hicieron entonces, y el chef apoyó la barriga sobre el pasaplatos y cruzó los brazos por encima. Ya no se oía volar una mosca.

—Señores, a trabajar…

Era como si, cada segundo que pasaba, en la habitación hubiera un grado más de temperatura. Cada uno se atareaba en sus quehaceres tratando de no molestar al vecino. Los rostros estaban tensos. Tacos medio ahogados sonaban aquí y allá. Unos permanecían bastante serenos, otros, como ese japonés de ahí, parecían al borde de la implosión.

Los camareros esperaban en fila delante del pasaplatos mientras el chef se inclinaba sobre cada plato, inspeccionándolo frenéticamente. El camarero que estaba frente a él utilizaba una minúscula esponjita para limpiar posibles marcas de dedos o manchas de salsa en los bordes del plato y, cuando el gordo asentía con la cabeza, otro camarero levantaba la gran bandeja plateada apretando los dientes.

Camille se ocupaba de los aperitivos con Marc. Colocaba cositas en un plato, una especie de patatas fritas, o de cortezas de algo un poco rojizo. Ya no se atrevía a ha-

271

cer ninguna pregunta. Luego disponía alrededor los tallos de cebolleta.

—Ve más rápido, esta noche no hay tiempo para adornitos.

Camille encontró un trozo de cuerda para ajustarse el pantalón a la cintura, y estaba harta porque el gorro de cocinero se le caía todo el rato sobre los ojos. Su vecino sacó una pequeña grapadora de su caja de cuchillos:

—Toma…

—Gracias.

Luego escuchó a uno de los camareros mientras le explicaba cómo preparar las rebanadas de pan de molde en triangulitos, cortando los bordes:

—¿Cómo las quieres de tostadas?

—Pues… bien doraditas…

—Hala, hazme un modelo. Enséñame exactamente qué color quieres…

—El color, el color… Esto no se ve en el color, es una cuestión de *feeling*…

—Sí, bueno, lo que tú digas, pero yo me guío por el color, así que hazme un modelo porque si no me agobio.

Se tomó su misión muy a pecho, y nunca la pillaron con las manos vacías. Los camareros cogían las tostadas metiéndolas entre los pliegues de una servilleta. Le hubiera gustado algún cumplido de vez en cuando: «¡Ah, Camille, qué tostadas más maravillosas nos estás haciendo!», pero bueno…

Veía a Franck, siempre de espaldas, agitándose delante de sus fogones como un batería con su instrumento: que si ahora levanto una tapadera por aquí, otra por allá, ahora añado una cucharadita por aquí, y otra por allá. El chico alto y delgado, el segundo cocinero, según había podido comprender, no dejaba de hacerle preguntas, a las cuales rara vez respondía, o si acaso con onomatopeyas. Todas sus cacerolas eran de cobre, y tenía que ayudarse con un trapo para cogerlas. Alguna que otra vez se debía de quemar, porque Camille le veía sacudir la mano antes de llevársela a la boca.

El chef se estaba poniendo nervioso. Las cosas no iban lo suficientemente rápido, o iban demasiado rápido. La comida no estaba lo suficientemente caliente, o se habían pasado en la cocción. «¡Concentración, señores, concentración!», repetía sin cesar.

Cuanto más se relajaba el sector de Camille, más se agitaba el de los demás. Era impresionante. Camille los veía sudar y frotarse la cabeza con el hombro como hacen los gatos para enjugarse la frente. El tipo que se ocupaba del asador sobre todo, estaba rojo como un tomate, y bebía de una botella de agua cada vez que iba y venía para vigilar las aves. (Unos bichos con alas, algunos mucho más pequeños que un pollo, y otros el doble de gordos...)

—Hace un calor espantoso... ¿Cuántos grados crees que habrá?

—Ni idea... Allí, por encima de los fogones, habrá por lo menos cuarenta... ¿Cincuenta a lo mejor? Físicamente son los puestos más duros... Toma, lleva esto a los lava-platos... Ten cuidado de no molestar a nadie...

Camille abrió unos ojos como platos al ver la montaña de cacerolas, placas, sartenes, cuencos, coladores y cazuelas apilados en equilibrio en los enormes fregaderos. Ya no se veía un solo blanco en el horizonte, y el tío bajito al cual se dirigió le cogió los platos de las manos asintiendo con la cabeza. A juzgar por su aspecto no entendía ni una palabra de francés. Camille se quedó un momento observándolo y, como a cada vez que se encontraba frente a un desarraigado de la otra punta del mundo, sus lucecitas de madre Teresa de pacotilla se pusieron a parpadear como locas: ¿de dónde vendría? ¿De la India? ¿De Pakistán? ¿Y por qué azar de la vida había ido a parar allí? ¿Un día como hoy? ¿En qué barcos habría venido? ¿Mediante qué tráficos? ¿Con qué esperanzas? ¿A qué precio? ¿A qué había renunciado, qué angustias debía soportar? ¿Qué porvenir lo esperaba? ¿Dónde vivía? ¿Con cuántas personas? ¿Y dónde estaban sus hijos?

Cuando se dio cuenta de que su presencia lo ponía nervioso, se marchó moviendo la cabeza de lado a lado.

—¿De dónde viene el que lava los platos?
—De Madagascar.
Primera metedura de pata.
—¿Habla francés?
—¡Pues claro! ¡Lleva veinte años aquí!
Anda, vete a paseo, hermanita de los pobres…

Camille estaba cansada. Siempre había algo más que cortar, limpiar, lavar o guardar. Vaya jaleo… ¿Pero cómo podía comer tanto esa gente? ¿Qué sentido tenía llenarse la panza de esa manera? ¡Iban a explotar! ¿Cuánto eran 220 euros? Casi 1.500 francos… Buf… La de cosas que se podía comprar uno con ese dinero… Buscándose bien la vida, hasta se podía apañar un viajecito… A Italia, por ejemplo… Sentarse en la terraza de un café y dejarse acunar por la conversación de chicas bonitas que seguro que se contaban las mismas tonterías que todas las chicas del mundo, llevándose a los labios unas tacitas de loza muy gruesas, en las que el café era siempre demasiado dulce…

La cantidad de dibujos, de plazas, de rostros, de gatos indolentes y de maravillas que se podían conseguir por ese precio… La cantidad de libros, discos, ropa incluso, que podían durarnos toda una vida, mientras que eso… En pocas horas, toda la comida estaría terminada, embaulada, digerida y evacuada…

Era un error razonar así, Camille lo sabía. Era lúcida. Había empezado a perder el interés por la comida cuando era niña porque la hora del almuerzo o de la cena era sinónimo de demasiados sufrimientos. Momentos demasiado pesados para una hija única y sensible. Una hija única con una madre que fumaba como un carretero y tiraba sobre la mesa un plato cocinado sin ternura: «¡Come! ¡Es bueno para la salud!», aseguraba, encendiéndose otro cigarro. Una hija única sentada a la mesa con sus padres, bajando la cabeza lo más posible para pasar desapercibida y no caer entre sus garras: «¿Verdad, Camille, que echas de menos a papá cuando no está? ¿Eh, verdad que sí?»

Después, ya era demasiado tarde… Había perdido el placer por la comida… De todas formas, en un momento dado su madre ya no preparaba nada… Camille había desarrollado ese apetito de pajarito como otros adolescentes se llenan de acné. La gente siempre le había dado la vara con eso, pero ella siempre se las había apañado bien. Nunca habían conseguido pillarla porque la niña era muy sensata… Ya no quería tener nada que ver con su patético mundo, pero cuando tenía hambre, comía. ¡Claro que comía, si no ahora no estaría ahí! Pero sin ellos. En su habitación. Yogures, fruta o galletas Granola, mientras hacía otra cosa a la vez… Mientras leía, soñaba, dibujaba caballos o copiaba las letras de las canciones de Jean-Jacques Goldman.

«Llévame volando», cantaba éste.

Sí, Camille conocía sus debilidades y había que ser muy tonta para juzgar a quienes tenían la suerte de ser felices alrededor de una mesa. Pero de todas formas… 220 euros por una comida, y sin contar el vino, era una burrada, ¿no?

A medianoche, el chef les deseó feliz año y vino a servirles a todos una copa de champán:

—Feliz año, señorita, y gracias por los patos… Me ha dicho Charles que a los clientes les han encantado… Ya lo sabía yo, desgraciadamente… Feliz año, señor Lestafier… Si pierde un poco ese mal carácter que tiene en el 2004, le concedo un aumento…

—¿De cuánto, jefe?

—¡Ah! ¡Qué pesado! ¡Lo que aumentará será la estima que le tengo!

—Feliz año, Camille… No… ¿no me das un beso?

—¡Sí, sí, un beso, claro!

—¿Y a mí? —quiso saber Sébastien.

—Y a mí —añadió Marc—… ¡Eh, Lestafier! ¡Corre a tus fogones, que se te pasa la carne!

—Sí, sí, chaval, lo que tú digas. Bueno… ya ha terminado, ¿no? Ya la podéis dejar que se siente un poco, ¿no?

—Muy buena idea, venga a mi despacho, señorita —añadió el chef…

—No, no, quiero quedarme aquí hasta el final. Denme algo que hacer…

—Bueno, ahora estamos esperando al pastelero… Le puedes echar una mano con los adornos…

Camille apiló tejas tan finas como papel de fumar, unas lisas, otras con aristas, amontonadas de mil maneras, jugó con virutas de chocolate, cáscaras de naranja, frutas confitadas, arabescos de sirope y *marrons glacés*. El pinche del pastelero la miraba hacer, juntando las manos. Repetía una y otra vez: «¡Pero si es una artista! ¡Pero si es una artista!» El chef consideraba esas extravagancias con otros ojos: «Bueno, esta noche pase porque es Nochevieja, pero aquí no basta con que sea bonito... ¡No se cocina para hacer bonito, leche!»

Camille sonreía, adornando las natillas con sirope de frutas del bosque.

No, claro que no... ¡No bastaba con que fuera bonito! Demasiado bien lo sabía ella...

Hacia las dos de la madrugada la tormenta amainó un poco. El chef ya no se separaba de su botella de champán y algunos cocineros se habían quitado el gorro. Estaban todos agotados, pero hacían un último esfuerzo para limpiarlo todo y largarse de allí cuanto antes. Desenrollaban kilómetros de film transparente para embalarlo todo, arremolinándose ante las cámaras frigoríficas. Muchos comentaban la jornada y analizaban cómo lo habían hecho: lo que habían fallado y por qué, de quién era la culpa, y cómo eran los productos... Como atletas recién terminada la competición, no conseguían desconectar y se ensañaban con sus fogones para dejarlos como los chorros del oro. Camille pensó que sería una forma de eliminar el estrés y de terminar de agotarse por completo...

Camille les ayudó hasta el final. Estaba agachada, limpiando el interior de un armario frigorífico.

Después se apoyó contra la pared y observó el baile de los camareros alrededor de las máquinas de café. Uno entró empujando un enorme carrito lleno de pastelitos, bombones, dulces, caramelos, borrachitos, milhojas y demás... Mmm, qué rico... También le apetecía un cigarrillo...

—Vas a llegar tarde a tu fiesta...
Camille se dio la vuelta y vio a un anciano.

Franck se esforzaba por mantener el tipo, pero estaba extenuado, empapado, encorvado, pálido, con los ojos rojos y las facciones cansadas.

—Aparentas diez años más...

—Puede ser. Estoy roto... He dormido mal, y además no me gusta hacer este tipo de banquete... Es siempre el mismo plato... ¿Quieres que te acerque a Bobigny? Tengo dos cascos... Sólo me queda preparar los pedidos, y nos vamos.

—No... La fiesta ya no me apetece... Cuando llegue ya estarán todos borrachos... Lo divertido es emborracharse al mismo tiempo que los demás, si no es un poco deprimente...

—Bueno, yo también me voy a casa, que ya no me tengo en pie...

Sébastien los interrumpió:

—¿Esperamos a Marco y a Kermadec y nos vemos luego?

—No, yo estoy molido... Me voy a casa...

—¿Y tú, Camille?

—Ella también está mol...

—¡Qué va! —le interrumpió ésta—. ¡Bueno, sí, pero aun así tengo ganas de divertirme!

—¿Estás segura? —preguntó Franck.

—Pues claro, hay que recibir bien el año... Para que sea mejor que el anterior, ¿no?

—Pensaba que odiabas las fiestas...

—Es verdad, pero mira por dónde, es mi primer buen propósito: «En el 2003, pasaba de fiestas, pero en el 2004, ¡me pienso desmadrar!»

—¿Dónde vais a ir? —añadió Franck, suspirando.

—Al bar de Ketty...

—Oh, no, ahí no... Ya sabes por qué...

—Bueno, pues a La Vigie, entonces...

—Tampoco.

—Joder, Lestafier, qué pesado eres, tío… ¡Con eso de que te has tirado a todas las camareras del barrio, ya no podemos ir a ninguna parte! ¿Cuál de ellas era la del bar de Ketty? ¿La gorda que ceceaba?

—¡No ceceaba! —se indignó Franck.

—No, borracha hablaba normal, pero en ayunas, déjame que te diga que ceceaba… Bueno, de todas formas ya no curra ahí…

—¿Estás seguro?

—Sí.

—¿Y la pelirroja?

—La pelirroja, tampoco. Bueno, ¿pero qué más te da? Estás con ella, ¿no?

—¡Que no, que no está conmigo! —se indignó Camille.

—Sí, bueno… Vosotros dos aclaraos, pero quedamos ahí cuando terminen éstos…

—¿Te apetece ir?

—Sí. Pero antes quiero ducharme…

—Vale. Te espero. Yo no vuelvo a casa, porque si no ya no hay quien me mueva de allí…

—Oye…

—¿Qué?

—Pues que antes, al final no me has dado un beso…

—Pues hala, toma… —dijo Camille, dándole un besito en la frente.

—¿Nada más? Pensaba que en 2004 habías decidido desmadrarte…

—¿Qué pasa, que tú has cumplido alguna vez tus buenos propósitos?

—No.

—Pues yo tampoco.

19

Tal vez porque estaba menos cansada que ellos, o porque aguantaba mejor el alcohol, pero el caso es que Camille pronto tuvo que pasar de la cerveza a algo más fuerte para reírse al mismo ritmo que ellos. Era como haber retrocedido diez años en el tiempo, a una época en la que ciertas cosas aún le parecían evidentes... El arte, la vida, el futuro, su talento, su novio, su lugar en el mundo, y todas esas paridas...

Y la verdad es que tampoco era tan desagradable...

—Eh, Franck, ¿esta noche qué pasa, tío, no bebes o qué?

—Estoy muerto...

—No, venga, tío, tú no... ¿No estás de vacaciones, además?

—Sí.

—¿Entonces?

—Me hago viejo...

—Anda, tómate otra... Ya dormirás mañana...

Tendió su copa aunque no estaba muy convencido: no, no dormiría mañana. Mañana le tocaba ir a *El tiempo recuperado,* (que era como una Sociedad Protectora de Animales pero para viejos), a comer bombones asquerosos con dos o tres viejas abandonadas que jugarían con sus dentaduras postizas mientras su abuela miraba por la ventana, suspirando.

Ahora a Franck le dolían las tripas desde la salida del peaje…

Prefería no pensarlo y se bebió la copa de un solo trago.

Miraba a Camille sin que ésta se diera cuenta. Sus pecas aparecían o desaparecían según el momento, era un fenómeno la mar de extraño…

Le había dicho que lo encontraba guapo, y ahora estaba coqueteando con ese tontorrón, pfff… son todas iguales…

Franck Lestafier no estaba de humor.

Tenía incluso un poquito de ganas de llorar…

Pero bueno, ¿qué te ocurre, corazón?

Pues… ¿por dónde empiezo?

Un curro de mierda, una vida de mierda, una abuela medio ida, y una mudanza en perspectiva. Volver a dormir en una porra de sofá, perder una hora en cada descanso de trabajo. No volver a ver nunca a Philibert. No volver a pincharle más para enseñarle a defenderse, a contestar, a irritarse, a imponerse por fin. No llamarlo «mi gatito de porcelana» nunca más. No acordarse más de guardarle algo bueno de comer. No impresionar más a las chicas con su cama de rey de Francia y su cuarto de baño de princesa. No oírlos más, a Camille y a él, hablar de la guerra del 14 como si la hubieran vivido, o de Luis XI como si acabara de tomarse unas copas con ellos. No esperarla más, no husmear el aire al abrir la puerta para saber, por el olor a cigarrillo, si estaba ya en casa. No precipitarse más sobre su cuaderno, en cuanto ésta miraba para otro lado, para ver los dibujos del día. No volver a acostarse y tener la Torre Eiffel iluminada como lamparita de noche. Y quedarse en Francia, seguir perdiendo un kilo por cada turno de trabajo, y recuperarlo en cervezas justo después. Seguir obedeciendo. Siempre. Todo el rato. No había hecho otra cosa: obedecer. Y ahora, estaba atrapado hasta que… ¡Anda, di hasta cuándo, venga, dilo! Pues sí, así era… Hasta que su abuela la palmara… Como si su vida sólo pudiera solucionarse con la condición de volver a hacerle sufrir…

¡Vale ya, joder! ¿No la podéis tomar con otro? No, es que es verdad, yo ya he tenido bastante…

Yo estoy ya hasta el culo, así que id a buscar a otro a quien joder… Yo ya he tenido bastante. Ya he pagado lo mío.

Camille le dio una patada por debajo de la mesa.
—Eh… ¿estás bien?
—Feliz año —le dijo.
—¿No te encuentras bien?
—Me voy a la cama. Adiós.

20

Camille no se quedó hasta muy tarde. Esos tíos tampoco es que fueran unos lumbreras... No paraban de repetir que hacían un trabajo de gilipollas... mmm... por algo sería, ¿no...? Y además el Sébastien ese ya empezaba a tocarle las narices... Para tener una posibilidad de acostarse con ella tendría que haber sido agradable desde por la mañana, el muy idiota. Eso es lo que distingue a un tío que merece la pena: el que es agradable con una chica antes siquiera de que se le pase por la cabeza tirársela.

Camille lo encontró acurrucado en el sofá.
—¿Estás dormido?
—No.
—¿No te encuentras bien?
—En el año entrante, no estoy muy boyante —gimió.
Camille sonrió:
—Bravo...
—Qué va, hace tres horas que me estrujo la cabeza para encontrar una buena rima... Se me había ocurrido: en este año que entra, la bilis se me concentra, pero lo mismo te pensabas que te iba a potar encima...
—Menudo poeta estás tú hecho...
Franck se calló. Estaba demasiado cansado para seguirle el juego.

—Pon música bonita, como la que estabas escuchando el otro día...

—No, si ya estás triste, lo que te faltaba ya…

—¿Si pones tu disco de la Castafiore, te quedas todavía un poco?

—Lo que tarde en fumarme un cigarro…

—Trato hecho.

Y Camille, por enésima vez aquella semana, volvió a poner el *Nisi Dominus* de Vivaldi…

—¿De qué trata?

—A ver, ahora te lo digo… El Señor colma a sus amigos mientras duermen…

—Fantástico.

—Es bonito, ¿verdad?

—Ni ideaaaa —bostezó—. No entiendo nada de esto…

—Tiene gracia, es justo lo que me dijiste el otro día cuando te pregunté sobre Durero… ¡Pero que esto no se aprende! Es bonito, y ya está.

—No, no es así. Quieras que no, se aprende…

—…

—¿Eres creyente?

—No. Bueno, sí… Cuando escucho este tipo de música, cuando entro en una iglesia muy bonita o cuando veo un cuadro que me conmueve, una Anunciación, por ejemplo, se me engrandece tanto el corazón que me da la sensación de creer en Dios, pero estoy equivocada: en quien creo es en Vivaldi… En Vivaldi, en Bach, en Haendel o en Fra Angelico… Ellos son los dioses… El otro, el Viejo, no es más que un pretexto… De hecho, es lo único bueno que le encuentro: el haber sabido inspirar a todos ellos todas esas obras maestras…

—Me gusta cuando me hablas… Me da la sensación de hacerme más inteligente…

—Calla…

—Que sí, que es verdad…

—Has bebido demasiado.

—No. No lo bastante, justamente…

—Mira, escucha… Esta parte también es muy bonita… Es mucho más alegre… De hecho es lo que me gusta de las misas: los momentos alegres, como los Gloria y tal, vienen siempre a salvarte después de un momento triste… Como en la vida…

Largo silencio.

—¿Ahora ya sí te has dormido?

—No, estoy pendiente de cuándo se acaba tu cigarro…

—¿Sabes?, creo…

—¿Qué crees?

—Que deberías quedarte. Pienso que todo lo que me has dicho sobre Philibert a propósito de mi marcha es también válido para ti… Pienso que si te fueras se pondría muy triste, y que eres tan garante de su frágil equilibrio como puedo serlo yo.…

—Mmm… ¿la última frase me la puedes repetir pero en cristiano?

—Quédate.

—No… Yo… yo soy demasiado diferente de vosotros dos… No se pueden mezclar las churras con las merinas, como diría mi abuela…

—Somos diferentes, es cierto, pero ¿hasta qué punto? A lo mejor me equivoco, pero me parece que los tres formamos una buena panda de lisiados, ¿no?

—Tú lo has dicho…

—Y además, ¿qué quiere decir eso de «diferentes»? Yo, que no sé ni freír un huevo, me he tirado todo el día en una cocina, y tú, que sólo escuchas música tecno, te duermes con Vivaldi… Esa historia tuya de las churras y las merinas es una chorrada… Lo que impide que la gente conviva no es la diferencia, sino la estupidez… Al contrario, sin ti nunca habría sabido reconocer una hoja de lechuga iceberg…

—Para lo que te va a servir…

—Esto también es una parida. ¿Por qué tendría que «servirme»? ¿Por qué siempre este concepto de rentabilidad? Me trae al pairo que me sirva o no, lo que me interesa es saber que existe…

—Ves como somos diferentes… Ni Philou ni tú estáis en el mundo real, no tenéis ni idea de la vida, de lo que hay que luchar para sobrevivir y todo eso… Yo nunca había visto a ningún intelectual antes de conoceros, pero sois igualitos que la idea que me había hecho…

—¿Y qué idea era ésa?

Franck agitó las manos como si volara.

—Era: pío, pío… huy, los pajaritos y las mariposas… pío, pío, ¡qué lindos son! ¿Tomará un poco más de capítulo, querido? ¡Por Dios, claro que sí, dos incluso! Así no tendré que bajar de la nube en la que estoy… ¡Oh, no, no baje usted, huele demasiado mal allí abajo!

Camille se levantó y apagó la música.

—Tienes razón, no lo vamos a conseguir… Más vale que te largues… Pero déjame decirte un par de cosas antes de desearte buen viaje: la primera tiene que ver con los intelectuales, justamente… Es muy fácil descojonarse de ellos… Sí, es fácil que te cagas… Muchas veces no son muy cachas y además no les gusta meterse con nadie… No les emocionan las demostraciones de fuerza, ni las medallas, ni los cochazos, así que sí, es muy fácil… Basta con arrebatarles el libro de las manos, la guitarra, la pluma o la cámara de fotos, y ya no dan pie con bola, los muy gilipollas… De hecho, es la primera cosa que suelen hacer los dictadores: romper gafas, quemar libros o prohibir conciertos, no les sale caro, y les puede evitar más de un problema más adelante… Pero déjame que te diga que si ser intelectual significa que a uno le guste aprender, ser curioso, atento, admirar, emocionarse, tratar de comprender cómo funcionan las cosas e intentar irse a la cama un poco menos tonto que la víspera, entonces sí, reivindico mi condición totalmente: no sólo soy una intelectual, sino que además estoy orgullosa de serlo… Súper orgullosa incluso… Y porque soy una intelectual, como dices, no puedo evitar leer las revistas de motos que dejas tiradas en el retrete, y sé que la nueva BMW R 1200 GS tiene un chismito electrónico que le permite funcionar con gasolina de mierda… ¡Ea!

—¿Pero tía, de qué me estás hablando?

—Y con todo lo intelectual que soy, el otro día te mangué tus cómics de Joe Bar Team y me estuve descojonando toda la tarde… Y la segunda cosa que quería decirte es que no eres el más indicado para darnos lecciones, chaval… ¿Tú te crees que tu cocina es el mundo real? Pues claro que no. Al contrario. No salís nunca, siempre estáis entre vosotros. ¿Qué conoces tú del mundo? Nada. Llevas más de quince años encerrado con tus horarios inamovibles, tu pequeña jerarquía de opereta y tu rutina cotidiana. ¿A lo mejor incluso has elegido ese curro por ese mismo motivo? Para no salir nunca de la tripa de tu madre y tener la certeza de que siempre estarás en un lugar calentito, con mucha comida alrededor… Vete tú a saber… Trabajas más y más duro que nosotros, eso es indiscutible, pero nosotros, por muy intelectuales que seamos, tenemos que lidiar con este mundo. Pío, pío, todas las mañanas bajamos al mundo desde nuestra nube. Philibert, a su tienda de postales, y yo, a mis oficinas, y no te preocupes que contacto con el mundo tenemos de sobra. Y esa historia tuya de supervivencia… En plan la vida es una jungla, hay que luchar para sobrevivir, esa cantilena ya nos la sabemos de memoria… Hasta te podríamos dar clases si quisieras… Dicho esto, adiós, buenas noches, y feliz año.

—¿Cómo?

—Nada. Decía que no eres la alegría de la huerta, precisamente…

—No, yo más bien peco de acrimonia.

—¿Y eso qué es?

—Abre un diccionario y lo sabrás…

—¿Camille?

—¿Sí?

—Dime algo agradable…

—¿Por qué?

—Para que empiece bien el año…

—No. Yo no suelto cumplidos por encargo.

—Anda…

Camille se dio la vuelta y le dijo:

—Mezcla un poco las churras con las merinas, la vida es más divertida cuando hay un poco de desorden…

—¿Y yo? ¿No quieres que te diga yo algo agradable para que empieces bien el año?

—No. Sí… Venga, dime.

—¿Sabes…?, eran maravillosas tus tostadas…

TERCERA PARTE

1

Eran más de las once cuando Franck entró en su habitación a la mañana siguiente. Camille le daba la espalda. Vestía un kimono, y estaba sentada frente a la ventana.

—¿Qué haces? ¿Estás dibujando?

—Sí.

—¿Y qué dibujas?

—El primer día del año…

—Enséñamelo.

Camille levantó la cabeza y se mordió el interior de los carrillos para no reír.

Franck llevaba un traje súper hortera, estilo Hugo Boss de los años ochenta, un pelín demasiado grande y brillante, con hombreras en plan Mazinger Z, una camisa de viscosa color mostaza y una corbata de colorines. Los calcetines iban a juego con la camisa, y los zapatos, de piel de cabra lacada, le hacían un daño espantoso.

—Bueno, ¿se puede saber qué te pasa?

—No, nada, es que… Estás hecho un brazo de mar…

—Muy graciosa… Es porque voy a invitar a mi abuela a comer…

—Caray… —Camille ahogó a duras penas una carcajada—. Pues estará orgullosísima de salir con un chico tan guapo como tú…

—Muy graciosa. Si supieras qué poco me apetece… Pero bueno, no hay más remedio…

—¿Es Paulette? ¿La de la bufanda?

—Sí. Por eso estoy aquí, por cierto. ¿No me habías dicho que tenías algo para ella?

—Sí. Claro que sí.

Camille se levantó, apartó el sillón, y fue a rebuscar en su maletita.

—Siéntate aquí.

—¿Para qué?

—Para hacerle un regalo a Paulette.

—¿Me vas a dibujar?

—Sí.

—No quiero.

—¿Por qué?

—…

—¿No sabes por qué?

—No me gusta que me miren.

—Lo haré muy rápido.

—No.

—Como quieras… Había pensado que le haría ilusión tener un retrato tuyo… Otra vez esa historia de trueque de la que te hablé, ¿sabes? Pero no voy a insistir. Nunca lo hago. No es mi estilo…

—Bueno, venga, vale, pero rapidito, ¿eh?

—Así no está bien…

—¿Y ahora qué pasa?

—El traje… la corbata y todo lo demás, no está bien. No eres tú.

—¿Quieres que me quede en pelotas? —Franck se rió con malicia.

—¡Ay, sí, qué bien! Un desnudo, fantástico… —contestó ella sin inmutarse.

—¿Lo dices en serio?

Estaba muerto de miedo.

—Que no, hombre, que es una broma… ¡Eres demasiado viejo! Y además seguro que también eres demasiado peludo...

—¡Qué va! ¡Qué va! ¡Peludo lo justo, nada más!

Camille se reía.

—Anda, quítate la chaqueta por lo menos y aflójate la corbata...

—*Joé*, pero si he *tardao* tres horas en hacerme el nudo...

—Mírame. No, así no... Ni que te hubieras tragado un palo de escoba, relájate... No te voy a comer, tonto, sólo te voy a bocetear.

—¿A abofetear? O sea que te va la marcha, ¿eh...? —dijo con un tono lleno de sobreentendidos.

—Sí, perfecto. No borres esa sonrisa de bobo. Así eres tú, clavadito...

—¿Falta mucho?

—Ya está casi.

—Me aburro. Háblame. Cuéntame algo para pasar el rato...

—¿Esta vez de quién quieres que te hable?

—De ti...

—...

—¿Qué vas a hacer hoy?

—Voy a ordenar mi habitación... Y a planchar un poco, también... Y voy a irme por ahí de paseo... Hay una luz muy bonita... Terminaré probablemente en un café o en un salón de té... Me tomaré unas magdalenas con mermelada de arándanos... Mmm, qué ricas... Y con un poco de suerte, también habrá un perro... Ahora me ha dado por coleccionar perros de salón de té... Tengo un cuaderno especial para ellos, un Moleskine, precioso... Antes tenía uno para las palomas. Soy una experta en palomas. Las de Montmartre, las de Trafalgar Square, en Londres, o las de la plaza de San Marcos, en Venecia, las plasmé a todas…

—Dime una cosa…

—Qué…

—¿Por qué estás siempre sola?

—No lo sé.

—¿No te gustan los hombres?

—Ya estamos… Una chica que no es sensible a tu irresistible encanto a la fuerza tiene que ser lesbiana, ¿no?

—No, no, sólo me lo preguntaba… Nunca te arreglas, llevas la cabeza rapada, todo eso…

Silencio.

—Sí, sí, me gustan mucho los chicos… Ojo, las chicas también, ¿eh?, pero prefiero a los chicos…

—¿Te has acostado alguna vez con chicas?

—¡Huy, la tira de veces!

—¿Me tomas el pelo?

—Sí. Hala, ya está. Ya puedes vestirte.

—Enséñamelo.

—No te vas a reconocer. La gente nunca se reconoce…

—¿Qué es esta mancha que has hecho aquí?

—La sombra.

—¿Ah, sí?

—Se llama una aguada…

—Ah. ¿Y esto qué es?

—Tus patillas.

—Ah.

—Decepcionado, ¿eh? Toma, llévate éste también… Es un boceto que hice el otro día mientras jugabas con la Play Station…

Sonrisa de oreja a oreja:

—¡Ah, éste sí! ¡Éste sí que soy yo!

—A mí me gusta más el otro, pero bueno… Mételos en un libro grande y así no se te estropean para llevarlos…

296

—Dame una hoja.

—¿Por qué?

—Porque sí. Yo también puedo hacer tu retrato si quiero...

Se la quedó mirando un momento, luego se inclinó sobre sus rodillas sacando la lengua y le tendió unos garabatos.

—¿A ver? —dijo Camille, curiosa.

Había dibujado una espiral. Una concha de caracol con un puntito negro al fondo del todo.

Camille no reaccionaba.

—El puntito negro eres tú.

—Ya... ya me lo había figurado.

Le temblaban los labios.

Franck le arrancó la hoja de las manos.

—¡Eh, Camille! ¡Que era de coña! ¡Esto es una chorrada! ¡No significa nada!

—Sí, sí —confirmó ella, llevándose la mano a la frente—. Es una chorrada, soy plenamente consciente... Anda, ahora vete, que vas a llegar tarde...

Franck se puso el mono de motorista en el vestíbulo y cerró la puerta, dándose un porrazo en la cabeza con el casco.

El puntito negro eres tú...

Pero qué tío más gilipollas.

2

Para una vez que no tenía que cargar con una mochila llena de provisiones, Franck se tumbó sobre el depósito y dejó que la velocidad llevara a cabo su maravillosa tarea de limpieza: con las piernas pegadas a ambos lados de la moto, los brazos tensos, el pecho resguardado y el casco a punto de fisurarse, giraba la muñeca al máximo para dejar atrás sus follones y no pensar en nada.

Iba deprisa. Demasiado deprisa. Lo hacía a propósito. Para ver qué sentía.

Que él recordara, siempre había tenido un motor entre las piernas y una especie de desazón en las palmas de las manos y, que él recordara, nunca se había planteado la muerte como algo muy serio. Una contrariedad más como mucho… Ni siquiera… ¿Qué importaba, si total él ya no estaría ahí para sufrir por ello?

Siempre que pudo juntar cuatro perras, se endeudó para comprarse motos demasiado grandes para el tamaño de su cerebro, y en cuanto dio con tres colegas que sabían buscarse bien la vida, desembolsaba siempre más y más para ganarle algunos milímetros al contador. Mantenía la calma en los semáforos, nunca dejaba rastros de goma en el asfalto, no se medía con nadie, y no le veía el sentido a correr riesgos estúpidos. Simplemente, en cuanto tenía ocasión, se escapaba, se largaba a pisarle al máximo y a atormentar a su ángel de la guarda.

Le gustaba la velocidad. De verdad. Más que nada en el mundo. Más que las chicas, incluso. Le había dado los únicos momentos felices de su vida: momentos de serenidad, de sosiego y de libertad... A los catorce años, tumbado sobre su moto como un sapo sobre una caja de cerillas (era una expresión que se usaba entonces...), era el rey de las carreteras secundarias de Touraine. A los veinte, se compró su primera moto de gran cilindrada, de segunda mano, después de haber sudado sangre todo el verano en las cocinas de un tugurio de la región, y hoy se había convertido en su único pasatiempo entre dos turnos en el curro: soñar con una moto, comprársela, sacarle brillo, agotarla, soñar con otra, pasarse las horas muertas en un concesionario, vender la antigua, comprarse una nueva, sacarle brillo, etc.

Sin la moto, seguramente se habría conformado con llamar a la vieja más a menudo rezando por que no le contara su vida a cada vez...

El problema es que el truco ya no era tan eficaz... El sosiego no llegaba ni a 200 por hora.

Incluso a 210, y a 220, seguía dándole vueltas al tarro. Por mucho que zigzagueara, virara, rozara el suelo en las curvas y por muchos caballitos que hiciera, algunas ideas no se le despegaban de la cazadora de cuero y seguían carcomiéndole la cabeza entre una gasolinera y otra.

Y así hoy, un primero de enero con un sol radiante, sin alforjas, sin mochila y sin más plan que una buena comilona con dos abuelitas encantadoras, por fin se había incorporado y no había necesitado separar la pierna de la moto para dar las gracias a los precavidos automovilistas que, sobresaltados, se apartaban a su paso.

Había enterrado el hacha de guerra y se conformaba con ir de un lugar a otro repasando en su cabeza el disco rayado de siempre: ¿Por qué esta vida? ¿Hasta cuándo? ¿Y qué hacer para escapar de ella? ¿Por qué esta vida? ¿Hasta cuándo? ¿Y qué hacer para escapar de ella? ¿Por qué esta vida? ¿Hasta…?

Estaba muerto de cansancio y de bastante buen humor. Había invitado también a Yvonne en señal de agradecimiento y, todo hay que decirlo, para endilgarle a ella todo el peso de la conversación. Gracias a ella, Franck podría poner el piloto automático. Una sonrisita por aquí, otra sonrisita por allá, unos cuantos tacos para mantenerlas contentas y en un pispás llegaría la hora del café… De puta madre…

Yvonne pasaba a buscar a Paulette a su jaula, y luego habían quedado los tres en el Hôtel des Voyageurs, un pequeño restaurante lleno de tapetitos y de jarrones con flores secas en el que, en tiempos, Franck había hecho prácticas, y más adelante había trabajado, y del que guardaba buenos recuerdos… Era allá por 1990. Lo que venía a ser como hace mil millones de años…

¿Qué tenía por aquel entonces? Una Yamaha Fazer, ¿no?

Franck zigzagueaba entre las líneas blancas y se había subido la visera del casco para sentir el calor del sol. No se iba a mudar. Por lo menos no por el momento. Podría quedarse allí, en ese piso demasiado grande en el que la vida había vuelto un buen día, con una chica venida del espacio en plena noche. No hablaba mucho, y sin embargo, desde que estaba allí, de nuevo volvía a haber ruido. Philibert salía por fin de su habitación y desayunaban juntos todas las mañanas. Franck ya no daba portazos para no despertarla y le costaba menos dormirse cuando la oía trajinar en la habitación de al lado.

Al principio, no la podía ni ver, pero ahora estaba bien. La había dominado...

Oye, tú, ¿has oído lo que acabas de decir?
¿El qué?
Sí, sí, no te hagas el tonto... Sinceramente, Lestafier, mírame a los ojos, ¿te parece a ti que a esta tía la has dominado?
Pues... no...
¡Ah, vale! Eso ya me gusta más... Ya sé que muy listo no eres, no, pero tío, ¡es que me habías asustado!

Vale, vale... Joder, cómo está el patio, uno ya no puede ni hacer una broma...

3

Franck se quitó el mono debajo de una marquesina y entró en el restaurante ajustándose el nudo de la corbata.

La dueña abrió los brazos de par en par:

—¡Pero mira qué guapo estás! ¡Ah, cómo se ve que te vistes en París! Un abrazo de parte de René. Pasará a verte cuando termine el turno…

Yvonne se levantó y su abuela le sonrió con ternura.

—¿Qué tal, chicas? Veo que os habéis pasado la mañana en la peluquería…

Las dos ahogaron una risita por encima de sus copitas de licor y le hicieron sitio para cederle el panorama sobre el Loira.

Su abuela se había puesto el traje de chaqueta de vestir, con su broche de bisutería y el cuello de piel. Al peluquero de la residencia se le había ido la mano con el tinte, y tenía el pelo color salmón, a juego con el mantel.

—Caray, qué colorín te ha puesto tu peluquero…

—Era justo lo que yo le estaba diciendo —lo interrumpió Yvonne—, es un color muy bonito, ¿verdad, Paulette?

Paulette asentía con la cabeza, nerviosa, limpiándose la comisura de los labios con su servilleta de cuadros. Se comía a su nieto con los ojos y hacía melindres consultando la carta.

Fue todo exactamente como Franck lo había imaginado: «sí», «no», «¿en serio?», «anda ya, no puede ser», «joder…», «perdón», «hostia», «huy…», y «caramba» fueron las únicas palabras que pronunció, pues del resto de la conversación se encargó Yvonne a la perfección…

Paulette no hablaba mucho.
Contemplaba el río.

El cocinero vino a darles palique un momento y les sirvió una copita de aguardiente que las señoras rechazaron en un primer momento, antes de bebérselo a sorbitos como un vinito dulce. Le contó a Franck anécdotas de cocineros y le preguntó cuándo pensaba volver a trabajar por allí…

—Los parisinos no saben comer… Las mujeres están todas a régimen, y los hombres no piensan más que en ahorrarse unos cuartos… Seguro que a tu restaurante nunca van parejas de novios… A mediodía no tendrás más que ejecutivos, y a ésos les trae sin cuidado lo que se llevan a la boca, y por la noche no tendrás más que parejas mayores que celebran sus bodas de plata cabreados porque han aparcado en doble fila y acojonados de que se les lleve el coche la grúa… ¿Me equivoco?

—Bah, a mí me trae al fresco, ¿sabe? Yo hago mi trabajo y punto…

—¡Pues de eso te hablo! En París, cocinar para ti no es más que un ganapán… Tú vuelve por aquí y verás, nos iremos de pesca con los amigos…

—¿Está pensando en vender, René?

—Pfff… ¿A quién?

Mientras Yvonne iba a buscar el coche, Franck ayudó a su abuela a encontrar la manga de su gabardina:

—Toma, Camille me ha dado esto para ti…

Silencio.

—¿Qué pasa, no te gusta?

—Sí, sí que me gusta…

Paulette volvió a echarse a llorar:

—Qué guapo sales en éste…

Le señalaba el dibujo que a Franck no le gustaba.

—¿Sabes?, se pone tu bufanda todos los días…

—Mentiroso…

—¡Te lo juro!

—Pues entonces tienes razón… Esta chica no es normal —añadió, entre risas y lágrimas.

—Abuela… No llores… Vamos a salir de ésta…

—Sí… Con los pies por delante…

—…

—¿Sabes?, a veces me digo a mí misma que estoy preparada, y otras, en cambio, no… no…

—Ay… abuelita mía…

Y por primera vez en su vida, la abrazó.

Se despidieron en el aparcamiento, y Franck sintió alivio al no tener que llevarla hasta su agujero.

Cuando le quitó el pie, la moto se le antojó más pesada que de costumbre.

Había quedado con su chica, tenía pasta, un techo, un curro, había vuelto a ver a René y a su mujer, y sin embargo, se sentía solo como un perro.

Vaya mierda, murmuró dentro del casco, vaya mierda… No lo repitió una tercera vez porque no servía de nada, y además le llenaba la visera de vaho.

Vaya mierda…

—Otra vez se te han olvidado las lla…

Camille no terminó la frase porque se había equivocado de interlocutor. No era Franck, sino la chica del otro
día. Aquella a la que puso de patitas en la calle en Nochebuena después de habérsela tirado…

—¿No está Franck?

—No. Se ha ido a ver a su abuela…

—¿Qué hora es?

—Pues… alrededor de las siete, creo…

—¿Te importa que le espere aquí?

—Claro que no… Entra…

—¿Te molesto?

—¡Qué va! Estaba vegetando delante de la tele…

—¿Pero tú ves la tele?

—Pues sí, ¿por qué me lo preguntas?

—Te aviso que he elegido el peor programa… No salen más que chicas vestidas de putas y presentadores con
trajes ceñidos, que leen tarjetitas separando virilmente las
piernas… Creo que es una especie de karaoke con famosos, pero no conozco a nadie…

—Sí, ése sí es conocido, es el de *Star Academy*…

—¿Qué es eso de *Star Academy?*

—Ah, ves, si tenía razón yo… Ya me lo había dicho
Franck, tú no ves nunca la tele…

—No mucho, no… Pero esto me encanta… Me siento

como si me estuviera revolcando en una pocilga calenti-
ta… Mmm… Son todos guapos, no paran de darse besos,
y todas las chicas se sostienen el rímel cuando lloriquean.
Vas a ver qué conmovedor es todo…

—¿Me haces un sitio?

—Toma… —dijo Camille apartándose un poco y tendiéndole el otro extremo de su edredón—. ¿Quieres beber algo?

—¿Tú qué estás tomando?

—Un buen vinito de Borgoña.

—Pues espera, que voy por un vaso…

—¿Qué pasa ahora?

—No entiendo nada…

—Sírveme una copa que ahora te lo explico.

Se contaron cosas durante los anuncios. La chica se
llamaba Myriam, era de Chartres, trabajaba en una peluquería de la calle Saint-Dominique y había subalquilado
un estudio en el distrito XV. Se preocuparon por
Franck, le dejaron un mensaje en el buzón de voz, y subieron el volumen cuando terminaron los anuncios. Al
final de la tercera pausa publicitaria, ya se habían hecho
amigas.

—¿Hace cuánto que lo conoces?

—No sé… Hará cosa de un mes…

—¿Vais en serio?

—No.

—¿Por qué?

—¡Porque no para de hablar de ti! No, que es broma… Sólo me ha dicho que dibujabas súper bien… Oye,
¿no quieres que te dé un repaso mientras estoy aquí?

—¿Cómo?

—A tu pelo, digo.

—¿Ahora?

—¡Pues sí, porque luego estaré demasiado pedo y lo mismo te corto una oreja!

—Pero si no tienes nada aquí, ni siquiera tienes tijeras...

—¿No hay cuchillas en el cuarto de baño?

—Eeeh... sí. Creo que Philibert todavía usa una especie de navaja paleolítica...

—¿Qué me vas a hacer exactamente?

—Dejarte un corte un poco más femenino...

—¿Te importa que nos pongamos delante de un espejo?

—¿Tienes miedo? ¿Me quieres vigilar?

—No, quiero mirarte...

Myriam le cortaba el pelo mientras Camille las dibujaba.

—¿Me lo das?

—No, te doy lo que quieras pero esto no... Los autorretratos, aun truncados como éste, me los quedo...

—¿Por qué?

—No lo sé... Me da la impresión de que, a fuerza de dibujarme, algún día terminaré por reconocerme...

—Cuando te ves en un espejo, ¿no te reconoces?

—Me veo siempre fea.

—¿Y en tus dibujos?

—En mis dibujos no siempre...

—Así queda mejor, ¿no?

—Me has hecho patillas, como a Franck...

—Te quedan bien.

—¿Sabes quién es Jean Seberg?

—No, ¿quién es?

—Una actriz. Tenía un peinado exactamente igual, pero en rubio...

—¡Anda, pues si te hace ilusión, te puedo teñir de rubio la próxima vez!

—Era una chica monísima… Vivía con uno de mis escritores preferidos… Y un día la encontraron muerta en su coche… ¿Cómo una chica tan guapa tuvo el valor de destruirse? Es injusto, ¿no te parece?

—A lo mejor tendrías que haberla dibujado antes… Para que se viera…

—Yo tenía dos años…

—Eso también me lo ha dicho Franck…

—¿Que se había suicidado?

—No, que contabas un montón de historias…

—Es porque me gusta mucho la gente… Estooo… ¿cuánto te debo?

—Anda, anda, déjate…

—Pues entonces te voy a hacer un regalo a cambio… Volvió con un libro en la mano y se lo tendió.

—*La angustia del rey Salomón*… ¿Está bien?

—Está genial… ¿Puedes volver a llamarle? No sé, es que estoy un poco preocupada… ¿Habrá tenido un accidente?

—Pfff… Haces mal en agobiarte… Se habrá olvidado de mí y punto… Ya empiezo a acostumbrarme…

—¿Entonces por qué sigues con él?

—Para no estar sola…

Ya iban por la segunda botella cuando Franck apareció en el salón, quitándose el casco.

—¿Pero qué coño hacéis aquí?

—Estamos viendo una peli porno —contestaron las dos riendo—. La hemos encontrado en tu cuarto… Nos ha costado elegir, ¿eh, Mimi? ¿Cómo se titula, que no me acuerdo?

—*Quita la lengua que me voy a tirar un pedo.*

—Ah, sí, eso… Está genial…

—¡Pero qué chorradas estáis diciendo! ¡Si yo no tengo pelis porno!

—¿Ah, no? Qué raro… ¿Se la habrá dejado alguien olvidada en tu cuarto, entonces? —preguntó Camille con ironía.

—O será que te has equivocado —añadió Myriam—, te pensabas que habías cogido *Amélie,* y luego resulta que era *Quita la lengua que…*

—Pero qué coño me estáis contando… —Franck miró la pantalla mientras las chicas se reían a más no poder—. ¡Vaya curda lleváis las dos!

—Pues sí… —contestaron ellas, avergonzadillas.

—¡Eh! —dijo Camille, cuando Franck salía del salón refunfuñando.

—¿Qué pasa ahora?

—¿No le vas a enseñar a tu novia lo guapo que ibas hoy?

—No. No me deis la tabarra.

—¡Ay, sí! —suplicó Myriam—. ¡Enséñame, cariño!

—Un *strip-tease* —saltó Camille.

—¡Que se desnude! —añadió Myriam.

—¡Que se desnude! ¡Que se desnude! ¡Que se desnude! —corearon las dos.

Franck movió la cabeza de lado a lado, levantando los ojos al cielo. Trataba de hacerse el escandalizado, pero no lo conseguía. Estaba agotado. Tenía ganas de desplomarse sobre su cama y dormir una semana entera.

—¡Que se desnude! ¡Que se desnude! ¡Que se desnude!

—Muy bien. Vosotras lo habéis querido… Apagad la tele y preparad las propinas, bonitas…

Puso la canción *Sexual Healing* —por fin— y empezó por sus guantes de motorista.

Y cuando volvió a sonar el estribillo,
(*get up, get up, get up, let's make love tonight*
wake up, wake up, wake up, cause you dooooo it right)
arrancó de golpe los tres últimos botones de su camisa color mostaza y la hizo girar por encima de su cabeza en un magnífico contoneo a lo Travolta.

Las chicas pataleaban desternillándose de risa.

Ya sólo le quedaba el pantalón, se dio la vuelta y se lo bajó despacito, moviendo los riñones primero hacia una chica, y luego hacia la otra, y cuando apareció el borde de su calzoncillo, una ancha banda elástica en la que se podía leer DIM DIM DIM, se volvió hacia Camille y le guiñó un ojo. En ese momento la canción terminó y Franck se subió corriendo el pantalón.

—Bueno, hala, se os ocurren chorradas muy divertidas, pero yo ya me voy al sobre…
—Oh…
—Qué desgracia…

—Tengo hambre —dijo Camille.
—Yo también.
—Franck, tenemos hambre…
—Pues nada, la cocina está siguiendo por ese pasillo, todo recto y luego a la izquierda…

Volvió a aparecer unos segundos más tarde vestido con el batín escocés de Philibert.
—¿Qué pasa? ¿No vais a comer nada?
—No, qué se le va a hacer. Nos moriremos de hambre… Un *boy* que no se desnuda del todo, un cocinero que no cocina, desde luego, ésta no es nuestra noche…
—Bueno —suspiró—, ¿qué queréis? ¿Salado o dulce?

—Mmm… Qué rico…

—Si no es más que un plato de pasta… —contestó, modesto, imitando la voz del cocinero italiano del anuncio.

—¿Pero qué le has echado?

—Pues nada, unas cosillas…

—Está delicioso —repitió Camille—. ¿Y de postre?

—Plátanos flambeados… Tendrán que disculparme, señoritas, pero me tengo que apañar con lo que hay… Pero bueno, ya veréis que el ron no es de garrafa, ¡eh!

—Mmm —volvieron a decir, rebañando el plato—. ¿Y después?

—Después a la cama, y para quien le interese, mi habitación es por ese pasillo, al fondo a la derecha.

En lugar de seguir sus indicaciones se tomaron una infusión y se fumaron el último cigarro mientras Franck se quedaba roque en el sofá.

—Mmm, qué guapo nuestro Don Juan, con su *healing*, y su bálsamo sexual… —dijo Camille entre dientes.

—Sí, es verdad, es monísimo…

Franck sonreía en su estado semicomatoso, y se llevó un dedo a los labios para suplicarles silencio.

Cuando Camille entró en el cuarto de baño, encontró allí a Franck y a Myriam. Estaban demasiado cansados para andarse con rollitos de cederse el turno unos a otros, así que Camille cogió su cepillo de dientes mientras Myriam guardaba el suyo, y le deseó buenas noches.

Franck estaba inclinado sobre el lavabo, enjuagándose la boca, y cuando se incorporó, sus miradas se cruzaron.

—¿Eso te lo ha hecho ella?

—Sí.

—Te queda bien…

313

Sonrieron a sus reflejos en el espejo y ese medio segundo duró más que un medio segundo normal.

—¿Me puedo poner tu camiseta gris de tirantes? —preguntó Myriam desde la habitación.

Franck se cepilló los dientes enérgicamente y volvió a dirigirse a la chica del espejo llenándose la barbilla de pasta:

—*Ya che que ech una onnería, ero ech gontigo on guien yo gueía dormir...*

—¿Qué has dicho? —preguntó Camille frunciendo el ceño.

Franck escupió la pasta.

—He dicho: ya sé que es una tontería, pero bendigo tener un techo bajo el que dormir...

—Sí, desde luego —dijo Camille sonriendo—. Francamente, qué razón tienes...

Luego se volvió hacia él:

—Escúchame, Franck, tengo algo importante que decirte... Ayer te confesé que nunca cumplía mis buenos propósitos, pero hay uno que me gustaría que los dos adoptáramos y respetáramos...

—¡¿Quieres que dejemos de beber?!

—No.

—¿De fumar?

—No.

—¿Pues entonces qué quieres?

—Querría que te dejaras de jueguecitos conmigo...

—¿Qué jueguecitos?

—Lo sabes perfectamente... Tu *sexual planning,* todas esas indirectas tan poco sutiles... No... no me apetece perderte, ni que nos cabreemos. Tengo ganas de que todo salga bien, aquí y ahora... Que éste siga siendo un lugar… o sea, un lugar en el que los tres estemos bien… Un lugar tranquilo, sin líos… Yo… tú… Tú y yo no iríamos nunca a ninguna parte, te das cuenta, ¿verdad? O sea, vamos a ver, quiero decir… claro que podríamos acostarnos, vale, muy bien, pero luego, ¿qué? Lo nuestro no funcionaría nunca y me… vamos, que me parecería una lástima estropearlo todo…

Franck estaba contra las cuerdas, y necesitó varios segundos para saltarle a la yugular:

—¡Pero tía, ¿qué me estás contando?! ¡Yo nunca he dicho que quisiera acostarme contigo! Y aunque quisiera, ¡nunca podría hacerlo! ¡Estás demasiado flaca! ¿Cómo quieres que un tío tenga ganas de acariciarte? ¡Pero tía, tócate! ¡Tócate! Tía, estás desvariando…

—¿Ves como hago bien en advertirte? ¿Ves como te veo venir? Entre tú y yo nunca podría funcionar… Intento decirte las cosas con el mayor tacto posible y a ti no se te ocurre otra cosa que contestarme con tu agresividad de mierda, tu estupidez, tu mala fe y tu maldad. ¡Menos mal que nunca podrías acariciarme! ¡Menos mal! ¡No quiero tus sucias manos coloradotas y tus uñas mordisqueadas! ¡Ésas déjalas para las camareras!

Camille seguía aferrada al picaporte:

—Nada, que me ha salido mal la cosa… Más me habría valido callarme… ¡Pero mira que soy tonta…! Mira que soy tonta… Además, no suelo ser así normalmente. Qué va, para nada… Lo mío es más hacerme la longuis y darme el piro cuando la cosa se pone fea…

Franck se sentó en el borde de la bañera.

—Sí, así suelo reaccionar yo normalmente… Pero en este caso, como una idiota, me he obligado a hablarte porque…

Franck levantó la cabeza.

—¿Porque qué?

—Porque… ya te lo he dicho, me parece importante que este piso siga siendo un lugar tranquilo… Estoy a punto de cumplir veintisiete años y, por primera vez en mi vida, vivo en un sitio en el que me siento bien, un sitio al que vuelvo feliz por la noche, y mira, aunque no lleve aquí mucho tiempo, y pese a todas las burradas que me acabas de soltar, aquí sigo, pisoteando mi amor propio para no arriesgarme a perderlo… Eee… ¿entiendes lo que te estoy diciendo, o ahora mismo no sabes ni por dónde te da el aire?

—…

—Bueno, pues nada… Me voy a tocar, digo a acostar…

Franck no pudo evitar sonreír:

—Perdóname, Camille… No sé cómo comportarme contigo y siempre la cago…

—Sí.

—¿Por qué soy así?

—Buena pregunta… Bueno, ¿qué? ¿Enterramos el hacha?

—Venga, yo voy cavando…

—Genial. Bueno, ¿qué? ¿Nos damos un besito de buenas noches?

—No. Acostarme contigo, pase, pero besarte en la mejilla, ni hablar. No vaya a ser que me claves el pómulo…

—Mira que eres tonto…

Franck tardó un momento en levantarse, se acurrucó, se miró largo rato los dedos de los pies, las manos, las uñas, apagó la luz, y se tiró a Myriam distraídamente, aplastándola contra la almohada para que Camille no oyera nada.

Aunque esa conversación le costó cara, aunque se desnudó esa noche rozando su cuerpo con más desconfianza aún, impotente y desalentada por todos esos huesos que sobresalían en los lugares más estratégicos de la feminidad (las rodillas, las caderas, los hombros), aunque tardó en conciliar el sueño, pues estuvo pasando revista a todos sus defectos, no se arrepintió de ella. Ya desde la mañana siguiente, por la manera en que se movía, en que bromeaba, y se mostraba atento sin exagerar y egoísta sin darse ni cuenta, Camille comprendió que Franck había captado el mensaje.

La presencia de Myriam en su vida facilitó las cosas, y aunque seguía tratándola de cualquier manera, dormía a menudo fuera de casa y volvía más relajado.

A veces Camille echaba de menos el jueguecito que se traían antes... *Qué pava soy,* se decía, *con lo agradable que era...* Pero esas crisis de debilidad nunca le duraban demasiado. De haber escupido tanto en la taza del váter, sabía cuál era el precio de la serenidad: exorbitante. Y además, ¿en qué consistía todo eso exactamente? ¿Dónde terminaba la sinceridad y empezaba el juego con él? En ese punto estaba de sus divagaciones, sentada sola ante un gratén mal descongelado cuando descubrió algo extraño en el alféizar de la ventana...

Era el retrato que le había hecho Franck el día anterior.

En la entrada de la concha había un corazón de alcachofa fresco…

Camille volvió a sentarse, y se puso a comer sus calabacines fríos sonriendo como una tonta.

6

Fueron juntos a comprar una lavadora ultraperfecciona-
da y la pagaron a medias. Franck se puso contentillo
cuando el vendedor le replicó: «Pero si la señora tiene
toda la razón…», y la llamó querida todo el tiempo que
duró la explicación.

—La ventaja de estos aparatos combinados —recitaba
el charlatán—, de los «dos en uno», si prefieren llamarlo
así, es evidentemente lo que ganamos en espacio… Desgraciadamente todos sabemos cómo son las viviendas de
las jóvenes parejas hoy en día…

—¿Le decimos que lo nuestro consiste en un trío de
hecho y que compartimos un piso de 400 metros cuadrados? —murmuró Camille, cogiéndolo por el brazo.

—Cariño, por favor… —contestó Franck irritado—,
déjame escuchar lo que dice el señor…

Camille insistió en que la dejara enchufada antes de
que volviera Philibert, «si no verás cómo se agobia» y se
tiró toda una tarde limpiando una habitacioncita junto a
la cocina que antes debía de recibir el nombre de «lava-
dero»…

Descubrió montones y montones de sábanas, trapos
bordados, manteles, delantales y servilletas de nido de
abeja… Trozos viejos y duros de jabón, y productos rese-

cos dentro de unas cajas preciosas: cristales de sodio, aceite de lino, albayalde, alcohol para limpiar pipas, cera de la abadía de Saint-Wandrille, almidón Remy, suaves al tacto como piezas de un puzzle de terciopelo... Una impresionante colección de cepillos de todos los tipos y tamaños, un plumero tan bonito que parecía una sombrilla, un molde de madera de boj para que los guantes no se deformaran, y una especie de raqueta de mimbre para sacudir las alfombras.

Concienzudamente, Camille alineaba todos esos tesoros, plasmándolos en un gran cuaderno.

Se había empeñado en dibujarlo todo para poder regalárselo a Philibert el día que tuviera que dejar la casa.

Cada vez que Camille se ponía a ordenar un poco, terminaba sentada en el suelo, enfrascada en enormes sombrereras llenas de cartas y fotos, y se tiraba horas con atractivos bigotudos de uniforme, señoras que parecían sacadas de un cuadro de Renoir, y niños vestidos de nenas, que con cinco años posaban con la mano derecha apoyada en un caballo balancín, a los siete, en un aro, y en una Biblia a los doce, con los hombros un poco ladeados para exhibir sus bonitos brazaletes de pequeños comulgantes tocados por la gracia del Señor...

Sí, le encantaba ese lugar, y a menudo ocurría que diera un respingo al consultar su reloj, tuviera que correr por los pasillos del metro, y aguantar la bronca de SuperJosy mientras ésta le señalaba la hora que marcaba su propio reloj... Pero bah...

—¿Dónde vas?
—A currar, llego súper tarde...
—Abrígate bien, no veas la rasca que hace...
—Sí, papá... Por cierto... —añadió Camille.
—¿Qué?

—Mañana vuelve Philou…

—¿Ah, sí?

—He pedido el día libre… ¿Vas a estar en casa?

—No sé…

—Bueno…

—Ponte al menos una bufan…

Ya se había cerrado la puerta…

«A ver si se aclara», refunfuñó Franck, «si la cuido, mal hecho, si le digo que se abrigue, se burla de mí. Joder, esta tía va a acabar conmigo…»

Año nuevo, y las mismas pejigueras de siempre. Las mismas enceradoras que pesaban como muertos, los mismos aspiradores con la bolsa siempre llena, los mismos cubos numerados («¡Así se acabaron las peleas, chicas!»), los mismos productos entregados con cuentagotas, los mismos lavabos atascados, la misma Mamadou encantadora, las mismas compañeras cansadas, la misma Josy nerviosa… Todo igual.

Camille se encontraba mejor, y se afanaba menos. Había dejado los pedruscos en la puerta, había vuelto al trabajo, disfrutaba más de la luz del día, y ya no encontraba tantos motivos para vivir al revés… Era por la mañana cuando más productiva era, ¿y cómo trabajar por la mañana cuando nunca se iba a la cama antes de las dos o las tres de la madrugada, exhausta por un curro agotador?

Sentía un cosquilleo en las manos, y su cerebro parecía efervescente: Philibert estaba a punto de volver, Franck era soportable, los atractivos del piso, inestimables… Una idea le rondaba la cabeza… Una especie de fresco… bueno, un fresco no, qué palabra más grandilocuente… Más bien una evocación... Sí, eso, una evocación. Una crónica, una biografía imaginaria del lugar en el que vivía... Había en él tanta materia, tantos recuerdos... No sólo los objetos. No sólo las fotos, sino una *ammósfera,* como diría Franck... Murmullos, palpitaciones... Todos esos libros, esos tapices, esas molduras arrogantes, esos interruptores de porcelana, esos cables pelados, esos calentadores de metal, esos frasquitos de cataplasmas, esas hormas a medida y todas esas etiquetas amarillentas...

El ocaso de un mundo...

Philibert les había avisado: un día, quién sabe si mañana, tendrían que marcharse, coger su ropa, sus libros, sus discos, sus recuerdos, sus dos Tupper amarillos y abandonarlo todo.

¿Y después? ¿Quién sabe? En el mejor de los casos, el reparto; en el peor, a venderlo todo de cualquier manera u organizar un Rastrillo... Por supuesto, el reloj de pared y las chisteras encontrarían comprador, ¿pero quién se preocuparía del alcohol para limpiar pipas, los pesados pliegues de las cortinas, la cola de caballo con su pequeño exvoto *In memoriam* Venus, *1887-1912, espléndida alazana de cabeza moteada,* y el culín de quinina en su frasco azul, sobre el poyete del cuarto de baño?

¿Convalecencia? ¿Somnolencia? ¿Dulce demencia? Camille no sabía ni cómo ni cuándo se le había ocurrido esa idea, pero hete aquí que se había forjado la pequeña convicción de bolsillo —¿o tal vez, por qué no, se la habría soplado el marqués?— de que todo eso, esa elegancia, ese mundo agonizante, ese museíto de artes y tradiciones burguesas sólo esperaba su llegada, su mirada, su dulzura y su pluma embelesada para resignarse por fin a desaparecer...

Esa idea descabellada iba y venía, desaparecía durante el día, ahuyentada a menudo por una avalancha de rictus burlones: pero hija mía... ¿de qué vas? ¿Y quién te crees que eres? Y a ver, dime, ¿a quién podría interesarle todo esto?

Pero por la noche... ¡Ah, por la noche! Cuando volvía de sus rascacielos horrorosos donde se había pasado la mayor parte del tiempo en cuclillas delante de un cubo, limpiándose el moquillo con la manga de su bata de nailon, cuando se había agachado una y mil veces para tirar vasitos de plástico y papelajos, cuando había recorrido kilómetros de subterráneos de luces macilentas en los que insípidos *graffiti* no conseguían cubrir este tipo de cosas: «*¿Y él? ¿Qué siente cuando está dentro de ti?*», cuando dejaba sus llaves en la consola de la entrada y atravesaba ese enorme piso de puntillas, Camille no podía no oír todas esas voces: «Camille... Camille...» chirriaba el parqué, «Retennos...», suplicaban las antiguallas, «¡Demonios! ¿Por qué los Tupper y no nosotros?», se indignaba el viejo general fotografiado en su lecho de muerte. «¡Tiene razón! ¿Por qué?», exclamaban a coro a su vez los botones de cobre y las astrosas costuras.

Entonces Camille se sentaba a oscuras y, lentamente, se liaba un cigarrillo para calmar las voces. *Primero, me traen sin cuidado los Tupper, segundo, estoy aquí, no tenéis más que despertarme antes de mediodía, panda de listillos...*

Y se ponía a pensar en el príncipe Salina que volvía solo, a pie, después del baile... El príncipe, que venía de asistir, impotente, al declive de su mundo y que, al ver la carcasa sanguinolenta de un buey en la calzada, imploraba al Cielo que no se demorara demasiado...

El tío de la quinta planta le había dejado una caja de bombones Mon Chéri de su parte. *Será chalado,* se rió Camille, y se los regaló a su jefa preferida. Dejó que el muñecajo hirsuto le diera las gracias por ella: «Vaya, muchas gracias, pero dígame una cosa… ¿no los tendría de licor por un casual?»

Jajá, qué graciosa soy, suspiró Camille dejando su dibujo sobre la mesa, *pero qué graciosa soy…*

Y así, con ese estado de ánimo medio soñador medio burlón, con un pie en *El Gatopardo* y el otro en el arroyo, Camille abrió la puerta del cuartito situado detrás de los ascensores donde guardaban los bidones de lejía y todos sus trastos.

Era la última en marcharse y empezó a desnudarse en la penumbra cuando se dio cuenta de que no estaba sola…

Su corazón dejó de latir y sintió que algo caliente resbalaba por sus muslos: acababa de orinarse encima.

—¿Quién… quién anda ahí? —articuló, tanteando la pared en busca del interruptor.

Estaba ahí, sentado en el suelo, asustado, con una mirada de loco, los ojos hundidos en sus cuencas por culpa del caballo o del mono. Ese tipo de rostro Camille se lo sabía de memoria. No se movía, ya no respiraba y amordazaba la boca de su perro con las dos manos.

Permanecieron así unos segundos, mirándose en silencio, el tiempo de comprender que ninguno de los dos iba a morir por culpa del otro, y cuando apartó la mano derecha para llevarse un dedo a los labios, Camille lo sumió de nuevo en la oscuridad.

Su corazón volvía a latir. Cogió su abrigo de cualquier manera y salió caminando de espaldas.

—¿El código? —gimió él.

—¿C… cómo?

—¿El código para salir del edificio?

Camille ya no se acordaba, tartamudeó, se lo dio por fin, buscó la salida agarrándose a las paredes y se encontró en la calle, temblando como una hoja y bañada en sudor.

Se cruzó con el vigilante:
—Un frío que pela, ¿eh?
—...
—¿Estás bien? Parece que hubieras visto un fantasma...
—Cansada...

Camille estaba helada, se cruzó el abrigo sobre el pantalón de chándal empapado y echó a andar en la dirección equivocada. Cuando se dio cuenta por fin de dónde se encontraba, fue caminando por la calzada para coger un taxi.

Era un coche lujoso que indicaba las temperaturas interior y exterior (+ 21°, –3°). Camille separó los muslos, apoyó la frente en la ventanilla y se pasó el resto del trayecto observando los bultos formados por seres humanos acurrucados sobre las rejillas de ventilación y en los zaguanes de los portales.

Los testarudos, los cabezotas, los que rechazaban las mantas de aluminio para que no los iluminaran los faros de los coches y que preferían el asfalto tibio a los azulejos de los albergues.

Camille hizo una mueca.

Unos horribles recuerdos le atenazaron la garganta...

¿Y el fantasma aturdido de antes? Parecía tan joven... ¿Y su perro? Era una tontería... Con un perro no podía ir a ningún lado... Debería haber hablado con él, advertirle que tuviera cuidado con la bestia de *Matrix*, y preguntarle si tenía hambre... No, lo que quería era su chute... ¿Y el chucho? ¿Cuándo sería la última vez que había comido? Camille suspiró. Qué idiota... Angustiarse por un perro callejero cuando media humanidad soñaba con un rinconcito sobre una boca de ventilación, qué idiota... Anda, tía, cállate que me avergüenzas. ¿De qué vas? Apagas la luz para no verlo más y luego te reconcomes en el asiento de atrás de un cochazo de lujo empapando en lágrimas tu pañolito de encaje...

Anda que desde luego...

La casa estaba vacía. Camille buscó algo de alcohol, lo que fuera, bebió lo necesario para encontrar el camino de la cama y se levantó en plena noche para vomitar.

7

Con las manos en los bolsillos y el cuello estirado, Camille daba saltitos debajo del panel de información cuando una voz conocida le dio el dato que buscaba:

—Tren procedente de Nantes. Efectuará su llegada a las 20:35 por la vía 9. Se calcula un retraso de unos quince minutos... Como de costumbre...

—¡Anda! ¿Estás aquí?

—Pues sí... —añadió Franck—. He venido de carabina... ¡Anda, pero si te has puesto guapa! ¿Y esto qué es? ¿Me equivoco o te has pintado los labios?

Camille escondió su sonrisa entre los agujeros de su bufanda.

—Mira que eres tonto...

—No, estoy celoso. Por mí nunca te pintas los labios...

—No es pintalabios, es una cosa para cuando tienes los labios cortados...

—Mentirosa. Enséñamela...

—No. ¿Sigues de vacaciones?

—Mañana por la noche vuelvo al curro...

—¿Ah, sí? ¿Qué tal tu abuela? ¿Bien?

—Sí.

—¿Le diste mi regalo?

—Sí.

—¿Y qué dijo?

—Pues dijo que para dibujarme tan bien, tienes que estar loca por mí...

—Anda ya...

—¿Vamos a tomar algo?

—No. Llevo todo el día encerrada en casa... Me voy a sentar aquí, a mirar a la gente...

—¿Puedo echar una ojeada contigo?

Se acurrucaron pues en un banco, entre un quiosco de prensa y una máquina validadora de billetes, y observaron el gran carrusel de viajeros apresurados.

—¡Hala, chaval! ¡Corre! Huy, por poco... Demasiado tarde...

—¿Un euro? No. Un cigarro si quieres...

—¿Me podrías explicar por qué son siempre las chicas con peor tipo las que llevan pantalones de talle bajo? Yo es que no lo entiendo...

—¿Un euro? ¡Eh, tío, que ya me has preguntado antes!

—Eh, mira a la viejita esa con su peinado de rulos, ¿te has traído el cuaderno? ¿No? Qué pena... Y ése de ahí... Mira qué contento parece de ver a su mujer...

—Es sospechoso —opinó Camille—, debe de ser su amante...

—¿Por qué dices eso?

—Un hombre que llega a la ciudad con un maletín y se precipita sobre una mujer con abrigo de piel, besándola en el cuello... Hazme caso, es sospechoso...

—Qué va... a lo mejor es su mujer, ¿no?

—¡Que no, hombre, que no! ¡Su mujer está en casita,

y a la hora que es estará acostando a los niños! Mira, ésa sí que es una pareja de verdad —rió Camille con malicia señalándole a un hombre y una mujer muy vulgares que discutían a gritos junto al andén...

Franck negó con la cabeza:

—Eres una pesimista...

—Y tú, un sentimental...

Entonces pasaron delante de ellos dos viejitos a paso de burra, encorvados, tiernos, cautelosos, y cogiditos del brazo. Franck le dio un codazo a Camille:

—¿Y ahora qué me dices?

—Esto merece una reverencia...

—Me encantan las estaciones.

—A mí también —dijo Camille.

—Para conocer un país, no hace falta hacer el chorra en un autocar de turistas, basta visitar las estaciones y los mercados y con eso ya lo entiendes todo...

—Estoy totalmente de acuerdo contigo... ¿Tú en qué sitios has estado?

—En ninguno...

—¿Nunca has salido de Francia?

—Estuve dos meses en Suecia... De cocinero en la embajada... Pero fue en invierno y no vi nada. Allí no se puede beber... No hay bares, no hay nada...

—Pero... ¿y la estación? ¿Y los mercados?

—Nunca vi la luz del día...

—¿Te gustó? ¿De qué te ríes?

—De nada...

—Cuéntamelo...

—No.

—¿Por qué?

—Porque no...

—Oh, oh... Aquí hay una historia de faldas...

—No.

—Mentiroso, te lo veo en la… en cómo te está creciendo la nariz…

—Bueno, qué, ¿vamos? —dijo, señalándole los andenes.

—Antes cuéntame…

—Pero si no es nada… Son chorradas…

—¿Te tiraste a la mujer del embajador, es eso?

—No.

—¿A su hija?

—¡Sí! ¡Has acertado! ¿Qué, estás contenta?

—Muy contenta —asintió Camille—, ¿y era mona?

—Un cardo borriquero.

—Anda ya…

—Sí. No se hubiera fijado en ella ni un sueco que se hubiera largado a Dinamarca a cogerse una buena cogorza…

—¿Entonces por qué lo hiciste? ¿Por compasión? ¿Por capricho?

—Por crueldad…

—Cuenta.

—No. A no ser que me digas que te has equivocado y que la rubia de antes era de verdad su mujer…

—Me he equivocado: la puta del abrigo de piel de nutria sí que era su mujer. Llevan dieciséis años casados, tienen cuatro hijos, se adoran, y ahora mismo ella debe de estar precipitándose sobre su bragueta en el ascensor del aparcamiento sin perder de vista el reloj porque se dejó un guiso de ternera en el horno antes de irse y le gustaría hacerle llegar al orgasmo antes de que se le quemen los puerros…

—Anda ya… ¡El guiso de ternera no lleva puerros!

—¿Ah, no?

—Lo confundes con el potaje…

—Bueno, ¿y qué pasó con la sueca?

—Que no era sueca, era francesa te digo… De hecho, la que me ponía era su hermana… Una princesita demasiado mimada… Una colegiala vestida a lo Spice Girl y más caliente que la boca del infierno… Supongo que ella también debía de aburrirse… Y para pasar el rato, venía a sentar su culito sobre nuestros fogones. Provocaba a todo quisque, mojaba el dedo en mis salsas y se lo chupaba lentamente mirándome con lascivia… Ya me conoces, soy un tío más bien simple, así que un día la pillé por banda en el sótano, y la muy gilipollas se puso a gritar. Que se lo iba a contar a su padre y tal… Madre mía, soy un tío más bien simple, vale, pero no me gustan las calientapollas… Así que me tiré a su hermana mayor para darle una lección…

—¡Pero eso para la fea es una putada!

—Para los feos todo es una putada, eso ya lo sabes…

—¿Y después?

—Después me largué…

—¿Por qué?

—…

—¿Incidente diplomático?

—Si quieres llamarlo así… Venga, ahora sí que nos vamos…

—A mí también me gusta que me cuentes historias…

—Sí, no veas qué historia…

—¿Tienes muchas más así?

—No. ¡Normalmente prefiero currármelo para liarme con la guapa!

—Tendríamos que ir más allá —gimió Camille—, si coge las escaleras de allí y sube hacia los taxis, nos vamos a cruzar…

—Tú tranqui… Conozco a Philou… Siempre sigue todo recto hasta que se choca con un poste, luego se disculpa y levanta la cabeza para ver dónde está la salida…

—¿Seguro?

—Que sí, hombre… Eh, tía, tranqui… ¿Estás enamorada, o qué?

—No, pero ya sabes cómo son estas cosas… Sales del vagón con todos tus bártulos. Estás un poco grogui, un poco desanimado… No esperas a nadie y ¡zas!, de repente ves a alguien ahí, al final del andén, esperándote… ¿Tú nunca has soñado con eso?

—Yo es que no sueño…

—Yo es que no sueño —repitió ella, poniendo un tono macarra—, yo es que no sueño y no me gustan las calientapollas. Estás avisada, nena…

Franck parecía consternado.

—Eh, mira —añadió Camille—, creo que es ése de ahí…

Estaba en la otra punta del andén y tenía razón Franck: era el único que no llevaba vaqueros, ni zapatillas de deporte, ni bolsón, ni maleta con ruedas. Iba muy tieso, caminando despacio, y en una mano llevaba una gran maleta de cuero sujeta con una correa y en la otra, un libro aún abierto…

Camille dijo sonriendo:

—No, no estoy enamorada de él, pero ¿sabes?, es el hermano mayor que me hubiera encantado tener…

—¿Eres hija única?

—No… no lo sé —murmuró, precipitándose hacia su adorado zombi bizco.

Éste, por supuesto, estaba confuso, por supuesto tartamudeó, por supuesto soltó su maleta, que fue a caer sobre los pies de Camille, por supuesto se deshizo en mil disculpas, a la vez que se le caían las gafas. Por supuesto.

—Oh, Camille, no exagere… Parece usted un cachorrito, pero, pero…

—No me hables, está insoportable... —masculló Franck.

—Anda, coge su maleta —le ordenó Camille mientras se colgaba del cuello de Philibert—. ¿Sabes?, tenemos una sorpresa para ti...

—Una sorpresa, Dios mío, no... No... no me gustan mucho las sorpresas, no e... era necesario...

—¡Eh, tortolitos! ¿Os importa no ir tan rápido? Es que aquí, el mozo de las maletas está un poco cansado... ¡Joder, tío, ¿pero qué llevas aquí?! ¿Una armadura, o qué?

—Oh, unos cuantos libros... Nada más...

—Joder, Philou, pero si ya tienes miles, tío... ¿Éstos no podías habértelos dejado en el castillo?

—Caramba, nuestro amigo parece estar en forma... —le dijo a Camille al oído—, y usted, ¿qué tal?

—¿Usted? ¿A quién te refieres?

—Pues... a usted, claro...

—¿Cómo?

—¿T... tú?

—¿Yo? —dijo Camille, sonriendo—, muy bien. Me alegro de que estés aquí...

—Yo también... ¿Ha ido todo bien? ¿No ha habido que cavar trincheras en el piso? ¿Ni poner alambradas? ¿Ni sacos terreros?

—Ningún problema. Ahora mismo tiene una novia...

—Ah, muy bien... ¿Y qué tal las fiestas?

—¿Qué fiestas? ¡La fiesta es esta noche! De hecho, nos vamos por ahí a cenar... ¡Invito yo!

—¿Dónde? —refunfuñó Franck.

—¡A La Coupole!

—Oh, no... Eso no es un restaurante, es una fábrica de comida...

Camille frunció el ceño y declaró:

—Sí. A La Coupole. A mí me encanta ese sitio... No

se va por la comida, sino por el sitio en sí, el ambiente, la gente y para estar juntos...

—¿Qué quiere decir eso de «no se va por la comida»? ¡Lo que hay que oír!

—Bueno, pues si no te quieres venir, peor para ti, pero yo invito a Philibert. ¡Podéis tomároslo como mi primer capricho del año!

—No habrá sitio...

—¡Que sí, hombre! Y si no, esperaremos en el bar...

—¿Y la biblioteca del señor marqués? ¿Me toca a mí tragármela hasta allí?

—No hay más que dejarla en la consigna y ya vendremos luego a buscarla...

—Anda... ¡joder, Philou! ¡Di tú algo!

—¿Franck?

—¿Qué?

—Tengo seis hermanas...

—¿Y?

—Entonces te lo diré muy clarito: abandona. Las que mandan son las mujeres...

—¿Y eso quién lo dice?

—La sabiduría popular...

—¡Y dale! ¡Ya estáis otra vez! Joder, qué pesados sois con tanto refrán...

Franck se calmó cuando Camille lo cogió a él también del brazo. En el bulevar Montparnasse, la gente se apartaba para dejarlos pasar.

De espaldas estaban muy lindos los tres...

A la izquierda, un chico alto y delgado, con una pelliza a lo doctor Zhivago, a la derecha, uno bajito y cachas, con una cazadora Lucky Strike, y en medio, una chica que charlaba animadamente, reía, daba saltitos y soñaba en

334

secreto con que la levantaran en volandas, diciendo: «¡A la de una! ¡A la de dos, y a la deeeee… tres! ¡Arribaaaaa!…»

Se apretaba contra ellos con todas sus fuerzas. Todo su equilibrio estaba ahí ese día. Ni delante, ni detrás, sino ahí. Justo ahí. Entre esos dos codos bonachones…

El chico alto y delgado inclinaba ligeramente la cabeza, y el bajito cachas hundía los puños en los bolsillos gastados de su cazadora.

Los dos, sin ser tan conscientes de ello, pensaban exactamente lo mismo: nosotros tres, aquí, ahora, hambrientos, juntos, y que venga lo que tenga que venir…

Durante los primeros diez minutos, Franck estuvo insoportable, criticando por turnos la carta, los precios, el servicio, el ruido, los turistas, los parisinos, los americanos, los que fumaban, los que no fumaban, los cuadros, los bogavantes, a su vecina, su cuchillo y la estatua inmunda que seguramente le quitaría el apetito.

Camille y Philibert se reían.

Después de una copa de champán, dos de vino, y seis ostras, por fin cerró el pico.

Philibert, que no tenía costumbre de beber, se reía todo el rato y sin ningún motivo. Cada vez que volvía a dejar la copa sobre la mesa, se limpiaba la boca, e imitaba al cura de su pueblo, soltando sermones místicos y torturados antes de concluir: «Aaaamén, ahhh, pero qué bien se está con vosotros…» Respondiendo a sus súplicas, les habló de su pequeño reino húmedo, de su familia, de las inundaciones, de la cena de fin de año en casa de sus primos integristas, y de paso les explicó numerosos ritos y costumbres alucinantes con un humor serio que les encantó.

Franck, sobre todo, abría unos ojos como platos y repetía «Anda ya... ¡No puede ser! ¿¿En serio??» cada dos por tres:

—Dices que son novios desde hace dos años y que nunca han... Anda ya... No me lo creo...

—Deberías hacer teatro —lo apremiaba Camille—, estoy segura de que serías un *showman* buenísimo... Tienes tanto vocabulario, y cuentas las cosas con tanto humor... Tanta distancia... Tendrías que hacer un monólogo sobre el encanto especial de la vieja nobleza francesa, o algo por el estilo...

—¿Tú... tú crees?

—¡Estoy segura! ¿Verdad que sí, Franck? Pero... ¿no me habías hablado de una chica del museo que quería llevarte a sus clases?

—Sí, en e... efecto... pero, pero t... tartamudeo demasiado...

—No, cuando estás contando algo no tartamudeas...

—¿De... de verdad lo creéis?

—Sí. ¡Venga! ¡Es tu buen propósito del año! —dijo Franck, haciendo un brindis—. ¡Al escenario, monseñor! Y no te quejes, ¿eh?, porque tu propósito no es nada difícil de cumplir...

Camille les pelaba las gambas, quebraba patas, pinzas y caparazones, y les preparaba unas tostas deliciosas. Desde muy pequeña le encantaban las fuentes de marisco porque siempre había mucho que hacer y poco que comer. Con una montaña de hielo picado entre ella y sus interlocutores, podía dar el pego durante toda la comida sin que nadie se metiera con ella o le diera la tabarra. Y de nuevo aquella noche, cuando ya llamaba al camarero para pedirle otra botella, estaba muy lejos de haber hecho honor a su ración. Se enjuagó los dedos, cogió una rebanada de pan de centeno, y apoyó la espalda en la pared cerrando los ojos.

Clic clac.
Que nadie se mueva.
Momento suspendido en el tiempo.
Felicidad.

Franck hablaba de carburadores con Philibert, que lo escuchaba pacientemente demostrando así, una vez más, su exquisita educación y su gran corazón:

—Desde luego, 89 euros no es poco —decía muy serio, asintiendo con la cabeza—, y... ¿qué opina tu amigo el... el gordo ese...?

—¿El gordo de Titi?

—¡Sí, ése!

—Huy, a Titi se la suda... Pedazos de chatarra así, tiene los que quiere y más...

—Naturalmente —contestó Philibert, sinceramente afligido—, el gordo de Titi es el gordo de Titi...

No lo decía en plan de burla. En sus palabras no había la más mínima ironía. El gordo de Titi era el gordo de Titi, y no había más que hablar.

Camille preguntó quién quería compartir unas *crêpes* flambeadas con ella. Philibert prefería un sorbete y Franck tomó sus precauciones:

—Espera, espera... ¿Tú qué tipo de tía eres? ¿De las que dicen «compartimos» y luego se ponen moradas haciéndose las finas? ¿De las que dicen «compartimos» y apenas prueban la tarta? ¿O de las que dicen «compartimos» y comparten de verdad?

—Arriésgate y lo sabrás...

—Mmm, están riquísimas...

337

—Qué va, están recalentadas, son demasiado gruesas y les han puesto demasiada mantequilla… Ya te las haré yo algún día y verás qué diferencia…

—Cuando quieras…

—Cuando te portes bien.

Philibert se daba perfecta cuenta de que algo había cambiado, pero no sabía muy bien qué.

No era el único.

Y eso era lo gracioso…

Como Camille insistía, y las mujeres son las que mandan, hablaron de dinero: ¿quién paga qué, cuándo y cómo? ¿Quién hace la compra? ¿Cuánto se le da a la portera de aguinaldo? ¿Qué nombres ponemos en el buzón? ¿Instalamos una línea telefónica? ¿Nos dejamos amedrentar por las cartas exasperadas del Tesoro Público? ¿Y la limpieza? Cada uno su habitación, vale, ¿pero por qué le tocaba siempre a ella o a Philou el marrón de limpiar la cocina y el cuarto de baño? Hablando del cuarto de baño, hace falta una papelera, ya me ocupo yo… Tú, Franck, a ver si reciclas tus latas de cerveza, y ventila de vez en cuando tu habitación porque si no, nos va a dar algo a todos… Y el retrete, tres cuartos de lo mismo. Se ruega bajar la tapa del váter, y cuando ya no quede papel higiénico, se avisa. Bueno, y también podríamos comprarnos un aspirador en condiciones, digo yo… La escoba de paja del año de la tana tiene su encanto, pero sólo hasta cierto punto… Y… ¿algo más?

—¿Qué, Philou, entiendes ahora por qué te decía yo que no dejaras que se te colara una chica en casa? ¿Has visto en qué jaleo nos ha metido? Y tú espera, que esto no ha hecho más que empezar…

Philibert Marquet de la Durbellière sonreía. No, no lo

entendía. Acababa de pasar quince días humillantes bajo la mirada exasperada de su padre, que ya no lograba ocultar su desaprobación. Un hijo primogénito a quien no interesaban ni las tierras, ni los bosques, ni las mujeres, ni las finanzas y menos aún su rango social. Un incapaz, un tontorrón que vendía postales para el Estado y tartamudeaba cuando su hermana pequeña le pedía que le pasara la sal. El único heredero del título y ni siquiera era capaz de mostrar un poco de aplomo cuando se dirigía al guarda forestal. No, él no se merecía un hijo así, se decía cada mañana rechinando los dientes cuando lo sorprendía a cuatro patas en la habitación de Blanche jugando a las muñecas con ella…

—¿No tiene nada mejor que hacer, hijo mío?

—No, padre, p… pero dígame, si m… me necesita para algo…

Pero salió de la habitación dando un portazo antes de que Philibert tuviera tiempo de terminar la frase.

—¿Vale que tú hacías la comida y yo iba a la compra? ¿Y vale que tú hacías gofres y después íbamos al parque a sacar de paseo a los bebés…?

—Sí, bonita, vale, lo que tú quieras…

Para él, Blanche o Camille eran la misma cosa: chiquillas que lo querían y a veces le daban besitos. Y a cambio de eso, estaba dispuesto a tragarse el desprecio de su padre y a comprar cincuenta aspiradores si era necesario.

No había ningún problema.

Como le gustaban los manuscritos, los juramentos, los pergaminos, los mapas y otros tratados, fue Philibert quien apartó las tazas de café y sacó una hoja de su maletín, sobre la que escribió ceremoniosamente: «Carta Magna de la avenida Émile Deschanel para uso de sus ocupantes y demás visit…»

Aquí se interrumpió:

—¿Y quién era Émile Deschanel, niños?

—¡Un presidente de la República!

—No, ése se llamaba Paul. Émile Deschanel era un hombre de letras, profesor en la Sorbona y destituido a causa de su obra *Catolicismo y socialismo*... O al revés, ya no me acuerdo... De hecho, a mi abuela le sentaba un poco mal que en sus tarjetas de visita apareciera el nombre de este canalla... Bueno, esto... ¿por dónde iba?

Retomó punto por punto todo cuanto se había decidido, incluido el papel higiénico y las bolsas de basura, y les pasó el nuevo protocolo para que cada uno pudiera añadir sus propias convenciones.

—Estoy hecho todo un jacobino... —suspiró.

Franck y Camille dejaron sus copas de vino de mala gana y escribieron muchas tonterías...

Imperturbable, Philibert sacó su lacre, sobre el que fijó el sello de su anillo ante la mirada pasmada de los otros dos, y luego dobló la hoja en tres y se la guardó con total naturalidad en el bolsillo de su chaqueta.

—Oye... ¿siempre vas por ahí con tus bártulos de Luis XIV encima? —preguntó Franck por fin, meneando la cabeza en un gesto de incredulidad.

—Mi lacre, mi sello, mis sales, mis escudos de oro, mi plastrón y mis venenos... Desde luego que sí, querido amigo...

Franck, que había reconocido a uno de los camareros, fue a echar una ojeada a las cocinas.

—Sigo diciendo, una fábrica de comida. Pero una fábrica bonita, eso sí.

Camille se apoderó de la cuenta, *que sí, que sí, insisto, vosotros pasaréis la aspiradora,* recuperaron la maleta, pasando por encima de los cuerpos de algunos mendigos tumbados aquí y allá, Lucky Strike se subió a su moto, y los otros dos llamaron a un taxi.

8

Camille lo esperó en vano al día siguiente, al otro, y el resto de la semana. Ni rastro. Del guardia de seguridad, con el que ya pegaba un poco la hebra (a *Matrix* no le había bajado el cojón derecho, un drama…), tampoco sacó ninguna información. Sin embargo, Camille sabía que andaba por ahí. Cuando dejaba una bolsa de provisiones detrás de los bidones de detergente, con pan, queso, lechuga, plátanos y comida para perros, ésta desaparecía sistemáticamente. Nunca había un solo pelo de perro, nunca una miga, ni el más mínimo olor… Para ser un yonqui, a Camille le parecía que se organizaba muy bien, hasta tal punto que incluso llegó a dudar de quién sería el destinatario de sus atenciones… Lo mismo era el chalado del guardia, que alimentaba por la gorra a su monocojónico… Tanteó un poco el terreno, pero no, *Matrix* sólo comía croquetas enriquecidas con vitamina B_{12} con una cucharada de aceite de ricino para el pelo. Las latas eran una mierda. ¿Por qué darle a tu perro algo que tú mismo no te comerías?

Eh, a ver, ¿por qué?

—Pero las croquetas será lo mismo, ¿no? Tú no te las comerías…

—¡Pues claro que me las como!

—Sí, anda ya…

—¡Te lo juro!

Lo peor de todo era que Camille lo creía. El monocojón y el mononeurona, mano a mano, mordisqueando croquetas de pollo y viendo una peli porno, en su garita recalentada, en plena noche. Claro que sí, cuadraba por completo.

Y así transcurrieron varios días. Algunas veces no venía. El pan se ponía duro y ahí seguían los cigarrillos. Otras veces, se pasaba por ahí pero no cogía nada más que la comida del perro... Demasiado colocado, o no lo suficiente como para poder darse un atracón... Otras veces, era Camille quien faltaba a la cita... Pero ya no se comía el coco con eso. Echaba un vistazo rápido al fondo del cuartito para saber si tenía que vaciar su bolsa de provisiones, y listo.

Tenía otras preocupaciones...

En el piso no había problema, la cosa funcionaba, con o sin carta magna, con o sin Myriam, con o sin manías compulsivas cada uno iba a su bola sin molestar a los demás. Se saludaban cada mañana, y se drogaban al volver a casa por la noche, sin armar jaleo. Costo, marihuana, vino peleón, incunables, María Antonieta o Heineken, cada uno con su vicio particular, y Marvin Gaye para todos.

Durante el día, Camille dibujaba y, cuando estaba en casa, Philibert le leía libros o le comentaba las fotos de familia:

—Éste es mi tatarabuelo... El joven a su lado es su hermano, Élie, y los que están delante son sus perros... Organizaban carreras de perros y era el cura, ese que está sentado ahí junto a la meta, el que proclamaba al ganador.

—Jopé, pues qué bien se lo pasaban, ¿no...?

—Y muy bien que hacían... Dos años más tarde se fueron al frente de las Ardenas, y seis meses después, murieron los dos...

No, donde la cosa no marchaba bien era en el curro… Para empezar, el tío de la quinta planta la abordó una noche preguntándole que si quería sujetarle el mango de la escoba. Jajá, estaba encantado con su broma, y la persiguió por toda la planta repitiendo: «¡Estoy seguro de que es usted! ¡Estoy seguro de que es usted!» Quita de en medio, gilipollas, que me estorbas.

«No, es ella», terminó por soltarle Camille, señalándole a SuperJosy, ocupada en contarse las varices.

Game over.

Y segundo, ya no soportaba a la Josy, justamente…

Era más tonta que Abundio, tenía un poco de poder y abusaba de él sin moderación (¡jefa de plantilla en Todoclean, ni que fuera el Pentágono!), sudaba, echaba perdigones al hablar, siempre estaba cogiendo capuchones de boli para hurgarse entre las muelas de atrás y sacarse hebras de carne, y en cada planta tenía que soltar un chiste racista, amparándose en Camille, pues era la única blanca del equipo aparte de ella.

Camille tenía que agarrarse muy fuerte a la fregona para no metérsela por un ojo, y un día le pidió que se tragara sus chorradas porque estaba empezando a tocarles las narices a todas.

—Anda, mira la otra con lo que sale… ¡Y mira cómo me habla! Para empezar, ¿qué coño pintas tú aquí? ¿Qué coño pintas tú con nosotras? ¿Nos estás espiando, o qué? Esto mismo me pregunté yo el otro día, mira tú por dónde… Que lo mismo te habían *mandao* los jefes para espiarnos o algo así… He visto en tu nómina dónde vives, y cómo hablas y todo eso… Tú no eres de los nuestros. Apestas a burguesa, apestas a dinero. ¡Vendida!

Las otras chicas no reaccionaban. Camille empujó su carrito y se alejó.

Se dio la vuelta y les espetó a las demás:

—A mí, lo que me diga ella me resbala porque la desprecio... Pero vosotras, vosotras sois subnormales... Si he rechistado ha sido por vosotras, para que dejara de humillaros, y no es que espere que me deis las gracias, eso también me la suda, pero al menos, podríais venir a limpiar los retretes conmigo... Porque por muy burguesa que sea, no es por nada pero siempre me toca a mí comerme ese marrón...

Mamadou hizo un ruido raro con la boca y soltó un enorme lapo a los pies de Josy, algo de verdad monstruoso. Después cogió su cubo, lo lanzó hacia delante, y le dio con él un golpe a Camille en el trasero:

—¿Cómo una chica con un culo tan pequeño puede tener la boca tan grande? Desde luego, nunca vas a dejar de asombrarme, chica...

Las otras mascullaron no se sabe qué y se dispersaron sin armar jaleo. Samia le traía sin cuidado. Lo de Carine ya le dolía más... A Carine la apreciaba... A Carine, que en realidad se llamaba Rachida, no le gustaba su nombre y le lamía el culo a una fascista. Pues sí que iba a llegar lejos, la niña...

A partir de ese día, cambiaron las cosas. El trabajo seguía siendo una mierda, y el ambiente se volvió nauseabundo. Era ya demasiado...

Camille había perdido compañeras de trabajo, pero tal vez estaba ganando una amiga... Desde ese día, Mamadou la esperaba en la boca de metro y hacía equipo con ella. No daba ni golpe mientras Camille curraba por dos. No es que Mamadou lo hiciera aposta, no, sencillamente, la verdad, la pura verdad era que estaba demasiado gorda para ser eficaz. Lo que a ella le llevaba un cuarto de hora,

Camille lo limpiaba en dos minutos, y además, a Mamadou le dolía todo el cuerpo. No era cuento. Su pobre mole ya no podía aguantar más todo eso: unos muslos monstruosos, unas tetas enormes, y un corazón más grande todavía. Éste se quejaba, y no le faltaba razón.

—Tienes que adelgazar, Mamadou…

—Sí, claro… ¿Y tú qué? ¿Cuándo vienes a mi casa a comer pollo «mafé»? —le replicaba a cada vez.

Camille le había propuesto un trato: yo doy el callo, pero tú me das conversación.

Estaba lejos de imaginarse lo lejos que la llevaría esa frasecita… La infancia en Senegal, el mar, el polvo, las cabritas, los pájaros, la miseria, los nueve hermanos, el misionero blanco que se quitaba el ojo de cristal para hacerles reír, la llegada a Francia en el 72 con su hermano Léopold, su trabajo de barrendera, el fracaso de su matrimonio, su marido, que con todo era un buen hombre, sus hijos, su cuñada, que se pasaba las tardes por ahí de tiendas mientras ella tenía que apechugar con todo el trabajo, el vecino que se había vuelto a cagar de nuevo, pero esta vez en la escalera, las fiestas que solían montar en casa, los problemas, su prima hermana, Germaine, que se ahorcó el año anterior, dejando huérfanas a dos gemelitas preciosas, los domingos por la tarde en la cabina telefónica, los trajes típicos africanos, las recetas de cocina y mil imágenes más de las que Camille nunca se cansaba. Ya no necesitaba leer el *Courrier International,* ni al poeta senegalés Senghor, ni la edición de Seine-Saint-Denis de *Le Parisien,* bastaba pasar más veces la fregona y abrir los oídos de par en par. Y cuando Josy se dejaba caer por ahí (lo cual no era frecuente), Mamadou se agachaba, pasaba un poquito el trapo por el suelo y esperaba a que se disipara el olor antes de incorporarse.

Confidencia tras confidencia, Camille se atrevió a hacer preguntas más indiscretas. Su compañera le contaba cosas horribles, o que por lo menos a Camille le parecían horribles, con una tranquilidad que la dejaba pasmada.

—¿Pero cómo te las apañas? ¿Cómo lo aguantas? ¿Cómo lo haces? Tu vida es un infierno…

—Anda, anda, anda… No hables de lo que no sabes. El infierno es mucho peor que eso… El infierno es cuando ya no puedes ver a la gente que quieres… Todo lo demás no importa… Oye, ¿quieres que vaya a buscarte trapos limpios?

—Pero seguro que podrías encontrar un curro más cerca de tu casa… Tus hijos no deberían quedarse solos por la noche, nunca se sabe lo que puede pasar…

—Está mi cuñada.

—Pero me dices que no puedes contar con ella…

—A veces, sí…

—Todoclean es una gran empresa, seguro que podrías encontrar alguna oficina más cerca de tu casa… ¿Quieres que te ayude? ¿Que lo pregunte por ti? ¿Que escriba a la dirección de personal? —dijo Camille levantándose del suelo.

—No. ¡No muevas un dedo, loca! La Josy es como es, pero hace la vista gorda en muchas cosas, ¿sabes…? Parlanchina y gorda como soy, ya me puedo considerar afortunada por tener trabajo… ¿Te acuerdas de la revisión médica que pasamos en septiembre? El idiota del medicucho ese… Me la quiso liar porque según él tenía el corazón ahogado en grasa, o no sé qué me dijo… Bueno, pues la que me sacó las castañas del fuego fue ella, así que ya te digo que sobre todo no muevas un dedo…

—Espera un momento… ¿Hablamos de la misma persona? ¿De la gilipollas que te trata siempre como a una mierda?

—¡Que sí, mujer, que sí hablamos de la misma! —dijo Mamadou riéndose—. Yo sólo conozco a una. ¡Y menos mal, oye!

—¡Pero si acabas de escupirle!

—¿Pero dónde has visto tú eso? —preguntó, enfadada—. ¡No le he escupido! Yo no me permitiría algo así…

Camille vació la papelera en silencio. La de matices que había en la vida, oye…

—Pero bueno, es muy amable por tu parte. Eres una chica maja, tú… Una noche tienes que venir a mi casa para que mi hermano te haga venir una vida bonita, con un amor definitivo y muchos hijos.

—Bah…

—¿Cómo que «bah»? ¿No quieres hijos?

—No.

—No digas eso, Camille. Que vas a atraer el mal de ojo…

—El mal de ojo ya está aquí…

Mamadou la miró, furiosa:

—Debería darte vergüenza decir esas cosas… Tienes trabajo, una casa, dos brazos, dos piernas, un país, un novio…

—¿Cómo?

—¡Ah, ah! —exclamó Mamadou, feliz—. ¿Te crees que no te he visto abajo con Nourdine? Siempre alabándole el perro… ¿Te crees que los ojos también los tengo ahogados en grasa, o qué, chica?

Y Camille se puso colorada.

Para complacer a Mamadou.

Nada más y nada menos que Nourdine, que esa noche estaba de los nervios, y aún más morcillón que nunca, embutido en su uniforme de justiciero. Nourdine que excitaba a su perro, y se creía *Harry el sucio*…

—¿Pero qué le pasa a este animal? —le preguntó Mamadou—. ¿Por qué gruñe de esta manera?

—No sé qué es, pero aquí hay algo raro... No os quedéis por aquí, chicas. No os quedéis por aquí...

¡Ah, estaba en su salsa, Nourdine...! Sólo le faltaban las Ray-Ban y el Kalachnikov...

—¡Que no os quedéis aquí, os digo!

—Eh, tío, tranquilo —le contestó Mamadou—, no te pongas así...

—¡Tú, bola de grasa, déjame hacer mi trabajo! ¡Yo no te digo a ti cómo tienes que pasar la fregona!

Así era Nourdine, genio y figura hasta la sepultura...

Camille hizo como que cogía el metro con ella, pero luego subió las escaleras y salió por la otra puerta. Dio dos vueltas a la manzana y los encontró por fin en el zaguán de una tienda. El chico estaba sentado, con la espalda apoyada en el escaparate, y el perro dormía sobre sus rodillas.

—¿Estás bien? —le preguntó Camille con naturalidad.

El chico levantó los ojos y tardó un momento en reconocerla.

—¿Eres tú?

—Sí.

—¿También las provisiones?

—Sí.

—Ah, pues gracias...

—...

—¿El loco ese va armado?

—Ni idea...

—Bueno, pues... Hasta luego...

—Te puedo enseñar un sitio para dormir, si quieres...

—¿Una casa okupada?

—Algo así...

—¿Quién hay dentro?

—Nadie...

350

—¿Está lejos?

—Cerca de la Torre Eiffel…

—No.

—Como quieras…

Apenas había dado tres pasos cuando se oyó la sirena de un coche de la policía que se paraba delante de un Nourdine hecho un manojo de nervios. El chico la alcanzó en el bulevar:

—¿Qué quieres a cambio?

—Nada.

Ya no había metro. Caminaron hasta la parada del búho.

—Sube tú primero y déjame al perro… A ti no te dejará subir con él… ¿Cómo se llama?

—*Barbès*…

—Ahí fue donde lo encontré, en el barrio de Barbès…

—Ah, ya, como el osito Paddington…

Camille cogió al perro en brazos y le dedicó una sonrisa de oreja a oreja al conductor, aunque a éste le traía sin cuidado.

Se reunieron atrás del todo.

—¿De qué raza es?

—¿Tenemos que hablar a la fuerza?

—No.

—He vuelto a poner un candado, pero está de adorno, más que nada… Toma, la llave. Sobre todo no la pierdas, no tengo más que ésta…

Camille abrió la puerta y añadió tranquilamente:

—En las cajas todavía hay algo de comida… Arroz, salsa de tomate y galletas, creo… Ahí tienes mantas… Aquí está el radiador eléctrico… No lo pongas muy fuerte porque salta… En el pasillo tienes un retrete. Normalmente tendrías que ser el único en usarlo... Digo «normalmente», porque he oído ruidos ahí enfrente, pero nunca he visto a nadie... Y... ¿qué más? ¡Ah, sí! Hace tiempo viví con un yonqui, así que sé exactamente lo que va a pasar. Sé que un día, mañana tal vez, habrás desaparecido y te habrás llevado todo lo que hay aquí. Sé que intentarás venderlo todo para pegarte la gran vida un tiempo. El radiador, la cocina, el colchón, el paquete de azúcar, las toallas, todo... Bueno... Eso ya lo sé. Lo único que te pido es que seas discreto. Esta buhardilla no es mía... Así que te pido por favor que no me metas en un lío... Si sigues aquí mañana, iré a hablar con la portera para que te deje en paz. Y nada más.

—¿Quién ha pintado eso? —preguntó el chico, señalando el trampantojo. Una inmensa ventana abierta sobre el Sena con una gaviota posada en el balcón...

—Yo...

—¿Has vivido aquí?

—Sí.

Barbès inspeccionó el lugar con desconfianza, y luego se acurrucó sobre el colchón.

—Bueno, yo me voy ya...

—Oye.

—¿Qué?

—¿Por qué?

—Porque a mí me pasó exactamente lo mismo... Estaba en la calle y alguien me trajo aquí...

—No me quedaré mucho tiempo...

—Me trae sin cuidado. No digas nada. De todas maneras, nunca decís la verdad...

—Sigo un tratamiento en una clínica...

—Sí, seguro... Hala... Que sueñes con los angelitos...

9

Tres días más tarde, en el portal, la señora Pereira apartó sus preciosísimos visillos y la llamó:

—Oiga, señorita…

Mierda, tiempo le había faltado. Qué jodienda… Y eso que le había dado cincuenta euros…

—Buenos días.

—Sí, buenos días, pero a ver, dígame una cosa…

Con una mueca, le preguntó:

—¿Es amigo suyo ese cochino?

—Perdón, ¿cómo dice?

—¿El de la moto?

—Ah… Sí —contestó Camille, muy aliviada—. ¿Hay algún problema?

—¡Un problema, dice! ¡No uno, sino varios! ¡Ya me está a mí calentando el chaval este! ¡Créame, ya me está cargando, sí! ¡Venga, venga a ver!

Camille la siguió hasta el patio.

—¿Y bien? ¿Qué me dice?

—Eh… No veo a qué…

—Las manchas de aceite…

En efecto, con una buena lupa se podían distinguir con mucha claridad cinco puntitos negros sobre los adoquines…

—La mecánica está muy bien, pero ensucia, así que dígale de mi parte que los periódicos están para algo, ¿entendido?

Una vez resuelto este problema, se le pasó un poco el cabreo. Un pequeño comentario sobre el tiempo: «Está muy bien. Nos limpia un poco todo esto.» Sobre lo brillantes que estaban los picaportes de latón: «Eso está claro, *pa'* que brillen como antes... ¡hay que frotar con fuerza, ¿eh?!» Sobre las ruedas de los carritos de bebé, llenas de cacas de perro. Sobre la señora del quinto, que acababa de quedarse viuda, la pobre. Y con eso se calmó del todo.

—Señora Pereira...

—Ésa soy yo.

—No sé si lo habrá visto, pero estoy hospedando a un amigo arriba, en la buhardilla...

—¡Huy, yo no ando metiendo las narices en los asuntos de los demás! Unos van, otros vienen... Tampoco es que yo lo entienda todo, pero bueno...

—Le hablo del chico del perro...

—¿Vincent?

—Pues...

—¡Sí, mujer, Vincent! ¿El sidoso del chucho?

Camille ya no sabía qué decir.

—Vino a verme ayer porque mi *Pikou* aullaba como un loco detrás de la puerta, así que nos hemos presentado a los chuchos entre sí... Así es todo más fácil... Ya sabe lo que hacen... Se olisquean el trasero de una vez por todas y con eso ya nos dejan tranquilos a los demás... ¿Por qué me mira así?

—¿Por qué dice que tiene sida?

—¡Válgame Dios, pues porque me lo dijo él! Nos tomamos una copita de Oporto... ¿Le apetece a usted una también?

—No, no... pero... pero gracias de todas formas...

—Pues sí, es una lástima, pero como le decía yo, eso ahora se cura bien… Han dado con las medicinas adecuadas…

Camille estaba tan perpleja que se le olvidó coger el ascensor. ¿Pero qué era toda esa historia? ¿Por qué las churras no estaban con las churras, y las merinas con las merinas?

¿Pero hasta dónde vamos a llegar?

La vida era menos complicada cuando lo único que tenía que hacer era amontonar sus pedruscos… Anda, tonta, no digas eso…

No, tienes razón. No digo eso.

—¿Qué pasa?

—Joder… Mira mi jersey… —rezongó Franck, cabreadísimo—. ¡Es esta mierda de lavadora! Joder, y éste además me gustaba un montón… ¡Mira! ¡Pero tú mira! ¡Se ha quedado enano!

—Espera, le corto las mangas y se lo regalas a la portera para su rata…

—Sí, tú ríete. Un Ralph Lauren nuevecito…

—¡Pues justamente, le va a encantar! Además, te adora…

—¿En serio?

—Justo ahora me lo acaba de decir otra vez: «¡Ah! ¡Pero qué buen mozo que es ese amigo suyo, con esa moto tan bonita!»

—Anda ya.

—Palabra.

—Bueno, pues hala, venga… Se lo bajo al marcharme…

Camille ahogó una risa y le hizo a *Pikou* un chalequito de lo más elegante.

—Qué suerte, te van a comer a besos…

—Calla, calla, miedo me da…

—¿Y Philou?

—¿Quieres decir Cyrano? En su taller de teatro…

—¿De verdad?

—Tendrías que haberlo visto al marcharse… Otra vez se había disfrazado de qué sé yo qué… Con una capa larga y todo…

Camille y Franck se reían.

—Me encanta…

—A mí también.

Camille fue a prepararse un té.

—¿Quieres?

—No, gracias —contestó Franck—, tengo que irme. Oye…

—¿Qué?

—¿No te apetece ir a tomar un poco el aire?

—¿Cómo?

—¿Cuánto hace que no has salido de París?

—Siglos…

—El domingo que viene hacemos la matanza del cerdo, ¿te quieres venir? Estoy seguro de que te interesaría… Lo digo por lo del dibujo, ¿eh?

—¿Dónde es eso?

—En casa de unos amigos míos, en la región de Cher…

—No sé…

—¡Sí, mujer! Vente… Esto hay que verlo al menos una vez en la vida… Un día se dejará de hacer, ¿sabes?

—Me lo voy a pensar.

—Eso, eso, tú piénsatelo. Es tu especialidad, eso de pensar. ¿Dónde está mi jersey?

—Ahí —le dijo Camille, señalándole una maravillosa funda para chuchos verde clarito.

—Joder... Un Ralph Lauren, además... Hay que joderse...

—Anda... Te vas a hacer dos amigos para toda la vida...

—¡Joder, más le vale no volver a mearse en mi moto al chucho este de los cojones!

—Tú tranquilo, ya verás como no... —dijo Camille, conteniendo la risa mientras le abría la puerta—. «Sí, sí, como se lo digo, bien guapetón que iba su amigo en su motocicleta el otro día...»

Camille corrió a retirar el agua del fuego, cogió su bloc de dibujo, y se sentó junto al espejo. Por fin pudo echarse a reír. A reír como una loca. Vaya cría estaba hecha. Se imaginaba la escena: Franck, siempre tan seguro de sí mismo, llamando con los nudillos al cristal de la ventana, con esa chulería tan suya, ofreciéndole a la portera el chaleco de lana en bandeja de plata... ¡Ah, qué bien sentaba reírse así! Qué bien sentaba... Estaba despeinada, dibujó su cabello revuelto, sus hoyuelos, su risa tonta y escribió: *Camille, enero 2004,* luego se duchó y decidió que sí, iría a la matanza con él.

Le debía eso como mínimo...

Un mensaje en su buzón de voz. Era su madre... Oh, no, hoy no... Para borrar el mensaje, pulse la tecla asterisco.

Así de fácil. Hala. Asterisco.

Se pasó el resto del día escuchando música, con sus tesoros y su caja de acuarelas. Fumó, picó algo de comer, alisó bien las cerdas de sus pinceles, se rió sola y gruñó malhumorada cuando llegó la hora de irse al curro.

Ya has despejado bastante camino, pensaba correteando hasta la boca de metro, *pero todavía te queda, ¿eh? ¿No te irás a parar aquí?*

Hago lo que puedo, hago lo que puedo...

Pues hala, venga, confiamos en ti.

No, no, no confiéis en mí, que me agobio.

Anda, calla, calla... Y date prisa, que vas a llegar tardísimo...

10

Philibert sufría. Persiguió a Franck por toda la casa.

—Es una insensatez. Vais a salir demasiado tarde... Dentro de una hora ya será de noche... Va a helar... Es una verdadera insensatez... Marchaos ma... mañana...

—La matanza es mañana por la mañana.

—¡Pero y a... además, a quién se le ocurre! Ca... Camille —decía, retorciéndose las manos—, quédate conmigo, te llevaré al Palacio del Té...

—Tranqui, tío —rezongó Franck, metiendo su cepillo de dientes en un par de calcetines—, que tampoco está tan lejos... En una hora estamos allí...

—Oh, n... no me digas eso... O... otra vez vas a co... conducir como un loco...

—Que no, hombre...

—Que sí, que te co... conozco...

—¡Philou, para ya, tío! Que no te la rompo, te lo juro... ¿Vienes, nena?

—Oh... es que... es que...

—¿Es que qué? —preguntó Franck, exasperado.

—Aparte de vosotros, no tengo a... a nadie más en el mundo...

Silencio.

—Madre mía... No me lo puedo creer... Ahora te pones en plan melodramático...

Camille se puso de puntillas para darle un beso.

—Yo tampoco tengo a nadie más en el mundo... No te preocupes...

Franck dejó escapar un suspiro.

—¡Pero qué coño hago yo con este par de chalados! ¡Esto parece un culebrón! ¡Que no nos vamos a la guerra, hostia! ¡Que sólo estaremos fuera dos días!

—Te voy a traer un buen entrecot —le dijo Camille a Philibert, metiéndose en el ascensor.

Las puertas se cerraron tras ellos.

—Oye.
—¿Qué?
—No hay entrecots de cerdo...
—¿Ah, no?
—Pues claro que no.
—¿Y entonces qué hay?
Franck levantó los ojos al cielo.

11

Todavía no habían salido de París cuando Franck se paró en la cuneta y le indicó que se bajara de la moto.

—Oye, así no podemos seguir…

—¿Por qué, qué pasa?

—Cuando yo me inclino, te tienes que inclinar conmigo.

—¿Estás seguro?

—¡Pues claro que estoy seguro! ¡Como sigas con estas paridas nos la pegamos!

—Pero… yo pensaba que al inclinarme hacia el lado contrario, nos equilibraba…

—Joder, Camille… Mira, no sabría darte una clase de física, pero es una cuestión de eje de gravedad, ¿entiendes? Si nos inclinamos juntos, los neumáticos se adhieren mejor a la carretera…

—¿Estás seguro?

—Segurísimo. Inclínate conmigo. Confía en mí…

—¿Franck?

—¿Qué pasa ahora? ¿Te da miedo? Todavía estás a tiempo de coger el metro, ¿eh?

—Tengo frío.

—¿Ya?

—Sí…

—Bueno… Suelta el manillar y pégate a mí… Pégate lo más posible y mete las manos por debajo de mi cazadora…

—Vale.

—Eh…

—¿Qué?

—Pero no te aproveches, ¿eh? —añadió, burlón, y le bajó la visera del casco de un golpe seco.

Cien metros después, Camille volvía a tener frío, al llegar al peaje estaba congelada, y en el patio de la granja, no sentía los brazos.

Franck la ayudó a bajar y la sostuvo hasta llegar a la puerta.

—Hombre, ya estás aquí… ¿Pero qué es esto que nos traes?

—Una chica congelada.

—¡Pero pasad, hombre, pasad!… ¡Jeannine! Ha llegado el Franck con su chavala…

—Huy, pobrecita —se lamentó la mujer—, ¿pero qué le has hecho? Huy… da penita verla… Toda morada está la chica… Quitaos de ahí… ¡Jean-Pierre! ¡Acerca una silla a la chimenea, hombre!

Franck se arrodilló delante de ella:

—Eh, tienes que quitarte el abrigo…

Camille no reaccionaba.

—Espera, que te ayudo… Anda, dame los pies…

Le quitó los zapatos y los tres pares de calcetines.

—Así… muy bien… Hala… y ahora la parte de arriba…

Camille estaba tan anquilosada que a Franck le costó Dios y ayuda sacarle los brazos de las mangas… «Así… Tú déjate hacer, pedacito de hielo…»

—¡Válgame Dios! ¡Pero dadle algo caliente! —exclamó alguno de los que estaban allí reunidos…

Camille era el nuevo centro de atención.

O cómo descongelar a una parisina sin romperla...

—¡Hay riñones calentitos! —bramó Jeannine.

Oleada de pánico en la chimenea. Franck le echó un capote:

—No, no, dejadme a mí... Habrá sobrado algo de caldo por ahí, ¿no? —preguntó, levantando las tapas de todas las cacerolas.

—De la gallina de ayer...

—Perfecto. Esto es cosa mía... Mientras tanto ponedle una copita.

Conforme iba bebiéndose el cuenco de caldo, sus mejillas fueron recuperando un poco de color.

—¿Estás mejor?

Camille asintió con la cabeza.

—¿Eh?

—Decía que es la segunda vez que me preparas el mejor consomé del mundo...

—Y más que te prepararé... ¿Vienes a sentarte a la mesa con nosotros?

—¿Puedo quedarme todavía un ratito aquí junto a la chimenea?

—¡Pues claro! —gritaron los demás—. ¡Déjala! ¡Vamos a ahumarla como los jamones!

Franck se levantó de mala gana...

—¿Puedes mover los dedos?

—Mmm... sí...

—Tienes que dibujar, ¿eh? Yo encantado de cocinarte, pero tú tienes que dibujar... Nunca tienes que parar de dibujar, ¿entendido?

—¿Ahora?

—No, mujer, ahora no, pero siempre...

Camille cerró los ojos.

—Vale.

—Bueno… me voy para allá. Pásame tu copa que te la rellene…

Y Camille se fue descongelando poco a poco. Cuando se reunió con ellos, tenía las mejillas encendidas.

Asistió a su conversación sin entender nada, observando todos esos rostros fascinantes, y sonriendo feliz.

—Hala… ¡El último trago y a la cama! ¡Porque mañana hay que madrugar, señores! El Gastón estará aquí a las siete…

Todo el mundo se levantó.

—¿Quién es el Gastón?

—El matarife —murmuró Franck—, todo un personaje… ya lo verás…

—Bueno, pues es aquí… —añadió Jeannine—, el cuarto de baño está ahí enfrente, y en la mesa tenéis toallas limpias… ¿Os vale así?

—Genial —contestó Franck—, genial… Gracias…

—No digas eso, hijo, con la alegría que tenemos de verte, bien lo sabes tú… ¿Y la Paulette?

Franck bajó la cabeza.

—Bueno, bueno… No hablemos de eso —dijo, apretándole el brazo—, ya se arreglará todo, ya lo verás…

—No la reconocería, Jeannine…

—No hablemos de eso, te digo… Ahora estás de vacaciones…

Cuando se marchó, cerrando la puerta tras de sí, Camille comentó, inquieta:

—¡Oye, que no hay más que una cama…!

—¡Pues claro que no hay más que una cama, tú, que estamos en el campo, no en un hotel!

—¿Les has dicho que salíamos juntos? —le preguntó, furiosa.

—¡No, mujer! ¡Sólo les he dicho que venía con una amiga, nada más!

—Pues vaya…

—Pues vaya, ¿qué? —preguntó Franck, irritado.

—Una amiga quiere decir una chica a la que te tiras. ¿Pero en qué estaba yo pensando?

—¡Joder, tía, mira que eres pesadita, ¿eh?!

Franck se sentó en la cama mientras deshacía su equipaje.

—Es la primera vez…

—¿Cómo?

—Es la primera vez que traigo a alguien aquí.

—Está claro… La matanza del cerdo no es lo más elegante que hay para ligarte a una tía…

—No tiene nada que ver con el cerdo. No tiene nada que ver contigo. Es…

—¿Es qué?

Franck se tumbó en diagonal sobre la cama y empezó a hablar, dirigiendo sus palabras al techo:

—Jeannine y Jean-Pierre tenían un hijo… Frédéric… Un tío legal… Era mi colega… El único que he tenido en mi vida… Estudiamos hostelería juntos, y de no ser por él, yo no estaría donde estoy… No sé dónde estaría, pero… Bueno, en fin… Murió hace diez años… En un accidente de coche… Ni siquiera fue culpa suya… Un gilipollas que se saltó un stop… Y entonces nada, yo no soy Fred, claro, pero me parezco a él… Vengo todos los años… Lo de la matanza es una excusa… Me miran, ¿y qué ven? Recuerdos, palabras, y la cara de su chaval cuando apenas tenía veinte años… La Jeannine está venga a tocarme, a sobarme… Según tú, ¿por qué lo hace? Porque yo soy la prueba de que Fred sigue ahí… Estoy seguro de que nos ha puesto sus mejores sábanas, y ahora mismo estará llorando en silencio en la escalera…

—¿Ésta era su habitación?

—No. La suya está cerrada…

—¿Entonces para qué me has traído?

—Ya te lo he dicho, para que dibujes, y…

—¿Y?

—No sé, me apetecía…

Franck se levantó, estirándose.

—Y por la cama no te preocupes… Ponemos el colchón en el suelo, y yo dormiré en el somier… ¿Le vale así a la princesa?

—Le vale.

—¿Has visto *Shrek,* la peli de dibujos animados?

—No, ¿por qué?

—Porque me recuerdas a la princesa Fiona… En menos maciza, claro…

—Claro.

—Anda… ¿me echas una mano? Estos colchones pesan un huevo…

—Tienes razón —gimió Camille—. ¿Pero qué llevan dentro?

—Generaciones y generaciones de campesinos muertos de cansancio.

—Pues sí que…

—¿No te vas a desnudar?

—Pero si… ¡ya estoy en pijama!

—¿Te dejas el jersey y los calcetines?

—Sí.

—¿Entonces apago?

—¡Pues sí!

—¿Estás dormido? —le preguntó Camille al cabo de un ratito.

—No.

—¿En qué piensas?

—En nada.

—¿En tu juventud?

—Puede ser… O sea que eso, en nada, como te acabo de decir…

—¿Tu juventud no era nada?

—Poca cosa…

—¿Por qué?

—Joder… Si empezamos con eso, estamos aquí hasta mañana…

—¿Franck?

—Sí.

—¿Qué le pasa a tu abuela?

—Que está vieja… Está sola… Durante toda su vida ha dormido en una cama grande y buena como ésta, con un colchón de lana y un crucifijo en la pared, y ahora se está dejando morir en una especie de birria de cajón de hierro…

—¿Está en el hospital?

—No, en una residencia de ancianos…

—¿Camille?

—Sí.

—¿Tienes los ojos abiertos?

—Sí.

—¿Notas lo oscura que es la noche aquí? ¿Lo bonita que es la luna? ¿Lo que brillan las estrellas? ¿Oyes cómo suena la casa? Las tuberías, la madera, los armarios, el reloj de pared, el fuego en el hogar de abajo, los pájaros, los animales, el viento… ¿Oyes todo eso?

—Sí.

—Pues ella ya no lo oye… Su habitación da a un aparcamiento que está siempre iluminado, oye los ruidos metálicos de los carritos de la comida, las conversaciones de las enfermeras, los gruñidos de sus vecinos, y el parloteo de los televisores toda la noche. Y… y eso la está matando…

—Pero ¿y tus padres? ¿No pueden ocuparse ellos de tu abuela?

—Oh, Camille…

—¿Qué?

—No me lleves por ahí… Ahora duérmete.

—No tengo sueño.

—¿Franck?

—¿Qué pasa ahora?

—¿Dónde están tus padres?

—Ni idea.

—¿Cómo que ni idea?

—No tengo padres.

—…

—A mi padre nunca lo conocí… Era un desconocido que se vació las pelotas en el asiento de atrás de un coche… Y mi madre…

—¿Qué?

—Pues a mi madre no le hizo mucha gracia que un gilipollas del que ni siquiera recordaba el nombre le hubiera hecho eso… entonces, pues…

—¿Qué?

—Pues nada…

—¿Nada, qué?

—Pues que no lo quería…

—¿A quién, al tío?

—No, al niño.

—¿Te crió tu abuela?

—Mi abuela y mi abuelo…

—¿Y tu abuelo murió?

—Sí.

—¿Nunca la volviste a ver?

—Camille, te lo digo en serio; para. Si no, luego te vas a sentir obligada a abrazarme…

—Venga. Es un riesgo que estoy dispuesta a correr…

—Mentirosa.

—¿Nunca la volviste a ver?

—…

—Perdona. Ya me callo.

Camille le oyó darse la vuelta en la cama.

—Hasta… hasta que cumplí diez años, nunca supe nada de ella… Bueno, sí, siempre recibía un regalo por Navidad y por mi cumpleaños, pero más tarde supe que era trola. Una artimaña más para camelarme… Con buenas intenciones, pero no dejaba de ser eso, una artimaña… Ella no nos escribía nunca, pero sé que mi abuela le mandaba todos los años la foto que nos hacían en el colegio… ¿Quién sabe, tal vez ese día el maestro me repeinó? ¿O el fotógrafo sacó un Mickey Mouse de plástico para hacerme sonreír? El caso es que el chavalín de la foto la llenó de añoranza, y anunció que volvía para llevarme a vivir con ella… No veas el cirio que se montó, mejor no te lo cuento… Yo gritando que quería quedarme, mi abuela consolándome, diciéndome que era estupendo, que por fin iba a tener una familia de verdad, pero sin poder evitar llorar más que yo, ahogándome contra su pecho enorme… Mi abuelo callado todo el rato… No, mejor no te lo cuento… Eres lo bastante lista para entenderlo tú solita, ¿eh? Pero créeme, fue la hostia…

»Después de darnos varios plantones, mi madre vino por fin. Me subí en su coche. Me presentó a su marido, a su otro hijo, y me enseñó mi nueva cama…

»Al principio estaba encantado con eso de dormir en una litera, pero por la noche me puse a llorar. Le dije que quería volver a mi casa. Ella me dijo que aquélla era mi casa, y que me callara porque si no iba a despertar al pequeño. Esa noche, y todas las siguientes, me hice pis en la cama. Eso la ponía nerviosa. Decía: "Estoy segura de que lo haces aposta, así que ahora te aguantas y te quedas toda la noche mojado. Es tu abuela. Te ha podrido el carácter." Y después de eso, ya no di pie con bola.

»Hasta entonces, yo había vivido en el campo; todas las tardes, después del colegio, me iba a pescar, en invierno mi abuelo me llevaba a coger setas, a cazar, al bar del pueblo... Yo andaba siempre correteando por ahí, tiraba la bici en la cuneta y me iba con los cazadores furtivos, y de repente, de la noche a la mañana, voy a parar a un apartamento de mierda, en un barrio de mierda, encerrado entre cuatro paredes, con una tele, y otro chaval que se llevaba todos los mimos... Entonces se me fue la olla. Me... No... Da igual... Tres meses después, mi madre me metió en un tren, repitiéndome que lo había estropeado todo...

»"Lo has estropeado todo, lo has estropeado todo..." Esas palabras seguían resonando en mi cabecita cuando me subí en el Simca de mi abuelo. Y, ¿sabes?, lo peor fue que...

—¿Qué?

—Que me hizo pedazos, la cabrona... Después ya nada volvió a ser como antes... Había dejado atrás la infancia, ya no quería mimos ni toda esa mierda... Porque lo peor que hizo mi madre no fue volver a buscarme, lo peor fueron todos los horrores que me contó sobre mi abuela antes de volver a dejarme tirado otra vez. Cómo me comió el tarro con sus historias... Que si fue su madre quien la obligó a abandonarme antes de echarla de casa. Que ella había hecho todo lo posible para llevarme con ella pero que ellos sacaron la escopeta y tal y cual...

—¿Todo eso eran mentiras?

—Claro... Pero yo entonces no lo sabía... Ya no entendía nada y además, ¿tal vez también necesitaba creerla? A lo mejor me convenía pensar que nos habían separado a la fuerza, y que si mi abuelo no hubiera sacado el mosquetón, yo habría tenido la misma vida que todo el mundo, y nadie me habría llamado hijo de puta detrás de la iglesia... «Tu madre es una puta —me decían—, y tú un bastardo.» Palabras que yo ni siquiera entendía... Yo sólo sabía que bastardo rimaba con petardo... Un gilipollas, eso es lo que era...

—¿Y después?

—Después me convertí en un cabronazo... Hice todo lo que pude para vengarme... Para hacerles pagar por haberme privado de una mamá tan buena...

Franck se reía amargamente.

—Y lo conseguí... Me fumaba los cigarrillos de mi abuelo, robaba del monedero de mi abuela, monté pollos en el colegio hasta que me expulsaron, y me pasaba la mayor parte del tiempo subido a una moto o en el fondo de los billares, planeando golpes y metiéndoles mano a las tías... Hacíamos cada burrada... Ni te lo imaginas... Yo era el jefe. El mejor. El rey de los gilipollas...

—¿Y después?

—Después a la cama. La continuación en el próximo episodio...

—¿Bueno, qué? ¿No te entran ganas ahora de abrazarme?

—No sé, estoy dudando... Al fin y al cabo no te han violado...

Franck se inclinó hacia ella:

—Pues mejor. Porque yo no querría que me abrazaras. Bueno, no así, de esta manera... Ya no... He jugado a este jueguecito mucho tiempo, pero ya no... Ya no me divierte. Nunca funciona... Joder, ¿pero cuántas mantas te has puesto?

371

—Pues… tres y el edredón…

—Esto no es normal… No es normal que siempre tengas frío, que tardes dos horas en reponerte de un viaje en moto… Tienes que engordar, Camille…

—…

—Tú tampoco… Me da a mí que tú tampoco tienes un bonito álbum de fotos con toda la familia sonriendo a tu alrededor, ¿o sí?

—No.

—¿Me lo contarás algún día?

—Puede…

—¿Sabes?, ya nunca te daré la murga con eso…

—¿Con qué?

—Antes cuando te contaba de Fred te he dicho que había sido mi único colega, pero no es verdad. Tengo otro… Pascal Lechampy, el mejor repostero del mundo… Acuérdate de su nombre, porque ya verás… Ese tío es un dios. Del pastelito más sencillo al Saint-Honoré, pasando por las tartas, el chocolate, los milhojas, el caramelo, los buñuelos o lo que sea, todo lo que toca se transforma en algo inolvidable. Delicioso, bonito, fino, asombroso y súper bien hecho. En mi vida me he cruzado con muy buenos reposteros, pero él es otra cosa… Es la perfección absoluta. Y encima es un tío encantador… Un pedazo de pan, un buenazo, un sol… Bueno, pues resulta que este tío es enorme. Tremendo. Hasta ahí, pase… Peores cosas se han visto… El problema es que le cantaban las maracas que te mueres… No podías estar un segundo a su lado sin que te entraran ganas de potar. Bueno, te ahorro los detalles, las burlas, los comentarios, las veces que le dejaban jabón en su taquilla, y todo eso… Un día coincidimos en la misma habitación de hotel porque le había acompañado a un concurso para hacerle de pinche… Tuvo lugar la demostración, por supuesto la ganó, pero yo, al final del día, no quiero decirte cómo estaba…

Ya no podía ni respirar, y estaba decidido a pasarme la noche en un bareto antes que estar ni un minuto más cerca de él... Pero lo que me extrañaba era que se había duchado por la mañana, y lo sé porque yo estaba con él en la habitación. Por fin volvimos al hotel, yo me bebí un buen trago para darme valor, y terminé por soltárselo... ¿Sigues ahí?

—Sí, sí, te estoy escuchando...

—Le dije: «Joder, Pascal, hueles que apestas. Hueles a muerto, tío. ¿De qué vas? ¿Es que no te lavas, o qué?» Y entonces, ese osito de peluche enorme, con su corpachón monstruoso, ese genio, con sus carcajadas sonoras y su montaña de grasa se puso a llorar, y a llorar, y a llorar... No paraba... Era horrible, con sollozos como de crío, encima... El muy idiota era inconsolable... Joder, yo me sentía fatal... Al cabo de un rato, empezó de pronto a desnudarse, así, sin avisar... Entonces yo me di la vuelta, me fui para el cuarto de baño, pero él me cogió del brazo, y me dijo: «Mírame, Lestaf, mira toda esta mierda...» ¡Joder, tía, por poco echo la pota!

—¿Por qué?

—Pues para empezar, su cuerpo... Era francamente asqueroso. Pero sobre todo, y era lo que él quería enseñarme, era... uf, sólo de pensarlo, me vuelven a dar arcadas... Tenía como ronchas, costras, o no sé qué, entre los pliegues de la piel... Y era eso lo que apestaba, esa especie de sarna sanguinolenta... Joder, te lo juro, tuve que beber toda la noche para recuperarme del susto... Además el tío me contaba que le dolía un huevo cuando se lavaba pero que se restregaba como un loco para quitar el olor, y que se echaba colonia a montones, apretando los dientes para no llorar... Qué noche, qué angustia, cuando me acuerdo...

—¿Y luego qué pasó?

—Al día siguiente me lo llevé a rastras al hospital, a urgencias… Estábamos en Lyon, me acuerdo… Y hasta al médico casi le da algo cuando lo vio… Le limpió las llagas, y le mandó mogollón de cosas, una receta enorme con pomadas y pastillas como para parar un tren. Le soltó el rollo de que tenía que adelgazar, y al final se atrevió a preguntarle: «¿Pero por qué ha esperado tanto tiempo?» Pascal no dijo nada. Y yo, en la estación, volví a la carga: «Es verdad, tío, joder, ¿por qué has esperado tanto tiempo?» «Porque me daba demasiada vergüenza…», contestó, bajando la cabeza. Y entonces, en ese momento, me juré a mí mismo que era la última vez.

—¿La última vez que qué?

—Que me metía con los gordos… Que los despreciaba, que… bueno, ya sabes, la última vez que juzgaba a la gente por su físico… Así que, volviendo ahora a ti… Lo mismo vale para los flacos. Y aunque lo siga pensando, aunque tenga la certeza de que con unos cuantos kilos más pasarías menos frío y estarías más apetitosa, ya no te volveré a decir nada. Palabra de honor.

—¿Franck?

—¡Eh! ¡Que hemos dicho que a dormir ya!

—¿Me ayudarás?

—¿A qué? ¿A pasar menos frío y a estar más apetitosa?

—Sí…

—Ni hablar. Para que luego te largues con el primero que pase… De eso nada, monada. Te prefiero raquítica, pero con nosotros… Y estoy seguro de que Philou estará más que de acuerdo conmigo en eso…

Silencio.

—Bueno, pero sólo un poquito… En cuanto vea que te crecen las tetas, se acabó.

—Trato hecho.

—Ea, me has convertido en un gurú de la dietética y la nutrición, no te digo... Joder, tía, yo alucino contigo, lo que me haces hacer... ¿Cómo nos organizamos? Para empezar, tú ya no vas al súper porque no compras más que tonterías. Se acabaron las barritas de cereales, las galletas y los flanes. No sé a qué hora te despiertas tú por las mañanas, pero a partir del martes, recuerda que el que te alimenta soy yo, ¿entendido? Todos los días, cuando llegue a casa a las tres de la tarde, te traeré un plato de algo... No te preocupes, que ya sé cómo sois las chicas, no te traeré *confit* de pato, ni callos... Te prepararé algo rico, para ti solita... Pescado, carne a la brasa, verduritas, sólo cosas que te gusten... No te haré grandes cantidades, pero te lo tendrás que comer todo, porque si no, no sigo. Y por la noche no estaré en casa, así que no te daré la murga, pero te prohíbo que picotees tonterías. Seguiré haciendo una gran olla de sopa al principio de la semana para Philou como he hecho siempre, y se acabó. El objetivo es que te enganches a mi cocina. Que te levantes todas las mañanas pensando qué habrá hoy en el menú. Bueno... no te prometo cosas grandiosas todos los días, pero no estará mal, ya lo verás... Y cuando empieces a ponerte bien hermosa, te...

—¿Me, qué?

—¡Te como!

—¿Como la bruja del cuento de Hansel y Gretel?

—Exactamente. ¡Y no vale la pena que me des un hueso cuando quiera palpar tu brazo, porque yo no soy cegato! Y ahora ya no quiero oír ni una palabra... Son casi las dos y mañana nos espera un día muy largo...

—Por cierto, tú te las das de duro y tal, pero en el fondo eres un cielo...

—Anda ya.

12

—¡Arriba, gordinflona!

Franck dejó la bandeja al pie del colchón.

—¡Hala, el desayuno en la c...!

—No te embales. No es cosa mía, sino de Jeannine. Venga, date prisa que llegamos tarde... Y tómate por lo menos una tostada, coge fuerzas, si no luego te va a dar un patatús...

Apenas había tenido tiempo de poner un pie fuera de casa, con la cara todavía llena de churretes de café con leche, cuando le tendieron un vaso de vino blanco.

—¡Hala, bonita! ¡Esto para que te armes de valor!

Ahí estaban todos, los de la noche anterior y toda la gente de la aldea, unas quince personas más o menos. Todos exactamente como uno se los imagina, con ese aire un poco paleto de quien se compra la ropa por catálogo. Las más viejas en bata, y los más jóvenes, en chándal. Golpeando el suelo con los pies, aferrando sus vasitos de vino, llamándose unos a otros, riendo y, de pronto, silencio total: ahí estaba el Gastón con su enorme cuchillo.

Franck se encargaba de retransmitirle el espectáculo a Camille:

—Ése es el matarife.

—Ya me lo imaginaba...

—¿Te has fijado en sus manos?

—Impresionantes...

—Hoy se matan dos cerdos. Esos bichos no son tontos, esta mañana no les han dado de comer, así que saben que les ha llegado la hora... Lo sienten... Anda, mira, ahí viene el primero justamente... ¿Tienes listo el cuaderno?

—Sí, sí...

Camille no pudo evitar dar un respingo. No le parecía tan gordo...

Lo arrastraron hasta el patio, el Gastón lo dejó inconsciente con una porra, lo tumbaron sobre un banco y lo ataron a toda velocidad, con la cabeza colgando. Hasta ahí, pase, porque el animal estaba medio grogui, pero cuando el matarife le hundió la hoja en la carótida, fue dantesco. En lugar de matarlo, fue como si lo despertara de golpe. Todos los hombres se echaron encima de él, la sangre manaba a borbotones, una vieja puso una olla debajo para recogerla, y se arremangó para removerla. Sin cuchara ni nada, sólo con la mano. Buaj. Pero eso tampoco era lo peor, lo insoportable era oír al animal... Cómo gritaba y gritaba sin parar... Cuanto más se vaciaba, más gritaba, y cuanto más gritaba, menos se parecía aquello al grito de un animal... Era casi humano. Estertores, súplicas... Camille se aferraba a su cuaderno, y los otros, los que se sabían todo el ritual de memoria, tampoco parecían muy enteros... ¡Hala!, otra copita para darse valor...

—Gracias, gracias.

—¿Estás bien?

—Sí.

—¿No dibujas?

—No.

Camille, que no era una pava, se contuvo y no hizo ningún comentario estúpido. Para ella, lo peor estaba aún por llegar. Para ella, lo peor no era la muerte en sí. No, después de todo, así era la vida, pero lo que le pareció más cruel fue cuando trajeron al segundo cerdo... La podían acusar de caer en el antropomorfismo, de ser una tiquismiquis, o de lo que quisieran, a Camille le traía sin cuidado, pero de verdad le costó horrores contener la emoción. Porque el otro cerdo, que lo había oído todo, sabía lo que su colega acababa de sufrir, y no esperó a que le clavaran el cuchillo para chillar como una rata. Bueno... «como una rata» es una expresión estúpida, más bien como un cerdo degollado...

—¡Joder, podían haberle tapado los oídos!

—¿Con qué, con perejil? —preguntó Franck, riéndose.

Y ahí ya sí que dibujó, para no ver nada más. Se concentró en las manos del Gastón para no oír los chillidos. No le salía bien el trazo. Le temblaba el pulso.

Cuando se apagó la sirena, se metió el cuaderno en el bolsillo y se acercó. Ya está, ya se había terminado, ahora sentía curiosidad y tendió su vaso hacia la botella.

Les pasaron un soplete por el cuerpo, y se elevó un olor a carne quemada. Ésta sí que es la expresión adecuada. Luego les rasparon la piel con un cepillo rarísimo: era una tabla de madera sobre la que habían clavado chapas de cerveza boca arriba.

Camille lo dibujó.

El carnicero empezó a descuartizar al animal, y ella se colocó detrás de la mesa matancera para no perderse un solo gesto. Franck estaba encantado.

—¿Eso qué es?

—¿Qué?

—Esa especie de bola transparente y toda viscosa...

—La vejiga... De hecho, no es normal que esté tan llena... Al tío le molesta para trabajar...

—¡A mí qué me va a molestar! ¡Hala, ahí va! —añadió el carnicero, rebanándola con su cuchillo.

Camille se agachó para mirarla. Estaba fascinada.

Unos chavales con bandejas iban y venían del cerdo aún humeante a la cocina.

—Deja de beber.

—Sí, mi gurú.

—Estoy contento. Te has portado bien.

—¿Te preocupaba?

—Tenía curiosidad… Bueno, y ahora basta de charla que tengo trabajo…

—¿Dónde vas?

—A buscar mis bártulos… Vete dentro al calorcito, si quieres…

Camille las encontró a todas en la cocina. Una hilera de amas de casa alegres, armadas de tablas de madera y cuchillos.

—¡Ven acá! —gritó Jeannine—. Hala, Lucienne, hazle sitio junto a la estufa… Señoras, os presento a la amiga de Franck, ya sabéis, la chiquita de la que os estaba hablando antes… A la que tuvimos que resucitar anoche… Ven a sentarte con nosotras…

El aroma del café se mezclaba con el de las vísceras calientes, y todas estaban venga a reír… Venga a parlotear… Un auténtico gallinero.

Entonces llegó Franck. «¡Ah, aquí está! ¡Aquí está el cocinero!» Las mujeres se reían aún más. Cuando lo vio, vestido con su chaqueta blanca, Jeannine se emocionó.

Al pasar detrás de ella, camino de los fogones, Franck

le apretó el hombro. Ella se sonó la nariz en un trapo y volvió a unirse a las risas de las demás.

En ese preciso instante de la historia, Camille se preguntó si no estaría empezando a enamorarse de él… Mierda. Eso no estaba en el guión… *No, no,* se dijo, cogiendo su tabla. No, no, era porque la noche anterior le había montado la escenita en plan melodrama de Dickens… Pero bueno, ya sólo faltaba que cayera en su trampa, hasta ahí podíamos llegar…

—¿Me dejan que les eche una mano? —preguntó Camille.
Le explicaron cómo cortar la carne en trocitos muy pequeños.
—¿Y con esto qué se hace?
Se elevaron mil voces:
—¡Salchichón! ¡Salchichas! ¡Patés! ¡Chicharrones!
—¿Y usted qué está haciendo con ese cepillo de dientes? —preguntó Camille, inclinándose hacia su vecina.
—Limpiar las tripas…
Buaj.
—¿Y Franck?
—Franck nos va a hacer todo lo que es cocinado… las morcillas, los callos, y las golosinas…
—¿Qué son las golosinas?
—La cabeza, la cola, las orejas, las manitas…
Buaj, buaj, y requetebuaj.
Esto… habíamos quedado en que su plan de nutrición no empezaba hasta el martes, ¿no?

Cuando Franck subió de la bodega con las patatas y las cebollas, y la vio observando a sus vecinas para aprender a sostener el cuchillo, vino a arrancárselo de las manos:

—Tú esto ni tocarlo. Cada uno su oficio. Si te cortaras un dedo, estarías apañada… Cada uno su oficio, te digo. ¿Dónde tienes el cuaderno?

Y luego, dirigiéndose a las comadres:

—Eh… ¿os importa si os dibuja?

—Pues claro que no.

—Pues claro que sí, tengo la permanente hecha un cristo…

—¡Anda, Lucienne, no seas tan coqueta! ¡Si todos sabemos que llevas peluca!

Así era el ambientillo: como el Club Méditerranée, pero en una granja…

Camille se lavó pues las manos y estuvo dibujando hasta la noche. Dentro de la casa y fuera. La sangre, la acuarela. Los perros, los gatos. Los niños, los viejos. El fuego, las botellas. Las batas, los chalecos. Debajo de la mesa, las zapatillas de borreguito. Encima de la mesa, las manos estropeadas. Franck de espaldas, y ella, reflejada en la superficie convexa y borrosa de una olla de acero inoxidable.

Les regaló a cada una su retrato, provocando escalofríos de nervios y de gusto, y luego pidió a los niños que le enseñaran la granja para tomar un poco el aire. Y para desembriagarse también…

Chavales vestidos con sudaderas de Batman y botas de suela gruesa correteaban por todas partes, perseguían riendo a las gallinas y hacían rabiar a los perros arrastrando ante ellos largos trozos de tripas…

—¡Bradley, se te va la olla, tío! ¡No arranques el tractor, que te vas a matar!

—Pero si es para enseñárselo…

—¿Te llamas Bradley?

—¡Pues claro!

Saltaba a la vista que Bradley era el tipo duro de la panda. Se desnudó a medias para enseñarle sus cicatrices.

—Si las pusiera unas al lado de las otras, serían 18 centímetros de costuras…

Camille asintió gravemente con la cabeza y le dibujó dos Batman: uno echando a volar, y otro luchando contra el pulpo gigante.

—¿Cómo haces para dibujar tan bien?

—Tú también dibujas bien. Todo el mundo dibuja bien…

Por la noche, el banquete. Veintidós personas reunidas alrededor de la mesa, venga a comer cerdo. Las colas y las orejas se asaban en la chimenea y se echó a suertes a qué platos irían a parar. Franck se había entregado a fondo, empezó poniendo en la mesa una especie de sopa gelatinosa y muy aromática. Camille mojó un trozo de pan, pero de ahí no pasó, y luego llegaron las morcillas, las manitas, la lengua, y mejor no sigo… Camille apartó su silla unos centímetros de la mesa y dio el pego tendiendo su vaso cada vez que alguien le ofrecía vino. Luego llegaron los postres, cada una había traído una tarta o un dulce, y por fin, el licor…

—Ah… esto, bonita, hay que probarlo… Las pimpinelas que dicen que no, se quedan siempre vírgenes…

—Ah, bueno, en ese caso… pero sólo una gotita, ¿eh…?

Camille aseguró su futuro sexual bajo la mirada astuta de su vecino de mesa, que sólo tenía un diente y medio, y aprovechó la confusión general para irse a la cama.

Se desplomó sobre el colchón y se quedó dormida, acunada por el jaleo alegre que se colaba entre las tablillas del parqué.

Dormía profundamente cuando Franck vino a acurrucarse junto a ella. Camille gruñó.

—Tranquila, estoy demasiado borracho, no te voy a hacer nada… —murmuró.

Camille estaba tumbada de espaldas a él, así que Franck acercó la nariz a su nuca y deslizó un brazo por debajo de ella para unir su cuerpo al suyo lo mejor posible. Su pelillo corto le hacía cosquillas en la nariz.

—¿Camille?

¿Estaba dormida? ¿O se lo hacía? En cualquier caso no hubo respuesta.

—Me gusta mucho estar contigo…

Sonrisita.

¿Estaría soñando? ¿Durmiendo? Quién sabe…

A mediodía, cuando se despertaron por fin, cada uno estaba en su cama. Ninguno de los dos hizo el más mínimo comentario.

Resaca, aturdimiento, cansancio. Colocaron el colchón en su sitio, doblaron las sábanas, se turnaron para el cuarto de baño y se vistieron en silencio.

La escalera les pareció muy empinada, y Jeannine les tendió a cada uno un buen tazón de café sin dirigirles una palabra. En el otro extremo de la mesa había ya dos señoras con las manos pringadas en la carne para hacer salchichas. Camille giró su silla hacia la chimenea y se bebió el café sin pensar en nada. Estaba más que claro que le había sobrado el licor, y cerraba los ojos entre cada sorbo. Bah… era el precio que había que pagar para dejar de ser una niña…

Los olores de la cocina le daban arcadas. Se levantó, se sirvió otro tazón de café, cogió su tabaco del bolsillo de su abrigo y salió a sentarse al patio, sobre la mesa matancera.

Franck se reunió con ella al cabo de un ratito.

—¿Puedo?

Camille le hizo sitio.

—¿Te duele el tarro?

Camille asintió con la cabeza.

—Mira, yo… ahora tendría que acercarme a ver a mi abuela… Así que tenemos tres opciones: o te dejo aquí y paso luego a buscarte por la tarde, o te vienes conmigo y me esperas en algún sitio mientras estoy un rato con ella, o te dejo de camino en la estación y te vuelves sola a París…

Camille tardó un momento en contestar. Dejó el tazón, se lió un cigarrillo, lo encendió, y aspiró una calada larga y relajante.

—¿Tú qué prefieres?

—No lo sé —mintió Franck.

—No me apetece mucho quedarme aquí sin ti…

—Bueno, entonces te acerco a la estación… Porque visto cómo estás ahora, no vas a aguantar el paseo en moto… Se tiene aún más frío estando cansado…

—Muy bien —contestó Camille.

Mierda…

Jeannine insistió. «Sí, sí, os lleváis algo de carne, yo os la preparo.» Los acompañó hasta la carretera, abrazó a Franck y le susurró al oído algo que Camille no llegó a oír.

Y cuando apoyó un pie en el suelo, en el primer stop antes de la nacional, Camille levantó las viseras de sus cascos:

—Voy contigo…

—¿Estás segura?

Asintió con el casco y salió despedida hacia atrás. Ahí va. La vida se aceleraba de repente. Bueno… qué se le iba a hacer.

Camille se arrimó al cuerpo de Franck, apretando los dientes.

13

—¿Quieres esperarme en un café?

—No, no, me quedo aquí abajo…

Apenas habían dado cuatro pasos en el vestíbulo cuando una señora con una bata azul celeste se precipitó sobre él. Lo miró fijamente, sacudiendo la cabeza de lado a lado, con tristeza.

—Vuelve a las andadas…

Franck suspiró.

—¿Está en su habitación?

—Sí, pero ha vuelto a empaquetar todas sus cosas y no quiere que nadie la toque. Está postrada, con el abrigo puesto desde anoche…

—¿Ha comido algo?

—No.

—Gracias.

Franck se volvió hacia Camille:

—¿Te importa si te dejo todas mis cosas?

—¿Qué pasa?

—¡Pues pasa que Paulette está empezando a tocarme los huevos con sus tonterías!

Estaba pálido como una sábana.

—Ya ni siquiera sé si es bueno que vaya a verla… Estoy… estoy perdido… Me siento totalmente perdido…

—¿Por qué se niega a comer?

—¡Porque la muy tonta se cree que la voy a sacar de

aquí! Me hace el mismo numerito cada vez que vengo... Joder, me entran ganas de largarme, eso es...

—¿Quieres que vaya contigo?

—No cambiará nada.

—No, no cambiará nada, pero así por lo menos se distrae un poco...

—¿Tú crees?

—Pues claro... Anda, ven.

Franck entró primero y anunció con una vocecita casi aguda:

—Abuela... Soy yo... Te he traído una sorpr...

No tuvo el valor de terminar la frase.

La anciana estaba sentada en la cama, y miraba fijamente la puerta. Se había puesto el abrigo, los zapatos, el pañuelo y hasta su sombrerito negro. A sus pies había una maleta mal cerrada.

«Me parte el corazón...» Otra expresión impecable, pensó Camille, que sentía cómo de pronto se agrietaba el suyo.

Era tan linda, con sus ojitos claros y su cara angulosa... Una ratita... Una ratita esperando, muy tiesecita...

Franck hizo como si nada:

—¡Pero bueno! ¡Otra vez te has abrigado demasiado! —bromeó, quitándole el abrigo en un santiamén—. Y no será porque aquí haga frío... ¿Cuántos grados habrá aquí dentro? Por lo menos veinticinco... Y eso que se lo he dicho, les he dicho que ponían la calefacción demasiado alta, pero nunca me hacen caso... Venimos ahora de la matanza donde la Jeannine, y te puedo asegurar que ni en la habitación donde ahúman las salchichas hace tanto calor como aquí... Bueno, ¿y qué tal estás? ¡Hala, qué colcha más bonita! Eso es que por fin te han mandado lo que habías encargado por catálogo, ¿no? Pues ya iba siendo hora… Oye, y lo de las medias, ¿las he elegido bien? ¿No he metido la pata? Es que con tu letra, cualquiera se aclara… Quedé como un tonto, yo, en la tienda, cuando le pregunté a la vendedora si tenían *Eau de toilette* de Monsieur Michel… La tía me miró con mala cara y le tuve que enseñar tu nota. Necesitó ir a buscar las gafas y todo… Jo, no veas qué lío se armó, hasta que por fin comprendió. Era *Mont-Saint-Michel…* Jolín, es que con tu letra… Toma, aquí la tienes, no se me ha roto el frasco de milagro…

Le volvió a poner las zapatillas, contándole cualquier cosa, embriagándose de palabras para no tener que mirarla.

—¿Es usted Camille? —le preguntó ella con una preciosa sonrisa.

—Eeee… sí…

—Acérquese que la vea bien…

Camille se sentó junto a ella.

Paulette le tomó las manos:

—Pero si tiene las manos heladas…

—Es por la moto…

—¿Franck?

—¿Sí?

—¡Prepáranos un té, hombre! ¡Que esta chiquilla tiene que entrar en calor!

Franck respiró, aliviado. Gracias, Señor, lo peor ya había pasado… Metió las cosas en el armario y se puso a buscar el hervidor eléctrico.

—Coge las galletitas pequeñas que están en mi mesilla de noche… —Y volviéndose hacia Camille—: Así que es usted… Es usted Camille… Oh, cuánto me alegro de verla…

—Yo también… Gracias por la bufanda…

—Ah, pues justamente, mire…

Se levantó y volvió con una bolsa llena de viejos catálogos de venta por correo.

—Todos éstos me los ha traído para usted Yvonne, una amiga… Dígame lo que le gusta… Pero no de punto de arroz, ¿eh? Ése no lo sé hacer…

Marzo de 1984. Casi *ná*…

Camille pasó despacio las páginas gastadas.

—¿Ésta es bonita, no cree?

Paulette le mostraba una chaqueta feísima con ochos y botones dorados.

—Eeee… Yo más bien preferiría un jersey gordo…

—¿Un jersey gordo?

—Sí.

—¿Pero cómo de gordo?

—Pues así, ya sabe, de esos con cuello vuelto y tal…

—¡Ah, pues pase, pase las páginas, vaya a ver la sección de caballero!

—Éste…

—Franck, bonito, acércame mis gafas…

Franck estaba tan feliz de oírla hablar así… *Así, muy bien, abuela, sigue así. Dame órdenes, ridiculízame delante de ella tratándome como a un crío, pero no llores. Te lo suplico. No llores más.*

—Toma… Bueno… pues nada, os dejo… Voy a orinar…

—Eso, eso, tú déjanos a lo nuestro.

Franck sonreía.

Qué felicidad, pero qué felicidad…

Cerró la puerta tras de sí y se puso a dar saltos por el pasillo. Habría besado al primer anciano que se le hubiera cruzado por delante. ¡Qué potra, chaval! ¡Ya no estaba solo! ¡Ya no estaba solo! «Déjanos», había dicho su abuela. *¡Claro que sí, chicas, os dejo a lo vuestro! ¡Joder, pero si lo estoy deseando! ¡Lo estoy deseando!*

Gracias, Camille, gracias. ¡Aunque ya no vengas más, tenemos tres meses de tregua con lo de tu jersey dichoso! Que si la lana, que si los colores, que si te lo pruebes… Conversación asegurada durante un buen rato… Bueno, ¿y ahora, dónde estaba el retrete que no me acuerdo?

Paulette se acomodó en el sillón y Camille se sentó con la espalda apoyada en el radiador.

—¿Está cómoda en el suelo?

—Sí.

—Franck también se sienta siempre ahí… ¿Se ha tomado alguna galleta?

—¡Cuatro!

—Eso está bien…

Se miraron fijamente y se dijeron mil cosas en silencio. Sin pronunciar una sola palabra, hablaron de Franck, claro, de las distancias, de la juventud, de algunos paisajes, de la muerte, de la soledad, del tiempo que pasa, de la felicidad de estar juntos, y de los altibajos de la vida.

Camille se moría de ganas de dibujarla. Su rostro evocaba las matitas de los taludes, violetas silvestres, francesillas, raspillas… Era abierto, dulce, luminoso, fino como papel de arroz. Las arrugas de la tristeza desaparecían entre las volutas del té y dejaban paso a miles de huellas de bondad en la comisura de sus ojos.

Camille la encontraba hermosa.

Paulette pensaba exactamente lo mismo. Era tan grácil esta chiquilla, tan serena, tan elegante en su atuendo de vagabunda. Tenía ganas de que fuera primavera para enseñarle su jardín, las ramas del membrillo en flor y el olor de las flores. No, esta chica no era como las demás.

Un ángel caído del cielo que tenía que llevar zapatones pesados para poder permanecer entre nosotros...

—¿Se ha ido? —preguntó Franck, inquieto.

—¡No, no, estoy aquí! —respondió Camille, levantando un brazo por encima de la cama.

Paulette sonrió. No eran necesarias las gafas para ver ciertas cosas... Un gran sosiego se extendió por su pecho. Tenía que resignarse. Iba a resignarse. Tenía que aceptarlo por fin. Por él. Por ella. Por todos.

Adiós estaciones, bueno... Qué se le iba a hacer... Así eran las cosas. Cada uno tenía su momento. Ya no lo molestaría. Ya no pensaría en su jardín cada mañana... Trataría de no pensar en nada. Ahora le tocaba vivir a él...

Le tocaba vivir a él...

Franck le contó la matanza del cerdo con una alegría nueva y Camille le enseñó sus bocetos.

—¿Eso qué es?

—Una vejiga de cerdo.

—¿Y eso?

—¡Unas botas-zapatillas-zuecos revolucionarios!

—¿Y este niño?

—Mmm... ya no me acuerdo de cómo se llamaba...

—¿Y esto?

—Éste es Spiderman... ¡Sobre todo no hay que confundirlo con Batman!

—Es maravilloso tener tanto talento...

—Oh, qué va, no es nada...

—No hablaba de sus dibujos, bonita, hablaba de su mirada... ¡Ah, ya me traen la cena! Tendríais que ir pensando en marcharos, niños... Ya es noche cerrada...

Espera, espera… ¿Nos está diciendo ella que nos marchemos? Franck alucinaba. Estaba tan pasmado que tuvo que agarrarse a la cortina para levantarse y arrancó la barra de la pared.

—¡Mierda!

—¡Deja, deja, no te preocupes, y para ya de hablar como un gamberro!

—Vale, ya paro.

Bajó la cabeza sonriendo. Así, Paulette, así, muy bien. Tú no te cortes. Grita. Quéjate. Regáñame. Vuelve a este mundo.

—¿Camille?

—¿Sí?

—¿Puedo pedirle un favor?

—¡Claro!

—Llámeme cuando lleguen a París para que me quede tranquila… Él nunca me llama… O si lo prefiere, deje sonar el teléfono una vez y luego cuelgue, yo ya sabré que es usted y podré dormir tranquila…

—Prometido.

Todavía estaban en el pasillo cuando Camille se dio cuenta de que se había olvidado los guantes. Se fue corriendo a la habitación y vio que Paulette estaba ya junto a la ventana, esperando para verlos marchar.

—Me… mis guantes…

La anciana del cabello rosa no tuvo la crueldad de darse la vuelta. Se contentó con levantar la mano asintiendo con la cabeza.

—Es horrible… —dijo Camille mientras Franck se arrodillaba al pie del antirrobo.

—No, no digas eso… ¡Hoy estaba genial! Gracias a ti, de hecho… Gracias…

—No, es horrible…

Se despidieron con un gesto de la minúscula silueta del tercer piso y ocuparon su lugar en la cola, esperando para salir del aparcamiento. Franck se sentía más ligero. Camille, en cambio, no era capaz de encontrar las palabras necesarias para pensar.

Franck se detuvo delante de la puerta del garaje de su edificio sin apagar el motor.
—¿No… no vienes a casa?
—No —contestó el casco.
—Bueno, pues nada… Adiós.

14

Serían algo menos de las nueve y el piso estaba completamente a oscuras.

—¿Philou? ¿Estás en casa?

Se lo encontró sentado en la cama. Completamente postrado. Con una manta echada sobre los hombros y la mano aprisionada en un libro.

—¿Estás bien?

—…

—¿Te encuentras mal?

—Tenía el corazón en un p… puño… Pensaba que… que llegaríais m… mucho antes…

Camille suspiró. Joder… Cuando no era uno, era el otro…

Apoyó los codos en la chimenea, de espaldas a él, y se sujetó la frente con las manos:

—Philibert, para, por favor. Para de tartamudear. No me hagas esto. No lo estropees todo. Era la primera vez que me marchaba un par de días desde hace años… Incorpórate, quítate ese poncho astroso, deja tu libro, adopta un tono natural, y dime: «¿Y bien, Camille? ¿Qué tal esa escapadita?»

—¿Y… y bien, Ca… Camille? ¿Qué tal esa escapadita?

—¡Muy bien, gracias! ¿Y tú? ¿Qué batalla tocaba hoy?

—Pavía…

—Ah… muy bien…

—No, un desastre.

—¿Quiénes son esta vez?

—Los Valois contra los Habsburgo… Francisco I contra Carlos V…

—¡Ah, sí, hombre! ¡Carlos V ya sé yo quién es! ¡Es el que viene después de Maximiliano I en el imperio germánico!

—¡Demonios! ¿Y cómo sabes tú eso?

—¡Jajá! ¡Te he dejado de piedra, ¿eh?!

Philibert se quitó las gafas para restregarse los ojos.

—¿Qué tal vuestra escapadita?

—De lo más pintoresca…

—¿Me enseñas tu cuaderno?

—Sólo si te levantas… ¿Ha sobrado algo de sopa?

—Creo que sí…

—Te espero en la cocina.

—¿Y Franck?

—Se ha dado el piro…

—¿Tú sabías que era huérfano? Bueno… ¿que su madre lo había abandonado?

—Eso me había parecido comprender…

Camille estaba demasiado cansada para poder dormir. Arrastró su chimenea hasta el salón y se fumó sus cigarrillos con Schubert.

El viaje de invierno.

Se echó a llorar, y de pronto volvió a sentir en la garganta el odioso sabor de los pedruscos.

Papá…

Camille, para. Vete a dormir. Entre este chaparrón romántico, el frío, el cansancio, y Philibert que se pone a jugar con tus nervios… Para inmediatamente. Es absurdo.

¡Mierda!
¿Qué?
Se me ha olvidado llamar a Paulette…
¡Pues hala, llámala!
Pero es que se ha hecho un poco tarde…
¡Pues razón de más! ¡Date prisa!

—Soy yo. Camille… ¿La he despertado?
—No, no…
—Se me había olvidado llamarla…
Silencio.
—¿Camille?
—Sí.
—Se va a cuidar, ¿verdad, bonita?
—…
—¿Camille?
—Va… vale.

Al día siguiente se quedó en la cama hasta la hora de irse a trabajar. Cuando se levantó, vio encima de la mesa el plato que le había preparado Franck, con una notita: «Solomillo de ayer con ciruelas pasas y pasta fresca. Microondas 3 minutos.»
Y sin una falta de ortografía, hay que ver…
Comió de pie y enseguida se sintió mejor.

Se ganó la vida en silencio.
Escurrió fregonas, vació ceniceros y ató bolsas de basura.
Volvió a pie.
Daba palmas para calentarse las manos.

Levantaba la cabeza del suelo.

Pensaba.

Y cuanto más pensaba, más deprisa caminaba.

Corría, casi.

Eran las dos de la mañana cuando zarandeó a Philibert por el hombro.

—Tengo que hablar contigo.

15

—¿Ahora?

—Sí.

—¿Pero qué hora es?

—¡Qué más da, tú escúchame!

—Pásame mis gafas, por favor…

—No necesitas gafas, estamos a oscuras…

—Camille… Por favor…

—Ah, gracias… Con mis anteojos, oigo mejor… ¿Y bien, soldado? ¿A qué viene esta emboscada?

Camille respiró hondo y soltó todo lo que tenía dentro. Habló durante mucho rato.

—Fin del informe, mi coronel…

Philibert se quedó mudo.

—¿No dices nada?

—Caramba, esto sí que es una ofensiva…

—¿No quieres?

—Espera, déjame pensarlo…

—¿Un café?

—Buena idea. Ve a hacerte un café mientras yo me recupero del susto…

—¿Tú no quieres?

Philibert cerró los ojos indicándole con un gesto que se largara con viento fresco.

—¿Entonces?

—Te… te lo digo sinceramente: no creo que sea una buena idea…

—¿No? —dijo Camille, mordiéndose el labio.

—No.

—¿Por qué?

—Porque es demasiada responsabilidad.

—Busca otra cosa. Esa respuesta no me vale. Es una chorrada. Estamos hasta el gorro de la gente que no acepta tomar responsabilidades… Hasta el gorro, Philibert… Tú no te planteaste eso cuando viniste a buscarme a la buhardilla y yo llevaba tres días sin comer…

—Pues sí, mira por dónde sí que me lo planteé…

—¿Y? ¿Te arrepientes?

—No. Pero no se puede comparar. Éste no es en absoluto el mismo caso…

—¡Sí! ¡Claro que lo es!

Silencio.

—Sabes muy bien que ésta no es mi casa… Estamos viviendo como en suspenso… Mañana mismo puedo recibir una carta certificada que me obligue a abandonar esta casa en menos de una semana…

—Pfff… Ya sabes cómo son estas historias de herencias… Lo mismo todavía te tiras aquí diez años…

—Diez años o un mes… Vete tú a saber… Cuando hay mucho dinero de por medio, hasta los mejores picapleitos terminan por encontrar una forma de llegar a un acuerdo, créeme…

—Philou…

—No me mires así… Me estás pidiendo demasiado…

—No, no te pido nada. Lo único que te pido es que confíes en mí…

—Camille…

—Nunca… nunca os he hablado de ello, pero… He tenido una vida de mierda hasta que os conocí. Por supuesto, comparada con la infancia de Franck, tal vez no sea gran cosa, pero con todo, yo diría que por ahí anda… Lo mío era más insidioso tal vez… Como un goteo continuo… Y yo… no sé qué hice… Seguramente lo hice todo mal, pero…

—¿Pero…?

—… perdí por el camino a todas las personas a las que quería y…

—¿Y?

—Cuando te dije el otro día que sólo te tenía a ti en el mundo, no era… ¡Joder, yo qué sé…! ¿Sabes?, ayer fue mi cumpleaños. Cumplí veintisiete años, y la única persona que se manifestó fue mi madre, desgraciadamente. ¿Y sabes lo que me ha regalado? Un libro para adelgazar. Qué divertido, ¿verdad? ¿Se puede tener más sentido del humor, te pregunto yo? Siento mucho venirte con todo esto, pero una vez más necesito que me ayudes, Philibert… Una vez más… Después ya nunca te pediré más nada, te lo prometo.

—¿Ayer fue tu cumpleaños? —se lamentó él—. ¿Por qué no nos dijiste nada?

—¡Al cuerno mi cumpleaños! Esta anécdota te la he contado para que te diera pena, pero en realidad, no tiene ninguna importancia…

—¡Pues claro que la tiene! Me hubiera encantado hacerte un regalo…

—Pues venga: házmelo ahora.

—Si acepto, ¿me dejarás que me vuelva a dormir?

—Sí.

—Bueno, pues entonces, sí…

Por supuesto, ya no se volvió a dormir.

16

Al día siguiente, a las siete, Camille estaba ya en pie de guerra. Fue a la panadería y trajo una pistola para su suboficial preferido.

Cuando éste entró en la cocina, se la encontró agachada debajo del fregadero.

—Uf… —gimió él—, ¿ya toca hacer obras a lo grande?

—Quería llevarte el desayuno a la cama, pero no me he atrevido…

—Has hecho bien. Soy el único que sabe dosificar bien mi tazón de cacao.

—Oh, Camille… siéntate, que me mareas…

—Si me siento, te voy a anunciar otra cosa grave…

—Dios mío… Pues entonces quédate de pie…

Camille se sentó delante de él, apoyó las manos en la mesa, y lo miró directamente a los ojos…

—Voy a volverme a poner manos a la obra.

—¿Cómo?

—Acabo de echar al correo mi carta de dimisión…

Silencio.

—¿Philibert?

—Sí.

—Habla. Dime algo…

Philibert bajó su tazón y se lamió los bigotes de cacao:

—No. Sobre esto no puedo decir nada. En esto estás sola, querida…

—Me gustaría instalarme en la habitación del fondo…

—Pero Camille… ¡si esa habitación está hecha una leonera!

—Con miles de moscas muertas, ya lo sé. Pero también es la más luminosa, es la de la esquina, la que tiene una ventana que da al este, y otra al sur…

—¿Y los trastos?

—Ya me encargo yo de eso…

Philibert suspiró:

—Las que mandan son las mujeres…

—Ya verás, estarás orgulloso de mí…

—Cuento con ello. ¿Y yo?

—¿Tú, qué?

—¿Yo también puedo pedirte algo?

—Pues claro…

Philibert empezó a ruborizarse:

—P… pon que qui… quisieras hacerle u… un regalo a una chica a la q… que no conoces, ¿t… tú qué harías?

Camille lo miró perpleja:

—¿Cómo has dicho?

—N… no te hagas la t… tonta, me has oído p… perfectamente…

—Pues no sé… ¿a santo de qué sería el regalo?

—A s… santo de nada en e… especial…

—¿Para cuándo?

—El sá… sábado.

—Regálale un frasco de Guerlain.

—¿Có… cómo?

—Perfume Guerlain…

—Yo… yo no voy a sa… saber elegir…

—¿Quieres que vaya contigo?

—Sí, p… por favor…

—¡No hay problema! Iremos durante tu descanso para comer.

—Gra… gracias…

—¿Ca… Camille?

—¿Sí?

—No… no es m… más que una amiga, ¿eh?

Camille se levantó riendo.

—Claro…

Y entonces, al ver los gatitos del calendario de Correos, exclamó:

—¡Anda, qué cosas! El sábado es San Valentín. ¿Tú lo sabías?

Philibert volvió a hundir la cabeza en su tazón de cacao.

—Bueno, te dejo que tengo cosas que hacer… A mediodía me paso a recogerte al museo…

Philibert todavía no había vuelto a subir a la superficie, y chapoteaba entre los posos de su Nesquik cuando Camille salió de la cocina con su bote de Ajax y toda una panoplia de bayetas.

Cuando Franck volvió a casa para su siesta, se encontró el piso desierto y patas arriba.

—¿Pero se puede saber qué es todo este jaleo?

Salió de su habitación a eso de las cinco. Camille estaba peleándose con el pie de una lámpara.

—¿Qué pasa aquí?

—Me mudo…

—¿Dónde te vas? —preguntó muy pálido.

—Aquí —le dijo, indicándole la pila de muebles rotos y la alfombra de cadáveres de mosca y, extendiendo los brazos, añadió—: te presento mi nuevo taller…

—Anda ya…

—¡En serio!

—¿Y tu curro?

—Ya se verá…

—¿Y Philou?

—Oh… Philou…

—¿Qué?

—Ése está en una nube…

—¿Eh?

—No, nada.

—¿Quieres que te eche una mano?

—¡Y tanto!

Con un chico era todo mucho más fácil. En una hora, había trasladado todos los trastos a la habitación de al lado. Un dormitorio cuyas ventanas estaban condenadas debido a unas «jambas defectuosas»…

Camille aprovechó un momento de tranquilidad —Franck se estaba bebiendo una cervecita mientras contemplaba el alcance del trabajo realizado— para asestar su última estocada:

—El lunes que viene, a la hora de comer, me gustaría celebrar mi cumpleaños con Philibert y contigo…

—Mmm… ¿No prefieres celebrarlo mejor por la noche?

—¿Por qué?

—Hombre, ya lo sabes… El lunes es mi día de obligaciones…

—Ah, sí, perdón, me he expresado mal: el lunes que viene, a la hora de comer, me gustaría celebrar mi cumpleaños con Philibert, contigo, y con Paulette.

—¿Allí? ¿En el asilo?

—¡No, hombre, no! ¡Ya nos encontrarás tú una tasquita agradable!

—¿Y cómo vamos?

—Había pensado que podríamos alquilar un coche…

Franck calló y reflexionó hasta el último sorbo de cerveza.

—Muy bien —dijo, estrujando la lata—, el problema es que luego, cuando yo vuelva solo a verla, siempre se llevará una desilusión…

—Eso… bien pudiera ser que…

—No te tienes que sentir obligada a hacerlo por ella, ¿eh?

—No, no, lo hago por mí.

—Bueno… De lo del buga, yo me encargo… Tengo un colega que estará encantado de cambiármelo por la moto… Qué asco dan todas estas moscas…

—Estaba esperando a que te despertaras para pasar la aspiradora…

—¿Y tú, estás bien?

—Sí. ¿Has visto tu Ralph Lauren?

—No.

—Preciosísimo, le queda preciosísimo. Bien contento que está mi *Pikou*.

—¿Cuántos cumples?

—Veintisiete.

—¿Antes dónde estabas?

—¿Cómo?

—Antes de estar aquí, ¿dónde estabas?

—¡Pues arriba, en la buhardilla!

—¿Y antes?

—Ahora no hay tiempo para eso… Una noche que estés en casa, te lo contaré…

—Siempre dices eso, y luego…

—Sí, sí, en serio, ya me encuentro mejor… Te contaré la edificante vida de Camille Fauque…

—¿Qué quiere decir «edificante»?

—Buena pregunta…

—¿Quiere decir «como un edificio»?

—No. Significa «ejemplar», pero es irónico…

—¿Eh?

—Como un edificio que se estuviera derrumbando, si prefieres…

—¿Como la torre de Pisa?

—¡Exactamente!

—Joder, vivir con una intelectual es una jodienda…

—¡Que no, hombre! ¡Al contrario! ¡Es muy agradable!

—Qué va, es una jodienda. Siempre tengo miedo de hacer faltas de ortografía… ¿Qué has comido a mediodía?

—Un bocadillo con Philou… Pero he visto que me habías guardado algo en el horno, me lo tomaré luego… Por cierto, gracias… Está todo buenísimo.

—De nada. Bueno, me largo…

—Y tú, ¿estás bien?

—Cansado…

—¡Pues entonces, duerme!

—No, si sí que duermo, pero no sé… estoy como sin energía… Bueno, tengo que volver al curro…

17

—Tú, desde luego… ¡No se te ve el pelo en 15 años y ahora de repente aquí estás un día sí y otro también!

—Hola, Odette.

Besos sonoros.

—¿Está aquí?

—No, todavía no…

—Bueno, pues mientras nos vamos a ir sentando… Mire, le presento a unos amigos: Camille…

—Buenas tardes.

—… y Philibert.

—Encantado. Es un sitio pre…

—¡Que sí, tío, que vale! Todas esas cosas ya se las dices luego…

—¡Oh, no te pongas nervioso!

—No me pongo nervioso, es que tengo hambre. Ah, mira, aquí están… Hola, abuela, hola, Yvonne. ¿Se queda a tomar una copita con nosotros?

—Hola, Franck, hijo. No, muchas gracias, tengo jaleo en casa. ¿Hacia qué hora me paso?

—Ya la llevamos nosotros…

—Pero no muy tarde, ¿eh? Porque la última vez me cantaron las cuarenta… Tiene que estar de vuelta antes de las cinco y media…

—Sí, sí, vale, Yvonne, vale. Recuerdos a su familia…

Franck soltó un suspiro de alivio.

—Bueno, abuela, pues nada, te presento a Philibert…

—Es un placer... —Se inclinó para besarle la mano.

—Hala, todo el mundo a sentarse. ¡Que no, Odette! ¡Nada de carta! ¡Que decida el chef!

—¿Un aperitivito?

—¡Champán! —contestó Philibert y, volviéndose hacia su vecina, le preguntó—: ¿le gusta el champán, señora?

—Sí, sí —contestó Paulette, intimidada por tanta cortesía.

—Tomad, aquí tenéis unos chicharrones mientras tanto...

Todo el mundo estaba un poco cortado. Afortunadamente, los vinitos del Loira, el lucio a la plancha y el queso de cabra no tardaron en soltarles la lengua. Philibert se prodigaba en mil atenciones con su vecina y Camille se reía escuchando las tonterías de Franck:

—Tenía... pfff... ¿Cuántos años tenía, abuela?

—Dios mío, hace ya tanto de eso... ¿Trece? ¿Catorce años?

—Era mi primer año de aprendiz... Me acuerdo que por aquel entonces René me daba miedo. Me sentía muy inseguro. Pero bueno... Anda que no me enseñó cosas ni nada... Y también me tomaba el pelo... Ya no me acuerdo qué me enseñó un día... unos cuchillos creo, y me dijo:

»"—Éste se llama chochito, y el otro, chochón. ¿Te acordarás, eh, cuando te pregunte el profesor...? Porque vale, una cosa es lo que dicen los libros, y otra los verdaderos términos de cocina. La verdadera jerga. En eso se reconoce a los buenos pinches. Bueno, ¿qué, te lo has aprendido?

»"—Sí, señor.

»"—¿Cómo se llama éste?

»"—El chochón, señor.

»"—¿Y el otro?

»"—Pues el cho...

410

»"—¿Cómo se llama, Lestafier?

»"—¡El chochito, señor!

»"—Muy bien, chaval, muy bien… Llegarás lejos…" ¡Ah! ¡Pero qué bobalicón era yo entonces! Lo que se pudieron cachondear de mí… Pero no todos los días se estaba de guasa, ¿eh, Odette? Anda que no me llevé patadas en el culo…

Odette, que se había sentado con ellos, asentía con la cabeza.

—Oh, ahora ya se ha calmado, ¿sabes…?

—¡Pues claro! ¡Los chavales de hoy en día ya no se dejan torear!

—No me hables de los chavales de hoy en día… Es muy sencillo: no se les puede decir nada… Se cabrean. No saben hacer otra cosa más que cabrearse. Me tienen frita, oye… Me tienen más frita que vosotros cuando prendisteis fuego a los cubos de basura…

—¡Es verdad! Ya ni me acordaba…

—¡Pues yo en cambio sí que me acuerdo, puedes creerme!

La luz se apagó. Camille sopló las velas y todo el restaurante aplaudió.

Philibert desapareció y volvió con un paquete muy grande:

—Es de parte de los dos…

—Sí, pero ha sido idea suya —precisó Franck—. Si no te gusta, la culpa no es mía. Yo quería contratarte un *boy* para que te hiciera un *strip-tease,* pero él no quiso…

—¡Hala, gracias! ¡Qué detallazo!

Era una caja caballete de acuarelista, modelo llamado «de campaña».

Philibert leyó el folleto con voz temblorosa:

—*Plegable, con base inclinable y doble portalienzos, con una gran superficie de trabajo y dos cajones. Diseñada para trabajar sentado. Está compuesta por cuatro patas,* vaya, qué original... *plegables, de madera de haya fijadas de dos en dos por una traviesa que, abierta, da a la caja una gran estabilidad. Cerradas, las patas aseguran el bloqueo de los cajones. Portalienzos inclinable. Espacio para un bloc de papel de formato 68 x 52 cm* como máximo. Vienen ya unas cuantas hojas por si acaso... *Incluye asa para el transporte del conjunto plegado.* Y esto no es todo, Camille... *¡bajo el asa está previsto un emplazamiento para una pequeña botella de agua!*

—¿Y sólo se puede poner agua? —preguntó Franck, inquieto.

—¡Pero si no es para beber, tonto! —se burló Paulette—. ¡Es para mezclar los colores!

—Ah, claro, mira que soy tonto...

—¿Te... te gusta? —preguntó Philibert, inquieto.

—¡Es fantástica!

—¿Hu... hubieras pre... preferido un chico d... desnudo?

—¿Me da tiempo a probarla ahora mismo?

—Sí, claro, si de todas maneras tenemos que esperar a René...

Camille buscó en su bolso su minúscula caja de acuarelas, la abrió, y se instaló ante la cristalera.

Pintó el Loira. Lento, ancho, sereno, imperturbable. Sus lánguidos bancos de arena, sus postes y sus barcas podridas. Un cormorán a lo lejos. Los pálidos juncos y el azul del cielo. Un azul invernal, metálico, brillante, arrogante, fanfarroneando entre dos nubarrones cansados.

Odette estaba como hipnotizada:

—¿Pero cómo lo hace? ¡Pero si sólo tiene ocho colores en esa cajita!

—Hago trampas, pero chitón… Tenga. Es para usted.

—¡Huy, gracias! ¡Gracias! ¡René! ¡Ven a ver esto!

—¡La invito a comer!

—No, no…

—¿Cómo que no, cómo que no? ¡Sí, sí, insisto!

Cuando volvió a sentarse con ellos, Paulette le pasó un paquetito por debajo de la mesa: era un gorro a juego con la bufanda. Los mismos agujeros y los mismos colores. Canela fina.

Llegaron unos cazadores, Franck los siguió a la cocina con el *maître* y se pusieron a comentar las presas dándole al aguardiente. Camille se divertía con su regalo, y Paulette le contaba batallitas a Philibert, que había estirado sus largas piernas y la escuchaba embelesado.

Luego llegó la mala hora, el anochecer, y Paulette se sentó en el asiento del copiloto.

Nadie decía nada.

El paisaje era más feo por momentos.

Rodearon la ciudad y atravesaron zonas comerciales sin nada especial: supermercados, hoteles baratos con televisión por cable, depósitos y guardamuebles. Por fin Franck aparcó el coche.

En el culo del mundo.

Philibert se levantó para abrirle la puerta y Camille se quitó el gorro.

Paulette le acarició la mejilla.

—Hala, hala… —gruñó Franck—, abreviando. ¡Que no quiero que la madre superiora me eche la bronca!

Cuando volvió, la silueta ya había apartado los visillos.

Franck se sentó, hizo una mueca, y soltó un gran suspiro antes de meter el embrague.

Todavía no había salido del aparcamiento cuando Camille le dio una palmadita en el hombro:

—Para el coche.

—¿Y ahora qué se te ha olvidado?

—Que pares, te digo.

18

Franck se volvió hacia ella.

—¿Y ahora qué pasa?

—¿Cuánto os cuesta?

—¿Eh?

—¿El sitio este? ¿Esta residencia?

—¿Por qué me lo preguntas?

—¿Cuánto?

—Unos diez mil papeles…

—¿Quién paga?

—La pensión de mi abuelo, siete mil ciento doce francos, y el Consejo General o no sé qué…

—Para mí te pido dos mil papeles de dinero de bolsillo y lo demás te lo quedas, y dejas de trabajar el domingo para echarme una mano…

—Espera, espera… ¿de qué me estás hablando?

—¿Philou?

—Ah, no, querida, esto ha sido idea tuya —gimió.

—Sí, amigo mío, pero se trata de tu casa…

—¡Eh! ¿Qué pasa aquí? ¿De qué va todo esto?

Philibert encendió la luz del techo.

—Si quieres…

—Y si ella también quiere —precisó Camille.

—… nos la traemos a casa con nosotros —sonrió Philibert.

—C… con vosotros, ¿dónde? —farfulló Franck.

—A casa… con nosotros…

—¿Pe… pero cuándo?

—Ahora.

—¿A… ahora?

—Dime una cosa, Camille, ¿yo tengo también ese aire pasmado cuando tartamudeo?

—No, no —lo tranquilizó ella—, tú no tienes en absoluto esa mirada tan alelada…

—¿Y quién se va a ocupar de ella?

—Yo. Pero acabo de exponerte mis condiciones…

—¿Y tu curro?

—¡No más curro! ¡Se acabó!

—Pero…

—¿Qué?

—Sus medicinas y todo eso…

—¡Pues ya se las daré! Contar pastillas tampoco es que sea tan difícil, ¿o sí?

—¿Y si se cae?

—¿Cómo se va a caer si yo estaré con ella?

—Pero… ¿y… y dónde dormirá?

—Le cedo mi habitación. Ya está todo pensado…

Franck apoyó la frente sobre el volante.

—¿Y tú, Philou, qué opinas de todo esto?

—Al principio me pareció mal, y luego ya bien. Pienso que tu vida será mucho más fácil si nos la traemos a casa…

—¡Pero un viejo es una pesadez!

—¿Tú crees? ¿Cuánto pesa tu abuelita? ¿Cincuenta kilos? Ni siquiera…

—Pero no nos la podemos llevar así como así, ¿no?

—¿Ah, no?

—Pues claro que no…

—Si hay que pagar alguna compensación, pues la pagaremos…

416

—¿Puedo salir a dar una vuelta?

—Claro.

—¿Me lías un cigarro, Camille?

—Toma.

Franck salió dando un portazo.

—Es una locura —concluyó, volviendo a entrar en el coche.

—Nunca hemos dicho que no lo fuera… ¿Eh, Philou?

—Nunca. ¡Por lo menos lucidez no nos falta!

—¿Y no os da miedo?

—No.

—Por peores cosas hemos pasado, ¿verdad?

—¡Y tanto!

—¿Y creéis que le gustará vivir en París?

—¡No la llevamos a París, la llevamos a nuestra casa!

—¡Le enseñaremos la Torre Eiffel!

—No. Le enseñaremos un montón de cosas mucho más bonitas que la Torre Eiffel…

Franck suspiró.

—Bueno, ¿y ahora cómo hacemos?

—Yo me encargo —declaró Camille.

Cuando volvieron y aparcaron justo debajo de su ventana, allí seguía Paulette.

Camille se fue corriendo. Desde el coche, Franck y Philibert asistieron a un espectáculo de sombras chinescas: pequeña silueta que se da la vuelta, silueta más grande que se acerca a ella, movimientos de hombros, mientras Franck no dejaba de repetir: «Es una locura, es una locura, os digo que es una locura… Una locura tremenda…»

Philibert sonreía.

Las siluetas cambiaron de posición.

—¿Philou?

—Mmm…

—¿Esta chica qué es?

—¿Perdona?

—Esta chica que encontraste… ¿Qué es exactamente? ¿Un extraterrestre?

Philibert sonreía.

—Un hada…

—Sí, eso es… Un hada… Tienes razón.

Y… esto… ¿las hadas tienen sexo… o no?

—¿Pero qué coño estarán haciendo?

La luz se apagó por fin.

Camille abrió la ventana y tiró una gran maleta por el balcón. Franck, que se estaba comiendo las uñas, dio un respingo:

—¡Joder, qué manía tiene esta tía con tirar las cosas por la ventana, ¿no?!

Reía y lloraba a la vez.

—Joder, Philou… —Gruesos lagrimones resbalaban por sus mejillas—. Hacía meses que no conseguía mirarme al espejo… ¿Pero tú te lo crees, esto? ¿Tú te lo crees? —decía, temblando.

Philibert le tendió su pañuelo.

—Tranquilo. Tranquilo. Ya verás cómo te la mimamos… Tú no te preocupes…

Franck se sonó la nariz, avanzó con el coche, y se precipitó hacia ellas mientras Philibert cogía la maleta.

—¡No, no, quédese en el asiento delantero, joven! Que usted tiene las piernas más largas…

Silencio sepulcral durante varios kilómetros. Cada uno se preguntaba justamente si lo que acababan de hacer no era una tontería muy grande… Y, de repente, con aire ingenuo, Paulette ahuyentó todos esos demonios:

—Eh… ¿Me llevaréis a algún espectáculo? ¿Iremos a ver operetas?

Philibert se volvió hacia ella, entonando una canción de opereta.

Camille le cogió la mano y Franck sonrió a Camille por el retrovisor.

Nosotros cuatro, aquí, ahora, en este Clío destartalado, liberados, juntos, y que venga lo que tenga que venir…

Los cuatro cantaron a coro el estribillo de la opereta.

CUARTA PARTE

1

Es una hipótesis. La historia no llegará lo suficientemente lejos como para confirmarla. Y además nuestras certezas nunca son inamovibles. Un día uno quisiera morirse, y al día siguiente, se da cuenta de que bastaba con bajar un par de escalones para encontrar el interruptor y ver las cosas un poco más claras... Sin embargo, esos cuatro estaban a punto de vivir los que tal vez serían los días más hermosos de sus vidas.

A partir del momento preciso en que le enseñan su nueva casa, a la espera, medio emocionados, medio inquietos, de sus reacciones y comentarios (no hará ninguno), y hasta el próximo batacazo del destino —que siempre nos reserva alguna broma— un viento tibio soplará sobre sus rostros cansados.

Una caricia, una tregua, un bálsamo.

Sentimental healing, como diría uno que yo me sé...

La familia Brazos Rotos contaba a partir de entonces con una abuela, y aunque la tribu no estaba completa (no lo estaría nunca), no tenía intención de dejarse vencer.

¿Que entonces llevaban todas las de perder en el juego de las 7 familias? ¡Pues entonces juguemos al póker! Ahí sí que no se podían quejar, eran cuatro, y a eso se le llama un póker. Bueno, tal vez no un póker de ases... Había demasiados chichones, demasiados tartamudeos y demasiadas cicatrices para pretender que lo fuera, pero... ¡el póker no había quien se lo quitara!

Desgraciadamente, no eran muy buenos jugadores...

Aunque se concentraran, aunque estuvieran firmemente decididos a ganar por una vez, ¿cómo exigir de un chuán desarmado, un hada frágil, un chaval agotado, y una anciana llena de cardenales que supieran marcarse un farol?

Imposible.

Bah... qué se le iba a hacer... Una apuesta reducida y unas míseras ganancias eran siempre mejor que nada...

2

Camille no aguantó hasta el final de su notificación: decididamente, Josy Bredart olía demasiado mal. Tenía que pasarse por la sede (qué palabra…) para negociar su marcha y tener derecho a cobrar el… ¿Cómo lo llamaban?… El finiquito. Había trabajado más de un año y nunca se había tomado vacaciones. Sopesó los pros y los contras y decidió reírse de todo.

A Mamadou le sentó mal:

—Tú, desde luego… tú, desde luego —no dejó de repetir la última noche, dándole escobazos en las piernas—. Tú, desde luego…

—Yo, desde luego, ¿qué? —se irritó Camille cuando se lo hubo repetido cien veces—. ¡Termina la frase, joder! Yo, ¿qué?

Mamadou meneó tristemente la cabeza:

—Tú, desde luego… nada.

Camille se fue a otra habitación.

Vivía en la dirección contraria, pero se subió en el mismo vagón desierto que ella y la obligó a correrse un poco para compartir el mismo asiento. Parecían Astérix y Obélix cuando se enfadan el uno con el otro. Camille le dio un pequeño codazo en la tripa, y la otra por poco la tira al suelo.

Repitieron esto varias veces.

—Eh, Mamadou… no te cabrees.

—No me cabreo, y te prohíbo que me vuelvas a llamar Mamadou. ¡No me llamo Mamadou! ¡Odio ese nombre! Las chicas del trabajo me llaman así, pero ése no es en absoluto mi nombre. Y como, que yo sepa, ya no eres una chica del trabajo, te prohíbo que me vuelvas a llamar así una sola vez más, ¿entendido?

—¿En serio? ¿Entonces cómo te llamas?

—No te lo pienso decir.

—Mira, Mam… digo… querida… a ti te voy a decir la verdad: si me voy, no es por Josy. No me voy por el trabajo, ni por el gusto de largarme sin más. Tampoco me voy por el dinero. La verdad es… que me voy porque tengo otro trabajo… Un trabajo que… bueno, por lo menos creo… aunque… no estoy del todo segura, ¿eh?… pero un trabajo que se me da mejor que éste… que creo que me podría hacer más feliz…

Silencio.

—Y además no es la única razón… Ahora me ocupo de una anciana y ya no quiero estar fuera de casa por la noche, ¿entiendes? Me da miedo que se caiga…

Silencio.

—Bueno, pues nada, yo ya me bajo… Que si no otra vez me va a tocar pagarme un taxi…

Mamadou la cogió del brazo y la obligó a volverse a sentar.

—Que te quedes te digo. Sólo son las doce y treinta y cuatro…

—¿Cuál es?

—¿Cómo?

—Tu otro trabajo, ¿cuál es?

Camille le tendió su cuaderno.

—Toma —le dijo, devolviéndoselo—, está bien. Entonces me parece bien. Ya te puedes ir, pero… me ha encantado conocerte, bichejo —añadió Mamadou, dándose la vuelta.

—Tengo otro favor que pedirte, Mama…

—¿Quieres que mi Léopold te consiga el éxito garantizado y la atracción de clientela?

—No. Me gustaría que posaras para mí…

—Que posara, ¿el qué?

—¡Pues tú! Que me sirvas de modelo…

—¿Yo?

—Sí.

—Oye, ¿tú te estás burlando de mí, o qué?

—Desde el primer día que te vi, entonces todavía trabajábamos en Neuilly, me acuerdo… desde entonces me apetece pintar tu retrato…

—¡Para, Camille! ¡Yo ni siquiera soy linda!

—Para mí, sí.

Silencio.

—¿Para ti, sí?

—Para mí, sí…

—¿Qué hay de lindo en esto, eh? —preguntó, señalando con el dedo su reflejo en el cristal negro del vagón de metro—. ¿Dónde está eso que dices?

—Si consigo pintar tu retrato, si me sale bien, se verá en él todo lo que me has contado desde que nos conocemos… Todo… Se verá a tu madre y a tu padre, a tus hijos, el mar, y… ¿cómo se llamaba, que no me acuerdo?

—¿Quién?

—Tu cabrita.

—*Buli*…

—Se verá a *Buli*. Y a tu prima la que se murió… Y todo lo demás…

—¡Oye, tú hablas como mi hermano! ¡Fantasías y nada más que fantasías, oye!

Silencio.

—Pero… no estoy segura de que me salga bien…

—¿Ah, no? ¡Ojo, que si no se me ve a *Buli* sobre la cabeza, no te creas que me importa! Pero… esto que me pides lleva tiempo, ¿no?

—Sí.

—Entonces no puedo…

—Tienes mi teléfono… Descansa un día o dos de Todoclean y ven a verme. Te pagaré las horas que estés… Siempre se paga a los modelos… Es un oficio, ¿sabes…? Bueno, ahora ya sí que te dejo. ¿No… no nos vamos a dar un beso?

Mamadou la aplastó contra su pecho.

—¿Cómo te llamas, Mamadou?

—No te lo pienso decir. No me gusta mi nombre…

Camille corrió a lo largo del andén, indicando con la mano que la llamara por teléfono. Su antigua compañera de trabajo le contestó con un gesto cansado. Olvídame, blanquita, olvídame. De hecho, ya me has olvidado…

Mamadou se sonó ruidosamente.
Le gustaba hablar con Camille.
Eso sí que era verdad…
Nadie más la escuchaba nunca.

3

Los primeros días, Paulette no salió de su habitación. Le daba miedo molestar, le daba miedo perderse, le daba miedo caerse (se les había olvidado traerse su andador) y sobre todo, le daba miedo arrepentirse de esa ventolera que le había dado.

A menudo se le cruzaban los cables, aseguraba que estaba pasando unas vacaciones muy agradables y les preguntaba cuándo pensaban llevarla de vuelta a su casa...

—¿Cuál es tu casa? —le preguntaba Franck, irritado.

—Pues lo sabes muy bien... mi casa... cuál va a ser...

Franck se marchaba de la habitación, suspirando:

—Ya os dije que esto era una locura... Lo que faltaba, ahora encima se le está yendo la olla...

Camille miraba a Philibert, y éste miraba a otra parte.

—¿Paulette?

—Ah, eres tú, linda... ¿Cómo... cómo has dicho que te llamabas?

—Camille...

—¡Eso es, Camille! ¿Y qué querías, bonita?

Camille le habló sin rodeos, y con cierta dureza. Le recordó de dónde venía, por qué estaba con ellos, lo que habían tenido que cambiar, y lo que les quedaba aún por cambiar en sus estilos de vida para hacerle compañía. Añadió mil detalles demoledores más que dejaron a la anciana totalmente desarmada:

—¿Entonces ya nunca más volveré a mi casa?

—No.

—¿De verdad?

—Venga conmigo, Paulette…

Camille la tomó de la mano y volvió a enseñarle la casa. Esta vez más despacio. De paso le soltó unas cuantas puyitas más:

—Aquí está el retrete… ¿Lo ve?, Franck está instalando unos apliques en la pared para que pueda usted agarrarse…

—Chorradas… —rezongó él.

—Aquí está la cocina… ¿Es grandecita, eh? Y además hace frío… Por eso arreglé ayer la mesa con ruedas… Para que pueda comer en su habitación…

—… o en el salón —precisó Philibert—, no tiene por qué quedarse encerrada todo el día, ¿sabe…?

—Bueno, el pasillo… Es muy largo, pero se puede usted agarrar a la pared, ¿verdad? Si necesita ayuda, iremos a la farmacia a alquilar otro chisme de esos con ruedas…

—Sí, lo prefiero así…

—¡No hay problema! Ya tenemos a un fanático de las ruedas en casa…

—Esto es el cuarto de baño… Y aquí es donde tenemos que hablar en serio, Paulette… Venga, siéntese aquí… Levante los ojos… Mire qué bonito es…

—Muy bonito. Nunca había visto uno así por donde nosotros vivimos…

—Bien. ¿Pues sabe lo que va a hacer mañana su nieto con unos amigos?

—No…

—Lo van a arrasar. Van a instalar una cabina de ducha para usted porque la bañera es demasiado alta para que entre y salga de ella. Entonces, antes de que sea demasiado tarde, tiene usted que decidirse en serio. O bien se queda y los muchachos se ponen manos a la obra, o bien no le apetece mucho quedarse, y no hay ningún problema, puede usted hacer lo que quiera, Paulette, pero nos lo tiene que decir ahora, ¿entiende?

—¿Entiende? —repitió Philibert.

La anciana suspiró, jugueteó con una esquina de su rebeca durante unos segundos que se les antojaron eternos, y luego levantó la cabeza, y preguntó, inquieta:

—¿Habría un taburete para mí?

—¿Cómo dice?

—No soy del todo incapaz, ¿sabe…? Me puedo duchar sola perfectamente, pero tienen que ponerme un taburete, porque si no…

Philibert hizo como que se lo escribía en la mano.

—¡Un taburete para la señora de la mesa del fondo! ¡Marchando! ¿Y qué más desea la señora?

Paulette sonrió.

—Nada más…

—¿Nada más?

Por fin lo soltó todo:

—Bueno, sí. Me gustaría tener mi revista *Télé Star,* mis crucigramas, agujas y lana para Camille, un tarro de Nivea porque se me ha olvidado el mío, caramelos, una radio pequeña para la mesa de noche, un líquido de esos con burbujas para mi dentadura postiza, ligas, zapatillas y una bata más abrigada porque aquí hay mucha corriente, compresas, polvos, mi frasco de agua de colonia que Franck se olvidó el otro día, otra almohada, una lupa, y también que me pongáis el sillón delante de la ventana, y…

—¿Y? —preguntó Philibert, inquieto.

—Y creo que nada más…

Franck, que se les había unido con su caja de herramientas en la mano, le dio un golpecito en el hombro a su amigo:

—Joder, tío, ahora tenemos dos princesas en lugar de una...

—¡Cuidado! —le regañó Camille—. ¡Que lo estás llenando todo de polvo!

—¡Y deja de decir tacos, por favor! —añadió su abuela.

Franck se alejó arrastrando los pies:

—Huuuuy, madreeeee míaaaaa... Esto está que arde... Lo llevamos claro, chaval... Bueno, yo me vuelvo al curro, que ahí hay menos lío. Si alguien va a la compra, que traiga patatas, que os quiero hacer un buen guiso... ¡Pero esta vez de las buenas, eh! Miráis bien que diga «patatas para puré», tampoco es tan difícil, lo pone en la etiqueta...

«Lo llevamos claro...», presintió Franck, y se equivocó de medio a medio. Al contrario, nunca en sus vidas habían estado tan bien.

Dicho así, suena un poco cursi, naturalmente, pero bueno, era la verdad, y ya hacía tiempo que el ridículo no les hacía daño: por primera vez, todos tuvieron la impresión de tener una verdadera familia.

Mejor que una de verdad, de hecho, una elegida, una querida, una por la cual habían luchado y que no les pedía a cambio nada más que ser felices juntos. Ni siquiera felices, de hecho, ya no eran tan exigentes. Estar juntos, nada más. Y eso en sí ya era algo inesperado.

Tras el episodio del cuarto de baño, Paulette ya no volvió a ser la misma. Encontró sus puntos de referencia y se fundió en el ambiente local con una facilidad asombrosa. ¿Tal vez justamente lo que necesitaba era una prueba? Una prueba de que la estaban esperando, y le daban la bienvenida en ese inmenso piso vacío donde las persianas se cerraban desde dentro y nadie había limpiado el polvo desde el periodo de la Restauración. Si instalaban una ducha sólo para ella, entonces... Había estado a punto de perder pie sólo porque echaba de menos dos o tres objetos, y Camille recordaba a menudo esa escena. Cómo la gente a menudo se encontraba mal por una tontería sin importancia, y cómo todo podría haberse degradado a la velocidad del rayo de no haber sido por un chico paciente al que se le ocurrió preguntar «¿Y qué más?» sosteniendo una libreta imaginaria... ¿De qué dependía todo a fin de cuentas? De una dichosa revista, una lupa y dos o tres frascos... Daba vértigo pensarlo... Filosofía barata que fascinaba a Camille y que resultó mucho más compleja de lo esperado una vez que se encontraron las dos delante de la sección de dentífricos de unos modestos grandes almacenes, leyendo los prospectos de Stéradent, Polident, Fixadent y otros pegamentos milagrosos...

—Y... Paulette... esto... lo que usted llama compresas no es otra cosa que... que...

—¡No me irás a obligar a ponerme un pañal como ha-

cían en la residencia con la excusa de que es más barato!
—se indignó la anciana.

—¡Ah, compresas! —repitió Camille, aliviada—.
Vale... Es que no había caído...

Ya se conocían de cabo a rabo el Franprix, ¡y muy
pronto se les antojó algo paleto incluso! Así que cambiaron de almacenes, y ahora iban al Monoprix, despacito,
arrastrando el carrito de la compra, con la lista que les había hecho Franck la víspera por la noche...

¡Ah, el Monoprix!

Era toda su vida...

Paulette se despertaba siempre la primera, y esperaba
a que uno de los chicos le trajera el desayuno a la cama.
Cuando era Philibert quien se encargaba, lo traía en una
bandeja de plata, con una pinza para los terroncitos de
azúcar, una servilleta bordada, y una jarrita para la leche.
Luego la ayudaba a incorporarse, le ahuecaba las almohadas, y descorría las cortinas comentando algo sobre el
tiempo. Nunca un hombre había sido tan atento con ella,
y pasó lo que tenía que pasar: ella también empezó a ado-
rarlo. Cuando le tocaba a Franck era... un poco más rústico. Le dejaba el tazón de malta sobre la mesilla de noche
y le daba un beso en la mejilla quejándose de que llegaba
tarde.

—¿No tienes ganas de hacer pis?

—Espero a Camille...

—¡Eh, abuela, vale ya! ¡Déjala respirar un poco! ¡Lo
mismo todavía duerme una hora más! No te vas a estar
aguantando tanto tiempo...

Imperturbable, Paulette repetía:

—La espero.

Franck se marchaba refunfuñando.

«Pues nada, hala, espérala, anda... Espérala... Qué

putada, ahora tú te lo llevas todo… ¡Yo también la espero, joder! ¿Qué tengo que hacer? ¿Partirme las dos piernas para que me haga carantoñas a mí también? Me cago en la Mary Poppins de las narices…»

Camille salía justo en ese momento de su habitación, estirándose.

—¿Y ahora qué estás mascullando?

—Nada. Vivo con el príncipe Carlos y santa Teresa de Calcuta y me lo paso pipa. Quita, que llego tarde… Ah, por cierto…

—¿Qué?

—A ver, déjame ver tu brazo… ¡Muy bien! —exclamó, palpándola—. Oye, gordita, ten cuidado, que lo mismo un día de éstos voy y te como…

—Ni en tus mejores sueños, cocinerito, ni en tus mejores sueños.

—Sí, hija, sí, tú espera y verás…

Era cierto, el mundo era mucho más divertido.

Volvió con la chaqueta bajo el brazo:

—El miércoles que viene…

—¿Qué pasa el miércoles que viene?

—Será miércoles de carnaval, porque el martes tendré mucho curro, y tú me esperas para cenar…

—¿A medianoche?

—Intentaré llegar a casa antes, y te prepararé unas *crêpes* como no las has probado en tu vida…

—¡Ah, qué susto! ¡Pensaba que era el día que habías elegido para echarme un polvo!

—Primero te preparo las *crêpes* y luego te echo un polvo.

—Perfecto.

¿Perfecto? Ah, lo llevaba crudo el muy tonto… ¿Qué

iba a hacer hasta el miércoles? ¿Chocarse con todas las farolas, echar a perder todas las salsas en el curro y comprarse ropa interior nueva? ¡Joder, es que no hay derecho! ¡De una forma o de otra, esta tía iba a acabar con él! Qué angustia... Mientras esta vez fuera de verdad... En la duda, decidió comprarse un calzoncillo nuevo por si las moscas...

Eso es... Y desde luego, me temo que se me va a ir la mano con el Grand Marnier, sí, sí... Y lo que no utilice en las crêpes, me lo bebo, hala.

Camille se reunía después con Paulette para desayunar con ella. Se sentaba en la cama, estiraba el edredón, y esperaban a que se fueran los chicos para ver la Teletienda. Se extasiaban, se partían de risa, se burlaban de las pintas de los presentadores, y Paulette, que todavía no había asimilado el paso al euro, se extrañaba de que la vida fuera tan barata en París. El tiempo ya no existía, se estiraba despacio desde el té del desayuno hasta el Monoprix, y del Monoprix hasta el quiosco de prensa.

Les parecía estar de vacaciones. Las primeras desde hacía años para Camille y desde siempre para la anciana. Se llevaban bien, se comprendían con medias palabras y rejuvenecían las dos conforme los días se iban haciendo más largos.

Camille se había convertido en lo que la agencia de subsidios llama una «auxiliar de vida». Esas tres palabras le iban bien, y compensaba su ignorancia geriátrica adoptando un tono directo y una crudeza en la expresión que las desinhibía a las dos.

—Ande, Paulette, métase en la bañera... Yo le limpio el trasero con la alcachofa...

—¿Estás segura?

—¡Pues claro!

—¿No te da asco?

—Pues claro que no.

Como la instalación de una cabina de ducha había resultado demasiado complicada, Franck había montado un escalón antideslizante para que Paulette pudiera entrar y salir de la bañera, y le había serrado las patas a una vieja silla sobre la que Camille ponía una toalla antes de sentar en ella a su protegida.

—Oh —gemía ésta—, pero a mí me da vergüenza... No te imaginas cómo me violenta imponerte esto...

—Vamos, vamos...

—¿Este cuerpo viejo no te da asco? ¿Estás segura?

—Mire, me... me parece que no compartimos el mismo enfoque... Yo... he tomado clases de anatomía, he dibujado cuerpos desnudos de personas de su edad, y no tengo problemas de pudor... bueno, sí, pero no ese tipo de pudor. No sabría explicarle... Cuando la miro, no me digo a mí misma: buaj, qué asco esas arrugas, esos pechos caídos, esa tripa blandurria, ese vello blanco, ese culo fofo, o esas rodillas huesudas... No, en absoluto... Tal vez la ofenda con lo que le voy a decir, pero su cuerpo me interesa independientemente de usted. Cuando lo veo pienso en trabajo, técnica, luz, contornos, carne que plasmar... Pienso en algunos cuadros... Las viejas locas de Goya, alegorías de la muerte, la madre de Rembrandt o su profetisa Anne... Perdóneme, Paulette, es horrible lo que le estoy contando... ¡a decir verdad, la miro muy fríamente!

—¿Como a un bicho raro?

—Algo de eso hay... Pero más bien como a una curiosidad...

—¿Y entonces?

—Entonces nada.

—¿Me vas a dibujar a mí también?

—Sí.

Silencio.

—Sí, si usted me lo permite... Me gustaría dibujarla hasta que me la sepa de memoria. Hasta que se harte de tenerme a su alrededor...

—Te lo permitiré, pero es que esto... No eres mi hija ni nada y me siento... Oh, qué... qué avergonzada estoy...

Camille se desnudó entonces y se arrodilló delante de ella sobre los azulejos grises:

—Láveme.

—¿Cómo?

—Coja el jabón, la esponja, y láveme, Paulette.

Ésta obedeció y, medio tiritando en su reclinatorio acuático, tendió el brazo hacia la espalda de la muchacha.

—¡Eh! ¡Más fuerte!

—Dios mío, eres tan joven... Cuando pienso que en tiempos yo era como tú ahora... No tan menudita, claro, pero...

—¿Quiere decir flaca? —la interrumpió Camille, agarrándose al grifo.

—No, no, de verdad quería decir «menuda»... Cuando Franck me habló de ti por primera vez, recuerdo que sólo decía esa palabra, una y otra vez: «Jo, abuela, es tan flaca... Si vieras lo flaca que es...», pero ahora que te veo tal como eres, no estoy de acuerdo con él. No eres flaca, eres fina. Me recuerdas a esa chica que sale en la novela *Le Grand Meaulnes*... ¿Sabes quién te digo? ¿Cómo se llamaba? Ayúdame...

—No la he leído.

—Ella también tenía un nombre noble... Ay, qué rabia no acordarme...

—Ya lo miraremos en la biblioteca... ¡Venga, láveme! ¡Más abajo también! ¡No hay pero que valga! Espere, que me voy a dar la vuelta... Así... ¿Lo ve? ¡Estamos en el mismo barco, querida! ¿Por qué me mira así?

438

—Es que... Esa cicatriz que tienes ahí...

—Ah, ¿esto? No es nada...

—No... No me digas que no es nada... ¿Qué te pasó?

—Nada, le digo.

Y, desde ese día, no volvieron a hablar de cuestiones epidérmicas.

Camille la ayudaba a sentarse en la taza del váter, y luego en la silla de la bañera, y la enjabonaba hablando de otra cosa. Lavarle el pelo resultó más complicado. Cada vez que cerraba los ojos, la anciana perdía el equilibrio y se iba hacia atrás. Al cabo de varios intentos catastróficos, decidieron sacarse un bono en una peluquería. No en su barrio, donde eran todas carísimas («¿Myriam? ¿Quién es ésa? No conozco a ninguna Myriam, yo», le respondió el idiota de Franck), sino en la otra punta de una línea de autobús. Camille estudió su plano de la ciudad, siguió con el dedo el recorrido de la empresa de transportes, buscó cierto exotismo, consultó las páginas amarillas, pidió presupuestos para una sesión semanal de lavar y marcar, y se decidió por una pequeña peluquería de la calle Pyrénées, en el barrio del final de la línea del autobús 69.

A decir verdad, la diferencia de precio no justificaba una expedición así, pero el paseo era tan bonito...

Y todos los viernes, al despuntar el alba, instalaba a una Paulette encogidita en un asiento junto a la ventana y le comentaba todos los detalles de *Paris by day,* cazando al vuelo (en su cuaderno, y en función de los atascos que hubiera) una pareja de caniches con abriguitos de Burberry's en el Pont Royal, la especie de salchichilla que decoraba las fachadas del Louvre, las cajas y los pulidores de los limpiabotas en el *Quai* de la Mégisserie, el pedestal del genio de la Bastilla o la parte de arriba de los panteones del cementerio de Père Lachaise, y luego leía historias de princesas embarazadas y cantantes abandonados mientras su amiga se pasaba el rato tan contenta debajo del secador. Luego almorzaban en un café de la plaza Gambetta. No en el Gambetta justamente, un sitio un pelín demasiado a la moda para su gusto, sino en el Bar du Métro, con su rico olor a tabaco frío, a millonario decadente y a camarero irritable.

Paulette, que recordaba bien el catecismo, tomaba invariablemente trucha con salsa de almendras, y Camille, que carecía por completo de moral, se zampaba un mixto con bechamel, cerrando los ojos. Pedían también una jarrita de vino de la casa, sí, señor, y brindaban con alegría. «¡Por nosotras!» En el camino de vuelta, Camille se sentaba frente a ella y dibujaba exactamente las mismas cosas, pero reflejadas en la mirada de una ancianita bien arreglada y con demasiada laca en el pelo, que no se atrevía a apoyar la cabeza en el cristal por miedo a aplastar sus preciosos ricitos malvas. (Johanna, la peluquera, la había convencido de cambiar de color: «Entonces está usted de acuerdo, ¿no? Le pongo Opalina ceniza, ¿eh? Mire, es el número 34, éste de aquí...» Paulette quería pedir consejo a Camille con la mirada, pero ésta estaba enfrascada en una historia de liposucción fallida. «¿No quedará un poco triste?», le preguntó inquieta a la peluquera. «¿Triste? ¡No, qué va, al contrario, quedará muy alegre!»)

En efecto, era... era la palabra adecuada. Quedaba muy alegre, y aquel día se bajaron en la esquina con el *Quai* Voltaire para comprar, entre otras cosas, una nueva salserilla de acuarela en Sennelier.

El cabello de Paulette había pasado del *Rosa Dorado* muy diluido al *Violeta de Windsor.*

Y, todo hay que decirlo, era mucho más chic...

Los demás días era pues al Monoprix donde iban. Tardaban más de una hora en recorrer doscientos metros, probaban la nueva Danette, contestaban a encuestas tontísimas, se probaban pintalabios u horrorosos pañuelos de muselina. Se entretenían, parloteaban, se detenían por el camino, comentaban el aspecto de las burguesas del distrito VII, y la alegría de las adolescentes: sus carcajadas, sus historias rocambolescas, los timbres de sus teléfonos móviles y sus mochilas llenas de chismes colgando. Paulette y Camille se divertían, suspiraban, se burlaban y se levantaban con cuidado. Les sobraba tiempo, tenían toda la vida por delante…

5

Cuando Franck no se encargaba de la intendencia, le tocaba a Camille. Tras varios platos de espaguetis pasados,
tartas de queso malogradas y tortillas quemadas, Paulette
se decidió a inculcarle unas cuantas nociones de cocina.
Permanecía sentada delante de los fogones y le enseñaba
palabras o expresiones tan sencillas como: ramillete de
verduras, olla de hierro, sartén caliente y caldo. Paulette
ya no veía muy bien, pero se guiaba por el olfato para in-
dicarle los pasos que debía seguir... «Ahora echa las cebollas, los torreznos, los trozos de carne, así, basta, no
eches más. Y ahora rocíame bien todo eso... Venga, yo te
digo... ¡Así, basta!»

—Está bien. No digo que consiga hacer de ti un *cor-
don-bleu,* pero bueno...
—¿Y Franck?
—¿Franck, qué?
—¿Usted le enseñó todo lo que sabe?
—¡No, todo no! Me imagino que le di el gusto por la
cocina... Pero lo importante no se lo enseñé yo... Yo le
enseñé la cocina casera... Platos sencillos, rústicos y bara-
tos... Cuando a mi marido le dieron la baja por lo del co-
razón, yo entré como cocinera en una casa burguesa...
—¿Y Franck iba con usted?
—¡A ver! ¿Qué querías que hiciera con él cuando era
pequeño? Bueno, más adelante ya dejó de venir, claro...
Después...

—Después, ¿qué?

—Bueno, ya sabes cómo son estas cosas... Después me costaba saber por dónde andaba... Pero... tenía talento. Le gustaba. Cuando cocinaba era el único momento en que estaba más o menos tranquilo...

—Sigue siendo así.

—¿Lo has visto?

—Sí. Me tuvo de pinche el otro día... ¡No lo reconocí!

—Ya ves... Sin embargo, si supieras qué drama cuando lo mandamos de aprendiz... Cuánto rencor nos guardó por ello...

—¿Pero y él qué quería hacer?

—Nada. Tonterías... ¡Camille, bebes demasiado!

—¡Tiene que estar de broma! ¡Pero si no bebo ya nada desde que está usted aquí! Tenga, un vasito de vino es bueno para las arterias. Y no lo digo yo, lo dicen los médicos...

—Bueno... un vasito entonces...

—¡Pero bueno! ¿Por qué pone esa cara? ¿Es que se pone triste cuando bebe?

—No, los recuerdos...

—¿Fueron momentos duros?

—Sí...

—¿El difícil era Franck?

—Él, la vida...

—Me lo ha contado...

—¿El qué?

—Lo de su madre... El día que vino a buscarlo para llevárselo con ella, todo eso...

—¿Sa... sabes?, lo peor cuando uno se hace viejo, es... Anda, sírveme otro vasito... No es tanto que el cuerpo ya no sirva para nada, sino los remordimientos... Cómo vuelven a rondarte, a torturarte... de día... de noche... a todas horas... Llega un momento en que ya no sabes si tienes que mantener los ojos abiertos, o cerrarlos para ahuyentarlos… Llega un momento en que… Y sin embargo Dios sabe que lo he intentado… He intentado entender por qué no funcionó, por qué todo salió mal, todo… todo… Y…

—¿Y?

Paulette temblaba:

—No lo consigo. No lo comprendo. No…

Paulette lloraba:

—¿Por dónde empiezo?

—Me casé tarde… ¡Oh! Como todo el mundo, tuve mi historia de amor… Pero no salió… Al final me casé con un chico bueno y amable para complacer a todos. Mis hermanas ya estaban casadas desde hacía tiempo y yo… Vamos, que yo también me casé…

»Pero los hijos no venían… Cada mes, maldecía mi vientre y lloraba mientras hervía mi ropa. Consulté a varios médicos, vine incluso aquí, a París, para que me examinaran… Consulté a curanderos, brujos, viejas horribles que me pedían cosas imposibles… Cosas que hice, Camille, que hice sin rechistar… Sacrifiqué corderitas en noches de luna llena, me bebí su sangre, me tomé… Oh, no… Era una cosa de bárbaros, créeme… Era otro siglo… Decían de mí que estaba «manchada». Y luego las peregrinaciones… Todos los años iba a Blanc, a meter un dedo en el agujero de san Génitour, luego iba a rascar a san Greluchon en Gargilesse… ¿Te hace gracia?

—Es que esos nombrecitos…

—Y aquí no acaba la cosa, espera… Había que dejar un exvoto de cera que representara al hijo deseado ante san Grenouillard de Preuilly…

—¿San Grenouillard?

—¡San Grenouillard, como lo oyes! ¡Ah, qué bonitos que eran mis bebés de cera, puedes creerme…! Eran verdaderas muñecas… Sólo les faltaba hablar… Y entonces un buen día, cuando ya hacía tiempo que me había resignado, me quedé embarazada… Tenía treinta y muchos años ya… Tú no te haces idea, pero era vieja ya… Era Nadine, la madre de Franck… Cómo la mimamos, cómo la cuidamos, cómo la protegimos a esa niña… Era la reina… Parece que le estropeamos el carácter a fuerza de mimarla… La quisimos demasiado… O la quisimos mal… Le concedimos todos los caprichos… Todos salvo el último… No quise prestarle el dinero que me pedía para abortar… No podía hacerlo, ¿lo entiendes? No podía. Había sufrido demasiado. Lo que me lo impedía no era cuestión de religión, ni de moral, ni el qué dirán. Era la rabia. La rabia. La mancha. Hubiera preferido matarla a ella que ayudarla a abrirse el vientre… ¿Acaso… acaso hice mal? Contéstame tú, Camille. ¿Cuántas vidas rotas por mi culpa? ¿Cuánto sufrimiento? ¿Cuánto…?

—Calle.

Camille le acarició el muslo.

—Calle…

—Así que Nadine… Nadine tuvo al pequeño y me lo dejó a mí… «Toma —me dijo—, ¿no lo querías tanto? ¡Pues aquí lo tienes! ¿Qué, estás contenta?»

Paulette cerró los ojos, y repitió entre hipidos:

—«¿Qué, estás contenta? —me decía una y otra vez, mientras hacía la maleta—, ¿estás contenta?» ¿Cómo se puede decir algo así? ¿Cómo se puede olvidar algo así? ¿Por qué habría de dormir por la noche ahora que ya no me deslomo y que ya no trabajo hasta caer rendida? Dímelo tú. Dímelo tú… Lo abandonó, volvió unos meses más tarde, se lo llevó con ella, y nos lo devolvió otra vez. Nos estábamos volviendo todos locos. Sobre todo Maurice, mi marido… Creo que lo llevó hasta el límite de su paciencia… Pero todavía tuvo que exasperarlo un poco más, llevarse al niño otra vez, volver a buscar dinero, según nos dijo para alimentarlo, y un mal día se escapó en

446

plena noche, dejándose al niño. Un día (ese día estuvo de más), volvió con sus carantoñas y Maurice la recibió con una escopeta. «No quiero verte más, le dijo, no eres más que una perdida. Eres una vergüenza para nosotros, y no te mereces a este niño. Para empezar, ya no lo volverás a ver más. Ni hoy, ni nunca. Y ahora, hala, desaparece. Déjanos en paz.» Camille… Era mi niña… Una niña que yo había esperado día tras día durante más de diez años… Una niña a la que había querido con locura… Con locura… Pero cuánto la pude mimar yo… La mimé todo lo que pude y más… Una niña a la que le pagamos todo. ¡Todo! Los vestidos más bonitos. Vacaciones en la playa, en la montaña, los mejores colegios… Todas las cosas buenas que teníamos eran para ella. Y todo esto que te cuento pasaba en un pueblecito minúsculo… Ella se fue, pero todos los que la conocían desde chica y que se escondían detrás de las persianas para ver al Maurice enfadado, ésos se quedaron. Y yo seguí cruzándome con ellos. Al día siguiente, y al otro, y al otro… Era… era inhumano… Era un infierno. La compasión de la gente de bien, eso es lo peor que hay en este mundo… Los que te dicen que rezan por ti a la vez que intentan sonsacarte, y los que enseñan a tu marido a beber repitiéndole que ellos habrían actuado igual, ¡me cago en diez! Ganas me dieron de matarlos a todos, créeme… ¡Yo también quería la bomba atómica!

Paulette se reía.

—¿Y luego, qué? Ahí estaba ese niño. No le había pedido nada a nadie… Así que lo quisimos. Lo quisimos todo lo que pudimos… Y puede incluso que fuéramos demasiado duros en ciertos momentos… No queríamos volver a cometer los mismos errores, así que cometimos otros distintos… ¿Y a ti no te da vergüenza dibujarme así, ahora?

—No.

—Tienes razón. La vergüenza no te lleva a ninguna

447

parte, créeme… La vergüenza no te sirve para nada. Sólo para complacer a la gente de bien… Así, cuando cierran las persianas o vuelven del café, se sienten bien. Sacando pecho de satisfacción, se calzan las zapatillas de fieltro al llegar a casa y se miran unos a otros, sonrientes. ¡En su familia no habría podido caer todo ese escándalo, ah no, eso sí que no! Pero… no me asustes, ¿no me estarás pintando con el vaso en la mano, espero?

—No —dijo Camille sonriendo.

Silencio.

—¿Pero más adelante? Todo salió bien…

—¿Con el niño? Sí… Era un buen chaval… Travieso pero noble. Cuando no estaba en la cocina conmigo, estaba en el huerto con su abuelo… O pescando… Tenía mucha rabia dentro, pero con todo no iba por mal camino. No iba por mal camino… Y eso que la vida no debía de ser siempre muy divertida con un par de viejos como nosotros, que hacía ya tanto tiempo que habíamos perdido las ganas de hablar, pero bueno… Hacíamos lo que podíamos… Jugábamos… Ya no ahogábamos a los gatitos que nacían… Lo llevábamos a la ciudad… Al cine… Le comprábamos los cromos de fútbol que quería y bicicletas nuevas… Sacaba buenas notas en el colegio, ¿sabes…? ¡Bueno, no era el primero de la clase, pero se esforzaba…! Y entonces Nadine volvió una vez más, y esa vez pensamos que sería bueno para él marcharse. Que una madre un poco alocada siempre era mejor que nada… Que tendría un padre, un hermano pequeño, que no era vida crecer en un pueblucho medio muerto, y que para sus estudios, era una oportunidad irse a la ciudad… Cómo volvimos a dejarnos engañar una vez más… Como unos primos. Unos tontorrones sin dos dedos de frente… El resto ya lo sabes: lo destrozó y lo metió en el directo de las 16 h12…

—¿Y ya nunca volvieron a saber de ella?

—No. Sólo en sueños… En sueños la veo a menudo…
Se ríe… Está guapa… ¿Me enseñas lo que has dibujado?

—Nada. Su mano sobre la mesa…

—¿Por qué me dejas decir todas estas tonterías? ¿Por
qué te interesa todo esto?

—Me gusta que la gente saque lo que lleva dentro…

—¿Por qué?

—No lo sé. Es como un autorretrato, ¿no? Un autorretrato con palabras…

—¿Y tú?

—Yo no sé contar las cosas…

—Pero para ti tampoco es normal que te pases todo el
tiempo con una vieja como yo…

—¿Ah, no? ¿Y acaso sabe usted qué es lo normal?

—Deberías salir… Ver gente… ¡Jóvenes de tu edad!
Anda… Levanta la tapadera a ver… ¿Te has acordado de
lavar los champiñones?

6

—¿Está durmiendo? —preguntó Franck.

—Creo que sí...

—Ah, oye, por cierto, me acaba de pillar por banda la portera, que vayas a verla, dice...

—¿Otra vez nos hemos equivocado con las basuras?

—No. Es por algo del tío que metiste en la buhardilla...

—Mierda... ¿Ha armado algún pollo?

Franck se encogió de hombros, moviendo la cabeza de lado a lado.

Pikou escupió bilis y la señora Pereira abrió la puerta acristalada llevándose una mano al pecho.

—Pase, pase… Siéntese…

—¿Qué ocurre?

—Siéntese, le digo.

Camille apartó los cojines y se sentó en un rinconcito del sofá de flores.

—Ya no lo veo…

—¿A quién? ¿A Vincent? Pero si yo me lo encontré el otro día… Iba a meterse en el metro…

—¿El otro día cuándo?

—Pues ya no me acuerdo… A principios de semana…

—¡Pues yo le digo que ya no lo veo! Ha desaparecido. Con *Pikou* que nos despierta cada noche, no hay forma de que no me entere de cuándo entra y sale, se lo puedo asegurar… Pero ahora ya, ni rastro. Me da miedo que le haya pasado algo… Tiene que ir a ver, niña… Tiene que subir.

—Bueno.

—Válgame Dios. ¿Cree que se habrá muerto?

Camille abrió la puerta.

—Oiga… Si está muerto, venga enseguida a buscarme, ¿eh? Es que… —dijo, sobando su medalla—, no quisiera yo que hubiera un escándalo en la finca, ¿comprende?

8

—Soy Camille, ¿me abres?

Ladridos y titubeos.

—¿Me abres o mando echar la puerta abajo?

—No, ahora no puedo... —dijo una voz ronca—. Me encuentro muy mal... Vuelve más tarde...

—Más tarde, ¿cuándo?

—Esta noche.

—¿No necesitas nada?

—No. Déjame.

Camille volvió sobre sus pasos.

—¿Quieres que te saque el perro a pasear?

No hubo respuesta.

Bajó las escaleras despacio.

Vaya un problemón.

Nunca debería haberlo traído aquí... Era muy fácil ser generosa con los bienes ajenos... ¡Ah, desde luego, era una santa! Un yonqui en la buhardilla, una anciana en el piso, todas esas personas bajo su responsabilidad, y ella que seguía teniéndose que agarrar a la barandilla para no abrirse la cabeza al bajar la escalera. Vaya cuadro, maravilloso, oye... Déjame que aplauda. Glorioso. ¿Estarás contenta, no? ¿No te molestan un poco las alas al andar?

Sí, ya puedes hablar... Claro, cuando uno no mueve un dedo, es todo muy fácil, ¿eh?

No, si yo te lo digo porque... no te lo tomes a mal,

pero hay más mendigos en la calle... Mira, sin ir más lejos, tienes uno delante de la panadería... ¿Por qué no le das un techo a ése también? ¿Porque no tiene perro? Mierda, si lo hubiera sabido, el pobre...

Qué pesadita eres..., le contestó Camille a Camille. No veas lo pesadita que eres...

Hala, venga, vamos a decírselo... Pero uno grandote no, ¿eh? Uno pequeño. Un perrito de lanas tiritando de frío. Ah, sí, eso sí que estaría bien... ¿O mejor un cachorrito? Un cachorrito acurrucado dentro de su abrigo... Entonces ya sí que te fundes. Además quedan mogollón de habitaciones en casa de Philibert...

Muy abatida, Camille se sentó en un escalón y apoyó la cabeza sobre las rodillas.

Recapitulemos.

No veía a su madre desde hacía casi un mes. Tenía que espabilarse porque si no la tía le montaría una crisis por todo lo alto con ambulancia y lavado gástrico incluido. Con el tiempo ya se había acostumbrado, pero bueno, nunca era agradable... Luego le costaba recuperarse... Ay, ay, ay... Siempre tan sensible esta niña...

Paulette controlaba perfectamente entre 1930 y 1990, pero perdía pie entre ayer y hoy, y la cosa iba de mal en peor. ¿Demasiada felicidad, tal vez? Era como si se estuviera dejando hundir tranquilamente... Además, ya no veía tres en un burro... Pero bueno, tampoco era para tanto... Ahora estaba echándose su siesta y luego vendría Philou a ver con ella el concurso de la tele, acertando todas las respuestas sin equivocarse nunca. A los dos les encantaba. Perfecto.

Y hablemos de Philibert. Ahora era a la vez Louis Jouvet y Sacha Guitry. Y se había puesto a escribir. Se encerraba en su habitación para escribir y ensayaba dos veces por semana. ¿Sin novedad en el frente sentimental? Bueno, si no hay noticias es que son buenas noticias.

Y Franck... Nada especial. Nada nuevo. Todo iba bien. Su abuela estaba bien cuidada, y su moto también. Sólo volvía a casa por la tarde para echarse la siesta y seguía trabajando los domingos. «Sólo un poco más, entiéndelo. No los puedo dejar colgados así como así... Tengo que encontrarme un sustituto...»

A ver, a ver... ¿Un sustituto o una moto aún más grande? Muy listo el chaval. Muy listo... Y además, ¿para qué molestarse? ¿Dónde estaba el problema? Él no le había pedido nada a nadie, al fin y al cabo. Y, pasados los primeros días de euforia, había vuelto a enfrascarse en sus cacerolas. Por la noche, aplastaba a su chica contra la almohada, mientras Camille se levantaba para apagar la tele de la anciana... Pero... no importaba. No importaba... Camille prefería los documentales sobre la vejiga natatoria de las triglas y el último pis de Paulette tras la última infusión de la noche que su curro en Todoclean. Por supuesto, habría podido no trabajar en absoluto, pero no era lo suficientemente fuerte como para asumir algo así... La sociedad la había educado bien... ¿Era porque le faltaba confianza en sí misma, o justamente por lo contrario? ¿El miedo de encontrarse en una situación en la que podía ganarse la vida pisoteándola? Todavía tenía algún que otro contacto... Pero, ¿y luego qué? ¿Volver a escupirse a sí misma? ¿Dejar sus cuadernos de lado y volver a coger una lupa? Ya no tenía valor para ello. No es que ahora fuera mejor persona, sino que había envejecido. Uf.

No, el problema estaba tres pisos más arriba... Para empezar, ¿por qué no había querido abrirle? ¿Porque estaba colocado o porque estaba con el mono? ¿Sería verdad esa historia del tratamiento? A otro perro con ese hueso... ¡Una trola para camelarse a las niñas pijas y a las porteras! ¿Por qué sólo salía de noche? ¿Para que le dieran por culo antes de meterse un buen chute? Eran todos iguales... Unos mentirosos que te hacían creer cualquier cosa y se lo pasaban a lo grande mientras tú te morías de preocupación por ellos, los muy cabrones...

Cuando habló con Pierre por teléfono quince días atrás, ella también había vuelto a las andadas: ella también había empezado a mentir.

«Camille, soy Kessler. ¿De qué va toda esta historia? ¿Quién es ese tío que vive en mi buhardilla? Llámame inmediatamente.»

Gracias, señora Pereira, pero que muchas gracias.

Nuestra Señora de Fátima, ruega por nosotros.

Camille había cogido el toro por los cuernos:

—Es un modelo —le dijo antes incluso de saludarlo—, estamos trabajando juntos...

Hala, se acabó, Kessler ya no podía decir nada.

—¿Un modelo?

—Sí.

—¿Vives con él?

—No. Se lo acabo de decir: trabajo con él.

—Camille... Hoy... hoy tengo tantas ganas de confiar en ti... ¿Puedo hacerlo?

—...

—¿Para quién lo haces?

—Para usted.

—¿En serio?

—...

—Y... y qué...

—Todavía no lo sé. Sanguina, supongo...

—Bien…

—Bueno, pues nada, adiós…

—¡Espera!

—¿Sí?

—¿Qué papel tienes?

—Del bueno.

—¿Estás segura?

—Sí. Me lo vendió Daniel…

—Muy bien. Y aparte, ¿tú estás bien?

—Ahora estoy hablando con el marchante. Para el jijí jajá, ya le llamaré por la otra línea.

Clic.

Camille sacudió la caja de cerillas suspirando. Ya no tenía más remedio.

Esa noche, tras arropar en su cama a una viejita que de todas maneras no tendría sueño, Camille volvería a subir esos tres pisos y hablaría con él.

La última vez que había tratado de retener a su lado a un yonqui una noche, se había llevado una puñalada en el hombro… Vale, era distinto. Era su novio, Camille lo quería y todo eso, pero aun así… Ese favorcito le había costado caro…

Mierda. Se acabaron las cerillas. Oh, no… Nuestra Señora de Fátima y Hans Christian Andersen, no os vayáis, joder. Quedaos un poquito más.

Y como ocurre en el cuento, Camille se levantó, se tiró de las perneras del pantalón y fue a reunirse con su abuela en el Cielo…

9

—¿Qué es?

—Oh… —dijo Philibert, moviendo la cabeza—, poca cosa en realidad…

—¿Un drama antiguo?

—Nooooo…

—¿Un vodevil?

Cogió su diccionario:

—Voceo… vociferar… vodca… vodevil… *Comedia frívola, ligera y picante, de argumento basado en la intriga y el equívoco…* Sí, es exactamente esto —dijo Philibert, cerrando el diccionario con un golpe seco—. Una comedia ligera.

—¿De qué trata?

—De mí.

—¿De ti? —se atragantó Camille—. ¡Yo creía que en tu familia era tabú hablar de uno mismo!

—Bueno, pero yo me estoy distanciando de todo eso… —dijo, marcando una pausa.

—Y… esto… lo de la perilla… ¿es para el papel?

—¿No te gusta?

—Sí, sí, sí que me gusta… queda… queda un poco como de dandy… En plan *Las Brigadas del Tigre,* ¿no?

—¿Las qué?

—Ah, es verdad que tú, salvo los concursos, no ves mucho la tele… Bueno, ahora me tengo que ir… Tengo

que subir a ver al tipo que tengo hospedado en la buhardilla... ¿Te puedo dejar al cargo de Paulette?

Philibert asintió con la cabeza, mesándose el bigotito:

—Ve, corre, vuela hacia tu destino, niña...

—¿Philou?

—¿Sí?

—Si dentro de una hora no estoy de vuelta, ¿puedes
venir a buscarme?

10

La habitación estaba impecablemente ordenada. La cama estaba hecha, y Vincent había colocado dos tazas y un paquete de azúcar sobre la mesa de cámping. Estaba sentado en una silla, de espaldas a la pared, y cerró el libro cuando la oyó llamar a la puerta.

Se levantó. Tanto el uno como el otro estaban igual de cortados. Al fin y al cabo, era la primera vez que se veían… Pasó un ángel.
—¿Te… te apetece tomar algo?
—Sí, gracias…
—¿Té? ¿Café? ¿Coca-Cola?
—Un café está muy bien.

Camille se instaló en el taburete y se preguntó cómo había podido vivir ahí tanto tiempo. Era un lugar tan húmedo, tan oscuro, tan… inexorable. El techo era tan bajo, y las paredes, tan sucias… No, no era posible… Entonces, tenía que haber sido otra persona, ¿no?

Vincent puso el agua a calentar y le señaló el bote de Nescafé.
Barbès dormía sobre la cama, abriendo un ojo de vez en cuando.

Vincent acercó por fin su silla para sentarse delante de ella:

—Me alegro de verte… Podrías haber venido antes…

—No me atrevía.

—¿Ah, no? Te arrepientes de haberme traído aquí, ¿verdad?

—No.

—Sí, sí que te arrepientes. Pero no te preocupes… Estoy esperando el momento adecuado y me marcharé… Es sólo cuestión de días ya.

—¿Adónde te vas?

—A Bretaña.

—¿Con tu familia?

—No. A un centro de… de deshechos humanos. No, no me hagas caso, soy idiota. A un centro de vida, así es como hay que llamarlo…

—…

—Me lo ha encontrado mi médico… Es un sitio donde fabrican abono a base de algas… Algas, mierda, y retrasados mentales… Genial, ¿verdad? Seré el único obrero normal. Bueno, lo de normal es relativo…

Vincent sonreía.

—Toma, mira el folleto… Tiene clase, ¿eh?

En una foto salían dos retrasados mentales con una hoz en la mano, delante de una especie de pozo negro.

—Voy a hacer Algo-Foresto, que es una mezcla de abono compuesto, algas y estiércol de caballo… Tengo la corazonada de que me va a encantar… Bueno, según parece al principio se hace duro por el olor, pero después ya ni lo notas…

Dejó el folleto sobre la mesa y se encendió un cigarrillo.

—De vacaciones, vaya…

—¿Cuánto tiempo te vas a quedar?

—El que haga falta…

—¿Tomas metadona?

—Sí.

—¿Desde cuándo?

Vincent esbozó un gesto impreciso.

—¿Estás bien?

—No.

—Venga… ¡Vas a ver el mar!

—Genial… ¿Y tú? ¿Por qué has venido?

—Por la portera… Creía que te habías muerto…

—Pues qué decepción se va a llevar…

—Y tanto.

Se rieron.

—¿T… también tienes el sida?

—No, qué va. Eso se lo dije sólo para hacerle ilusión… Para que se encariñara con mi chucho… No, qué va… Eso sí lo he hecho bien. Me he echado a perder limpiamente.

—¿Es tu primera cura de desintoxicación?

—Sí.

—¿Lo vas a conseguir?

—Sí.

—…

—He tenido suerte… Supongo que hay que cruzarse con la gente adecuada… y creo… creo que eso lo he conseguido…

—¿Tu médico?

—¡Mi *médica!* Sí, pero no sólo ella… También un psicólogo… Un viejo que me arrancó la cabeza… ¿Sabes lo que es el V33?

—¿Una medicina?

—No, es un producto para decapar la madera…

—¡Ah, sí! Una botella verde y roja, ¿no?

—Si tú lo dices… Pues ese tío es mi V33. Me echa el producto, me quema, me salen ampollas, y la vez siguiente, coge la espátula y despega toda la mierda… ¡Mírame, dentro de la cabeza estoy en pelota picada!

Vincent ya no conseguía sonreír, le temblaban las manos.

—Joder, qué duro es… qué duro… No pensaba que…
Levantó la cabeza.

—Y… hay alguien más… Una pibita con unas piernas esqueléticas que se subió el pantalón antes de que me diera tiempo a ver nada más, desgraciadamente…

—¿Cómo te llamas?
—Camille.
Lo repitió y se volvió hacia la pared:
—Camille… Camille… El día que apareciste, Camille, estaba hecho polvo… Hacía demasiado frío, y creo que ya no tenía muchas ganas de luchar… Pero bueno. Estabas ahí… Así que te seguí… Soy todo un caballero, yo…
Silencio.
—¿Puedo seguir contándote o ya te has cansado?
—Ponme otra taza…
—Perdóname. Es por el viejo… Ya no me callo ni debajo del agua…
—Que no hay problema, te digo.
—No, si es que además es importante… O sea, incluso para ti creo que es importante…
Camille frunció el ceño.
—Tu ayuda, tu casa, tu comida y tal, todo eso estuvo muy bien, pero te lo digo de verdad, estaba fatal cuando me encontraste… Tenía vértigos, ¿entiendes? Quería ir a buscarlos, y… Fue ese tío el que me salvó. Ese tío y tus sábanas.

Vincent lo cogió del suelo y lo dejó entre los dos. Camille reconoció su libro. Eran las cartas de Van Gogh a su hermano.
Se le había olvidado que estaba allí.
Y no sería porque no lo había llevado con ella a todas partes…

—Lo abrí para retenerme, para impedirme cruzar esa puerta, porque no había nada más aquí, ¿y sabes lo que me hizo este libro?

Camille negó con la cabeza.
—Pues esto, esto, y esto.
Vincent volvió a coger el libro para golpearse con él la cabeza y las mejillas.

—Es la tercera vez que me lo leo… Lo… lo es todo para mí. Aquí dentro está todo… A este tío me lo conozco de memoria… Soy yo. Es mi hermano. Comprendo todo lo que dice. Cómo se le cruzan los cables. Cómo sufre. Cómo repite las mismas cosas una y otra vez, disculpándose mil veces, intentando comprender a los demás, cuestionarse a sí mismo, cómo lo echó a la calle su familia, sus padres que no se coscaban de nada, sus estancias en el hospital y todo eso… No… no voy a contarte mi vida, tranquila, pero es que es alucinante, ¿sabes…? Cómo era con las tías, cómo se enamoró de una creída, cómo lo despreciaron, y el día que decidió irse a vivir con esa puta… La que estaba embarazada… No, no te voy a contar mi vida, pero hay coincidencias que me han hecho flipar… Salvo su hermano, y ni siquiera, nadie creía en él. Nadie. Pero él, por muy frágil y chalado que estuviera, él sí creía en sí mismo… Bueno… por lo menos eso dice, que tiene fe, que es fuerte y… La primera vez que me lo leí, de un tirón casi, no entendí el trozo que viene en cursiva, al final del libro…
Lo volvió a abrir:
—*Carta que Vincent Van Gogh llevaba encima el 29 de julio de 1890*… Sólo al día siguiente, o al otro, entendí que el muy idiota se había suicidado, cuando me leí el prólogo. Entendí que esa carta no la había enviado y… joder, me dio una cosa que no veas, tía… Todo lo que

dice sobre su cuerpo, yo también lo siento. Todo su sufrimiento, no son sólo palabras, ¿entiendes? Es… o sea,
yo… me trae al pairo su trabajo… Bueno, no es que me
traiga al pairo, pero no es eso lo que yo he leído. Lo que
yo he leído es que si no eres como los demás, si no consigues ser lo que otros esperan de ti, entonces lo pasas mal.
Sufres como un perro y al final, la palmas. Pues no, hala.
Yo no me pienso morir. Por amistad hacia él, por fraterni-
dad, no voy a morirme… No me da la gana.

Camille bebía sus palabras. Pschhh… Se le acababa de
caer la ceniza en el café.

—¿Te parece absurdo lo que te acabo de decir?
—No, no, qué va, al contrario… yo…
—¿Tú te lo has leído?
—Claro.
—¿Y no… no te ha hecho sufrir?
—A mí sobre todo me interesaba su trabajo… Empe-
zó tarde… Era un autodidacta… Un… ¿Conoces sus
cuadros?
—Es el de los girasoles, ¿no? Qué va… Lo estuve pen-
sando un tiempo, ir a hojear un libro o algo, pero no me
apetece, prefiero mis propias imágenes…
—Quédatelo. Te lo regalo.

—¿Sabes…? Algún día… si salgo de esta, te daré las
gracias. Pero ahora no puedo… Ya te lo he dicho, estoy
en las últimas, tía. Aparte de este saco de pulgas, ya no me
queda nada.
—¿Cuándo te marchas?
—La semana que viene, si todo va bien…
—¿Quieres darme las gracias?
—Si puedo…
—Déjame dibujarte…

468

—¿Nada más?

—Nada más.

—¿Desnudo?

—Preferentemente…

—Joder… Tú no has visto cómo tengo el cuerpo…

—Me lo imagino…

Vincent se estaba atando las zapatillas de deporte, mientras su perro daba saltos, excitadísimo.

—¿Vas a salir?

—Toda la noche… Todas las noches… Camino hasta que no puedo más, luego me paso a tomar mi dosis cotidiana de metadona, y vuelvo aquí a dormir para aguantar hasta el día siguiente. Por ahora no he encontrado un sistema mejor…

Un ruido en el pasillo. La bola de pelos se quedó petrificada.

—Hay alguien… —dijo Vincent muy asustado.

—¿Camille? ¿Estás bien? Soy… soy tu caballero andante, querida…

Philibert estaba ahí en la puerta, con un sable en la mano.

—¡*Barbès!* ¡Siéntate!

—E… estoy un po… poco ridículo, ¿no?

Camille los presentó, riéndose:

—Vincent, éste es Philibert Marquet de la Durbellière, comandante en jefe de un ejército derrotado. —Y, dándose la vuelta—: Philibert, éste es Vincent… esto… Sólo Vincent… como Van Gogh…

—Encantado —contestó Philibert, envainando otra

vez su artilugio—. Ridículo y encantado… Bueno, pues… me voy a batir en retirada entonces…

—Bajo contigo —contestó Camille.

—Yo también.

—¿Te… te pasarás por mi casa?

—Mañana.

—¿Cuándo?

—Por la tarde. Y… ¿me traigo al perro?

—Te traes a *Barbès*, claro…

—¡Ah, *Barbès*…! —exclamó Philibert, afligido—. Otro exaltado de la República… ¡Yo hubiera preferido la abadesa de la Rochechouart!

Vincent le lanzó una mirada inquisitiva.

Camille se encogió de hombros, perpleja.

Philibert, que se había dado la vuelta, se ofuscó:

—¡Pues claro que sí! ¡Y que el nombre de la pobre Marguerite de Rochechouart de Montpipeau se asocie a ese vaina es una aberración!

—¿De Montpipeau? —repitió Camille—. Joder, tenéis cada nombrecito… Por cierto, ¿por qué no vas a la tele a ese concurso que tanto te gusta?

—¡Anda, no empieces tú también! Sabes muy bien por qué…

—Pues no. ¿Por qué, a ver?

—Para cuando consiguiera darle al pulsador, ya habría terminado el concurso…

11

Camille no pegó ojo en toda la noche. Dio mil vueltas en la cama, se levantó cuarenta veces, tropezó con fantasmas, se dio un baño, se levantó tarde, duchó a Paulette, la peinó de cualquier manera, paseó un poco por la calle Grenelle con ella y no fue capaz de probar bocado.

—Qué nerviosa te veo hoy...

—Tengo una cita importante.

—¿Con quién?

—Conmigo misma.

—¿Vas al médico? —preguntó Paulette, inquieta.

Como era su costumbre, ésta se quedó dormida después de comer. Camille le quitó de las manos el ovillo de lana, la arropó y se marchó de puntillas.

Se encerró en su habitación, cambió cien veces el taburete de sitio y examinó su material con circunspección. Estaba mareada.

Franck acababa de volver a casa. Estaba vaciando una lavadora. Después de lo de su jersey jíbaro, tendía él mismo su ropa, y, como un ama de casa desquiciada, echaba pestes sobre las secadoras porque desgastaban las fibras y deformaban los cuellos.

Apasionante.

Fue él a abrir la puerta.

—Vengo a ver a Camille.

—Al fondo del pasillo…

Después se encerró en su habitación, y Camille le agradeció su discreción por una vez…

Los dos estaban muy incómodos pero por motivos distintos.

Falso.

Los dos estaban muy incómodos y por el mismo motivo: sus tripas.

Fue él quien rompió el hielo:

—Bueno… ¿empezamos? ¿Tienes un vestidor? ¿Un biombo? ¿Algo?

Camille lo bendijo para sus adentros.

—¿Has visto? He puesto la calefacción a tope. No vas a pasar frío…

—¡Hala, cómo mola tu chimenea!

—Joder, me siento como si estuviera en casa de un cliente, qué angustia… ¿Me… me quito también el calzoncillo?

—Si prefieres dejártelo, te lo dejas…

—Pero mejor si me lo quito, ¿no?

—Sí. De todas formas, siempre empiezo por la espalda…

—Mierda. Seguro que estoy lleno de granos…

—No te preocupes, trabajando medio desnudo entre las salpicaduras de las olas, se te habrán quitado todos los granos antes de que termines el primer cargamento de estiércol…

—Tú serías una magnífica estilista, ¿lo sabías?

—Sí, seguro… Anda, sal de ahí ya y ven a sentarte.

—Al menos me podrías haber puesto delante de la ventana… Para que me distrajera un poco…

—No decido yo.

—¿Ah, no? ¿Quién, entonces?

—La luz. Y no te quejes, que luego estarás de pie…

—¿Durante cuánto tiempo?

—Hasta que te caigas redondo…

—Te caerás tú antes que yo.

—Mmm —contestó Camille.

Que quería decir: me extrañaría…

Empezó por una serie de bosquejos, dando vueltas alrededor de él. Su tripa y su mano fueron ganando flexibilidad.

Él, en cambio, estaba cada vez más tenso.

Cuando Camille se le acercaba demasiado, cerraba los ojos.

¿Tenía granos? Camille no los vio. Vio sus músculos contraídos, sus hombros cansados, sus cervicales que sobresalían bajo su nuca cuando bajaba la cabeza, su columna vertebral semejante a una larga cresta erosionada, su nerviosismo, su febrilidad, sus mandíbulas y sus pómulos salientes. Los surcos alrededor de sus ojos, la forma de su cráneo, su esternón, su pecho hundido, sus brazos esqueléticos y llenos de puntos oscuros. El conmovedor dédalo de sus venas bajo la piel clara y el paso de la vida sobre su cuerpo. Sí. Sobre todo eso: la huella del abismo, las marcas de las orugas de un enorme tanque invisible, y también su extremo pudor.

Al cabo de cerca de una hora, Vincent le preguntó si podía leer.

—Sí. Lo que tarde en amaestrarte…

—¿Pe… pero todavía no has empezado a dibujarme?

—No.

—¡Jolín! ¿Leo en voz alta?

473

—Si quieres…

Manoseó el libro un momento antes de abrirlo del todo, separando bien ambas partes:

—*Noto que padre y madre reaccionan instintivamente con respecto a mí (no he dicho inteligentemente).*

»*Vacilan en acogerme en casa, como se vacilaría en acoger a un perrazo hirsuto. Entrará con esas patazas, y además es muy hirsuto.*

»*Molestará a todo el mundo. Y ladra muy fuerte.*

»*Vamos, que es un mal bicho.*

»*Bien, pero el animal tiene una historia humana, y aunque no sea más que un perro, un alma humana. Además un alma lo suficientemente sensible como para sentir lo que piensan de él, mientras que un perro normal no es capaz.*

»*¡Oh!, este perro es el hijo de nuestro padre, pero le hemos dejado tantas veces que correteara por la calle que a la fuerza se ha tenido que volver más fiero. ¡Bah!, padre hace años que olvidó ese detalle, no hay pues motivo para hablar de ello…*

Vincent carraspeó.

—*Por… mmm, perdón… Por supuesto, el perro se arrepiente de haber venido; la soledad era menos grande en el brezo que en esa casa, pese a todas sus amabilidades. El animal ha venido de visita en un momento de debilidad. Espero que se me perdone este fallo; en cuanto a mí, evitaré…*

—Stop —lo interrumpió Camille—. Para, por favor. Para.

—¿Te molesta?

—Sí.

—Perdona.

—Bueno. Ya está. Ahora ya sí te conozco…

Camille cerró su cuaderno y las náuseas la asaltaron de nuevo. Levantó la barbilla y echó la cabeza para atrás.

—¿Estás bien?

—…

—Ahora… te vas a volver hacia mí, y te vas a sentar separando las piernas y poniendo las manos así…

—¿Tengo que separar las piernas, estás segura?

—Sí. Y la mano, mira… Doblas la muñeca y separas los dedos… Espera… No te muevas…

Camille rebuscó entre sus cosas y le enseñó la reproducción de un cuadro de Ingres.

—Exactamente así…

—¿Quién es este gordo?

—Louis-François Bertin.

—¿Y ése quién es?

—El Buda de la burguesía acaudalada, ahíta y triunfante… No lo digo yo, sino Manet… Sublime, ¿no te parece?

—¿Y quieres que pose como él?

—Sí.

—Estoooo… En… entonces separo las piernas… ¿no?

—¡Eh!… Deja de pensar en tu polla… Ya está bien, tío… A mí me resbala, ¿sabes?… —lo tranquilizó, hojeando sus bocetos—. Toma, mira. Aquí la tienes…

—¡Oh!

Una sílaba de nada, enternecida y decepcionada…

Camille se sentó y colocó la tabla sobre sus rodillas. Se levantó otra vez, intentó con un caballete, pero tampoco le gustaba. Se estaba poniendo nerviosa, se maldecía, sabía perfectamente que toda esa historia no tenía sentido, lo hacía sólo para apartarse un poco más del abismo.

Por fin, colocó el papel en vertical y decidió sentarse exactamente a la misma altura que su modelo.

Inspiró una gran bocanada de valentía y espiró un vientecillo desfalleciente. Se había equivocado, nada de sanguina. Mina de plomo, plumilla y aguada de tinta sepia.

El modelo habló.

Camille levantó el codo. Su mano quedó suspendida en el aire, temblorosa.

—Tú sobre todo no te muevas. Ahora vuelvo.

Corrió a la cocina, dejó caer varias cosas, cogió la botella de ginebra y ahogó su miedo en ella. Cerró los ojos y se agarró al borde del fregadero. Vamos… Otro sorbito más…

Cuando volvió y se sentó, Vincent la observó sonriendo.

Lo sabía.

Sea cuál sea su adicción, esa gente se reconoce entre ella. Siempre.

Era como una sonda… Como un radar.

Complicidad confusa e indulgencia compartida…

—¿Te encuentras mejor?

—Sí.

—¡Pues hala, venga! ¡Que no tenemos todo el día, joder!

Vincent estaba sentado muy erguido. Ligeramente ladeado, como el del cuadro. Respiró y sostuvo la mirada de quien lo humillaba sin saberlo.

Sombrío y luminoso.

Devastado.

Confiante.

—¿Cuánto pesas, Vincent?

—Unos sesenta kilos…

Sesenta kilos de provocación.

(Aunque no fuera muy complaciente, era una pregunta interesante: ¿Camille Fauque había tendido la mano a ese chico para ayudarlo, como creía él a pies juntillas, o para disecarlo, desnudo e indefenso, sobre una silla de cocina de formica roja?

¿Compasión? ¿Filantropía? ¿Verdaderamente?

¿No había sido premeditado todo esto? Instalarlo ahí arriba, la comida para perros, la confianza, la irritación de Pierre Kessler, echarlo de la buhardilla y ponerse ella entre la espada y la pared?

Los artistas son unos monstruos.

No, hombre. Sería demasiado contrariante... Otorguémosle el beneficio de la duda y callémonos. Esta chica no era muy transparente, pero cuando plantaba las garras en la cuestión, era fulgurante. ¿Y tal vez incluso su generosidad sólo se manifestara ahora? Cuando sus pupilas se contraían y se volvía tan despiadada...)

Ya era casi de noche. Camille había encendido la luz sin darse cuenta y sudaba tanto como él.

—Se acabó. Tengo calambres. Me duele todo.

—¡No! —gritó Camille.

Su dureza los sorprendió a ambos.

—Perdóname... No... no te muevas, te lo suplico...

—En mis pantalones... En el bolsillo de delante... Tranxène...

Camille fue a buscarle un vaso de agua.

—Te lo suplico... Un poco más, puedes apoyar la espalda si quieres... No... no sé trabajar de memoria... Si te vas ahora, mi dibujo estará muerto... Perdóname... Ya casi he terminado.

—Ya está. Puedes vestirte.

—¿Es grave, doctor?

—Espero que sí... —murmuró Camille.

Vincent volvió, estirándose, acarició a su perro y le dijo cariñitos al oído. Se encendió un cigarro.

—¿Quieres verlo?
—No.

—Sí.

Se quedó estupefacto.

—Joder… Es… es duro.
—No. Es tierno…
—¿Por qué te has parado en los tobillos?
—¿Quieres la versión de verdad, o la que me voy a inventar sobre la marcha?
—La de verdad.
—¡Porque se me dan fatal los pies!
—¿Y la otra?
—Porque… ¿poco te retiene ya aquí, no?
—¿Y mi perro?
—Aquí está tu perro. Lo he dibujado antes, mirando por encima de tu hombro…
—¡Hala! ¡Qué bonito sale! Qué bonito, qué bonito, qué bonito…
Camille arrancó la hoja.

«Tú esfuérzate —rezongó de mentirijillas—, mátate, resucítalos, ofréceles la inmortalidad, y lo único que les conmueve son cuatro garabatos de su chucho…»
Desde luego…

—¿Te gusta cómo te ha quedado?
—Sí.
—¿Voy a tener que volver?
—Sí… Para decirme adiós y para darme tu dirección… ¿Quieres tomar algo?
—No. Me tengo que ir a la cama, no me encuentro bien…

Precediéndolo por el pasillo, Camille se dio una palmada en la frente:

—¡Paulette! ¡Me he olvidado de ella!

Su habitación estaba vacía.

Mierda…

—¿Qué pasa?

—He perdido a la abuela de mi compañero de piso…

—Mira… Hay una nota encima de la mesa…

No queríamos molestarte. Paulette está conmigo. Ven en cuanto puedas. P.-S.: el perro de tu colega se ha cagao en el bestíbulo.

12

Camille extendió los brazos y se elevó por encima del Campo de Marte. Pasó rozando la Torre Eiffel, acarició las estrellas y se posó delante de la puerta de servicio del restaurante.

Paulette estaba sentada en el despacho del chef.

Dilatada de felicidad.

—Me había olvidado de usted…

—Que no, tonta, estabas trabajando… ¿Has terminado?

—Sí.

—¿Estás bien?

—¡Tengo hambre!

—¡Lestafier!

—Sí, señor…

—Prepárame un buen filete bien rojito para el despacho.

Franck se dio la vuelta. ¿Un filete? Pero si ya no tenía dientes…

Cuando comprendió que era para Camille, su asombro fue aún mayor.

Se comunicaron por señas:

—¿Para ti?

—Síííí —contestó ella, asintiendo con la cabeza.

—¿Un filetón bien gordo?

—Síííí.

—¿Te has vuelto loca?

—Síííí.

—¡Eh! Estás preciosa cuando eres feliz, ¿lo sabías?

Pero eso, Camille no lo comprendió, y por lo tanto contestó al azar que sí.

—Vaya, vaya… —dijo el chef, tendiéndole el plato—, no es por nada, pero las hay con suerte…

El filete tenía forma de corazón.

—Ah, pero qué bueno es este Lestafier —suspiró el chef—, pero qué bueno es…

—Y qué guapetón… —añadió su abuela, que se lo comía con los ojos desde hacía dos horas.

—Bueno… Hasta ahí no voy a llegar… ¿Qué le pongo para acompañar el filete? Veamos… Un Côtes-du-Rhône y bebo yo también… ¿Y usted, abuela? ¿Todavía no le han servido el postre?

Un grito después, Paulette ya estaba atacando su dulce…

—Caray —añadió el chef, chasqueando la lengua—, cuánto ha cambiado su nieto… Ya no lo reconozco…

Y dirigiéndose a Camille:

—¿Usted qué le ha hecho?

—Nada.

—¡Pues entonces, perfecto! ¡Siga así! ¡Le sienta muy bien! No, venga, ahora en serio… Está bien este chaval… Está bien…

Paulette lloraba.

—¿Pero qué pasa? ¿Y yo qué he dicho? ¡Beba, por Dios! ¡Beba! Maxime…

—¿Sí, señor?

—Tráigame una copa de champán, haga el favor…

—¿Se encuentra mejor?

Paulette se sonaba la nariz, disculpándose:

—Si supiera usted qué calvario… Lo expulsaron del primer instituto, y del segundo, y del curso de formación, de los cursillos de prácticas, del de aprendiz, de…

—¡Pero eso no tiene ninguna importancia! —exclamó él—. ¡Mírelo ahora! ¡Cómo domina la situación! ¡Me lo intentan quitar de todos lados! ¡Terminará con uno o dos macarrones, su chaval!

—¿Cómo ha dicho? —preguntó Paulette, inquieta.

—Las estrellas…

—Ah… ¿y tres no? —preguntó, un poco decepcionada.

—No. Tiene demasiado genio para eso. Y es demasiado… sentimental…

Le guiñó un ojo a Camille.

—Por cierto, ¿está bueno ese filete?

—Delicioso.

—Toma, claro… Bueno, me voy para allá… Si necesitan algo, me llaman.

Cuando volvió a casa, Franck pasó primero por la habitación de Philibert, que mordisqueaba un lápiz bajo su lamparita de noche:

—¿Te molesto?

—¡En absoluto!

—Ya casi no nos vemos…

—Apenas nada ya, en efecto… Por cierto, ¿sigues trabajando los domingos?

—Sí.

—Entonces pásate a vernos el lunes si no tienes otra cosa que hacer…

—¿Qué estás leyendo?

—Estoy escribiendo.

—¿A quién?

—Escribo un texto para mi taller de teatro… Desgraciadamente, todos tenemos que subir al escenario a final de curso…

—¿Nos vas a invitar?

—No sé si me atreveré…

—Oye, dime una cosa… ¿Marchan bien las cosas?

—¿Cómo dices?

—Entre Camille y mi abuela, me refiero.

—La entente cordial.

—¿No te parece que esté hasta las narices?

—¿Quieres que te diga la verdad?

—¿Qué pasa? —preguntó Franck, inquieto.

—No, no está hasta las narices, pero terminará por estarlo… Acuérdate… Le prometiste que le dejarías dos días libres a la semana… Prometiste que dejarías el trabajo los domingos…

—Sí, ya lo sé, pero…

—Basta —lo interrumpió Philibert—. Ahórrame tus excusas. No me interesan. ¿Sabes?, tienes que madurar un poco, chico… Es como esto… —Le señaló su cuaderno lleno de tachaduras—. Lo queramos o no, un buen día todos tenemos que pasar por ello…

Franck se puso de pie, pensativo.

—Lo diría, si estuviera hasta las narices, ¿no?

—¿Tú crees?

Philibert miraba los cristales de sus gafas mientras los limpiaba.

—No lo sé… Es tan misteriosa… Su pasado… Su familia… Sus amigos… Lo ignoramos todo de esta joven… En lo que a mí respecta, aparte de sus cuadernos, no dispongo de ningún elemento que me permita establecer la más mínima hipótesis sobre su biografía… No recibe correo, ni llamadas, ni invitados… Imagínate que un día la perdiéramos, ni siquiera sabríamos a quién dirigirnos…

—No digas eso.

—Sí que lo digo. Piensa en ello, Franck, me convenció, fue a buscar a Paulette, le cedió su habitación, actualmente se ocupa de ella con una ternura increíble, ni siquiera, no es que se ocupe de ella, la cuida. Se cuidan mutuamente… Las oigo reír y charlar todo el día cuando estoy en casa. Encima, intenta trabajar por las tardes, y tú ni siquiera eres capaz de cumplir con lo que te comprometiste…

Philibert volvió a ponerse las gafas y lo miró fijamente durante varios segundos:

—No, no estoy muy orgulloso de ti, guripa.

Sin hacer ruido, Franck fue después a arroparla y a apagarle la tele.

—Ven aquí —le dijo ella, bajito.

Mierda. No estaba dormida.

—Estoy orgullosa de ti, tesoro…

Joé, *a ver si nos aclaramos un poco,* pensó, dejando el mando a distancia sobre su mesa de noche.

—Anda, abuela… Ahora duérmete…

—Muy orgullosa.

Que sí, hombre, que sí…

La puerta de la habitación de Camille estaba entreabierta. La abrió un poco más y dio un respingo.

La tenue luz del pasillo iluminaba el caballete.

Franck permaneció un momento inmóvil.

Estupefacción, miedo y deslumbramiento.

Entonces, ¿ella tenía razón, una vez más?

¿Uno podía comprender ciertas cosas sin haberlas aprendido?

¿Entonces no era tan tonto al fin y al cabo? Ya que, instintivamente, había extendido la mano hacia ese cuerpo derrumbado para ayudarlo a incorporarse, entonces no era tan estúpido, ¿no?

Vio una araña en el suelo. La aplastó con el pie y cogió una cerveza.

La dejó calentarse un poco.

No debería haberse demorado en el pasillo.

Todas esas historias interferían con sus instrumentos de navegación…

Joder…

Pero bueno, ahora estaba bien. Por una vez, la vida se comportaba bien…

Se apartó rápidamente la mano de la boca. Llevaba once días sin comerse las uñas. Salvo el meñique.

Pero el meñique no contaba.

Madurar, madurar… Si no había hecho más que eso, madurar…

¿Qué sería de todos ellos si ella desaparecía?

Se tiró un eructo. *Bueno, basta de tonterías, que tengo que preparar la masa para las* crêpes…

Por máxima devoción hacia ellas, batió la masa a mano para no molestarlas, murmuró algunas palabras mágicas que sólo él conocía y la dejó reposar.

La cubrió con un trapo limpio y salió de la cocina, frotándose las manos.

Al día siguiente, le ofrecería unas *crêpes* Suzette para retenerla para siempre a su lado.

Jajajá… Solo ante el espejo del cuarto de baño, imitó la risa demoniaca de Satanás en *Les fous du volant*…
Jujujú… Ésta era la de Diábolo.

Pero qué bien me lo paso…

13

Franck no había pasado la noche con ellos desde hacía tiempo. Durmió bien y soñó con los angelitos.

A la mañana siguiente fue a buscar unos cruasanes y desayunaron todos juntos en la habitación de Paulette. El cielo estaba muy azul. Philibert y Paulette se intercambiaban mil y una cortesías encantadoras, mientras que Franck y Camille se aferraban a sus tazones en silencio.
Franck se preguntaba si tendría que cambiar ya las sábanas, y Camille, si tenía que cambiar ciertos detalles. Franck intentó interceptar su mirada, pero ella ya no estaba allí. Estaba en la calle Séguier, en el salón de Pierre y Mathilde, a punto de venirse abajo y de salir corriendo.

«Si las cambio ahora, ya no querré echarme esta tarde, y si las cambio después de la siesta, quedará un poco guarrete, ¿no? Ya la estoy oyendo burlarse...»

«O si no, ¿me paso por la galería? ¿Le dejo el portafolio a Sophie y me largo enseguida?»

«Y además, lo mismo... lo mismo ni siquiera nos tumbamos... Nos quedaremos de pie, como en las pelis...»

«No, no es una buena idea... Si está allí, me obligará a quedarme, y a sentarme para hablar con él de ello. Yo no quiero hablar. Me trae sin cuidado su palabrería. O se los queda, o no se los queda. Punto. Y su palabrería, que la deje para sus clientes...»

«Me daré una ducha en el vestuario antes de irme...»

«Me cogeré un taxi y le diré al taxista que me espere en doble fila delante de la puerta...»

Los preocupados y los despreocupados se sacudieron las migas suspirando y se dispersaron tranquilamente.

Philibert ya estaba en el vestíbulo. Con una mano le sostenía la puerta a Franck, y en la otra llevaba una maleta.

—¿Te vas de vacaciones?

—No, son accesorios.

—¿Accesorios para qué?

—Para mi papel...

—Joder... ¿De qué va la cosa? ¿Es una historia de capa y espada? ¿Vas a corretear por todo el escenario y eso?

—Claro, hombre... Me voy a colgar del telón, y luego me tiraré sobre el público... Anda... Pasa o te empalo...

Con un cielo tan azul como ése, Camille y Paulette no podían por menos de bajar al «jardín».

La anciana caminaba con creciente dificultad y tardaban casi una hora en recorrer la avenida Adrienne-Lecouvreur. Camille sentía un hormigueo en las piernas, le ofrecía el brazo, adoptaba sus pasitos cortos y no podía evitar sonreír cuando veía el cartel que rezaba: *Paso reservado a los jinetes, velocidad moderada...* Cuando se detenían, era para sacar fotos para los turistas, para ceder el paso a los que hacían *footing* o para intercambiar unas palabras sin importancia con otros maratonianos de la edad de Paulette.

—¿Paulette?

—¿Sí, hija?

—¿Se molesta si le hablo de una silla de ruedas?

—…

—Bueno… veo que sí se molesta…

—¿Tan vieja soy entonces? —susurró Paulette.

—¡No! ¡En absoluto! ¡Al contrario! Pero estaba pensando que… como el andador nos estorba, podría usted empujarlo un rato, hasta que se cansara, luego podría relajarse, ¡y yo la llevaría al fin del mundo!

—…

—Paulette… Estoy harta de este parque… Ya no puedo ni verlo. Creo que ya he contado todas las chinitas, todos los bancos, y todas las papeleras para las cacas de perro… Hay once en total… Estoy harta de esos autobusarros horrorosos, estoy harta de esos grupos de turistas sin imaginación, harta de encontrarme siempre con la misma gente… La cara de póker de los guardias, y el tío ese… el de la condecoración de la Legión de Honor que apesta a meado… En París hay tantas otras cosas que ver… Tiendas, callejones, patios interiores, galerías, el jardín de Luxemburgo, los *bouquinistes,* el jardín de Notre-Dame, el mercado de flores, las orillas del Sena, el… No, de verdad, se lo aseguro, esta ciudad es maravillosa… Podríamos ir al cine, a un concierto, a escuchar operetas, mi ramito de violetas y todo eso… Así estamos atrapadas en este barrio de viejos donde todos los niños van vestidos igual, donde todas las niñeras tienen la misma cara, y todo es tan previsible… Qué feo.

Silencio.

Paulette pesaba cada vez más sobre su brazo.

—Vale, está bien… Voy a ser sincera con usted… Estoy intentando camelármela como puedo, pero la verdad no es ésa. La verdad es que se lo pido como un favor... Si tuviéramos una silla de ruedas, y si usted aceptara utilizarla de vez en cuando, podríamos saltarnos la cola de todos los museos y entrar siempre las primeras... Y a mí, entiéndalo, eso me vendría de perlas... Hay un montón de exposiciones que me muero por ver pero me da una pereza tremenda tragarme toda la cola...

—¡Anda, tontorrona, haberlo dicho antes! ¡Si es para hacerte un favor a ti, yo encantada! ¡Pero si lo estoy deseando!

Camille se mordió los carrillos para no sonreír. Bajó la cabeza y articuló un «gracias» demasiado solemne para ser sincero.

¡Vamos, vamos, antes de que se arrepienta! Se precipitaron pues a la farmacia más cercana.

—Nosotros trabajamos mucho la Classic 160 de la casa *Sunrise*... Es un modelo plegable que nos satisface por completo... Es una silla muy ligera, de fácil manejo, pesa catorce kilos... Nueve sin las ruedas... Reposapiés abatibles... Reposabrazos y altura del respaldo regulables... Asiento reclinable... ¡Ah, no, eso es con suplemento!... Ruedas fáciles de quitar... Cabe sin problemas en el maletero del coche... También se puede regular la profundidad de... esto...

Paulette, abandonada entre los champús y el expositor de Scholl estaba poniendo una cara tan larga que la vendedora no se atrevió a terminar su parrafada.

—Bueno, las dejo... Tengo mucha gente a la que atender... Tenga, aquí encontrará toda la información...

Camille se arrodilló detrás de ella.

—Ésta no está mal, ¿no?

—…

—Francamente, me lo esperaba peor… Es un modelo como muy deportivo… Y negra queda muy elegante…

—Sí, anda… ¡ya que estás, dime también que me favorece!

—*Sunrise Medical*… Les ponen unos nombrecitos que… 37… Ésta es su región, ¿no?

Paulette se puso las gafas:

—¿Dónde?

—Pues… Chanceux-sur-Choisille…

—¡Anda! ¡Pues sí! ¡Chanceux! ¡Pero si sé muy bien dónde queda esto!

Hecho, asunto arreglado.

Gracias, Dios mío. De no ser por la coincidencia regional, salíamos de la farmacia con un kit de pedicura y unas zapatillas con suela antideslizante…

—¿Cuánto es?

—558 euros sin contar las tasas…

—Ah, vaya… Pero… ¿no se puede alquilar?

—Este modelo, no. Para alquilar tenemos otro. Más robusto y más pesado. Pero… esto se lo cubrirá el seguro al cien por cien, ¿no? La señora tendrá un seguro, me imagino…

La empleada sintió que se estaba dirigiendo a dos viejas medio retrasadas.

—¡No van a pagar ustedes por la silla de ruedas! Vayan a su médico, y pídanle una receta… Visto su estado, no habrá ningún problema… Tengan, les doy esta pequeña guía… Aquí tienen todas las referencias… ¿Tienen algún generalista?

—Pues…

—Si no está acostumbrado, enséñenle este código: 401 A02.I. Lo demás ya lo gestionarán con el CNAM, ¿de acuerdo?

—Ah... vale... y... ¿qué es eso del CNAM?

Ya en la calle, Paulette se tambaleó:

—Si me llevas a un médico, me devolverá al asilo...

—¡Eh, Paulette, tranquila!... No iremos nunca a un médico, yo los odio tanto como usted, ya nos las apañaremos... No se preocupe...

—Van a dar conmigo... van a dar conmigo... —lloraba Paulette.

Al volver a casa no tenía apetito, y permaneció postrada en su cama toda la tarde.

—¿Qué le pasa? —se preocupó Franck.

—Nada. Hemos ido a la farmacia a buscar una silla, y como la dependienta ha dicho algo de ir a un médico, se ha quedado traumatizada...

—¿Una silla de qué tipo?

—Pues... ¡de ruedas, de qué va a ser!

—¿Para qué?

—¡Pues para rodar, idiota! ¡Para ver mundo!

—Joder, ¿pero tía, tú de qué vas? ¡Ella está bien así! ¿Por qué la quieres llevar de aquí para allá dando vueltas como una peonza?

—Mira... Tú ya me estás empezando a tocar las narices, ¿sabes? ¡Pues no tienes más que ocuparte tú un poco de ella también! ¡No tienes más que limpiarle el culo de vez en cuando, y así verías un poco de lo que te estoy hablando! A mí no me importa cargar con ella, es un encanto tu abuelita, ¡pero necesito moverme un poco, irme de paseo, distraerme un poco, joder! No, si tú ya sé que ahora mismo estás de puta madre, ¿verdad? Tranquilízame, a ti, ahora mismo, no te incordia nada, ¿eh? Ya sea Philou, Paulette o tú, todo lo que sea estar en casa, comer, currar y dormir, os basta, no necesitáis más... ¡Pero yo sí, mira

tú por dónde! ¡Yo ya estoy empezando a ahogarme, tío!
Y además me encanta andar, y ahora viene el buen tiempo... Así que déjame que te lo vuelva a decir: hacer de ni-
ñera para tu abuela, yo encantada, pero con la opción
gran turismo, si no, os las apañáis...

—¿Qué?

—¡Nada!

—No te pongas así...

—¡No tengo más remedio! ¡Eres tan egoísta, que si no
me quejo a gritos nunca harás nada para ayudarme!

Franck se marchó dando un portazo y Camille se encerró en su habitación.

Cuando salió, los encontró a los dos en el vestíbulo.
Paulette estaba feliz: su nieto se estaba ocupando de ella.

—Hala, gordinflona, siéntate. Esto es como con una
moto, para llegar lejos hay que ajustar bien las tuercas...

Franck estaba agachado en el suelo, revisando una a
una todas las palancas:

—¿Los pies están bien a esta altura?

—Sí.

—¿Y los brazos?

—Un poco altos...

—Bueno, Camille, vente para acá. Ya que la que vas a
empujar eres tú, vente para acá que te ajuste los agarrado-
res...

—Perfecto. Bueno, tengo que irme... Acompañadme
al curro y así la probamos...

—¿Cabe en el ascensor?

—No. Hay que plegarla... —contestó nervioso—.
Pero mejor, no está incapacitada, que yo sepa, ¿no?

—Brrrrum, brrrum... Ponte el cinturón, que tengo
prisa.

Cruzaron el parque a toda velocidad. Al llegar al semáforo, Paulette tenía el pelo revuelto, y las mejillas coloradas.

—Bueno, chicas… Yo ya os dejo. Mandadme una postal cuando estéis en Katmandú…

Ya había recorrido unos cuantos metros cuando se dio la vuelta:

—¡Eh! ¡Camille! No te olvides de lo de esta noche, ¿eh?

—¿El qué?

—Las *crêpes*…

—¡Mierda!

Camille se llevó la mano a la boca.

—Se me había olvidado… No voy a estar en casa.

Franck acusó el golpe.

—Además es importante… No lo puedo anular… Es una cosa de trabajo…

—¿Y ella?

—Le he pedido a Philou que tome el relevo…

—Bueno… pues nada, qué se le va a hacer… Nos las comeremos sin ti…

Aguantó estoicamente la desesperación y se alejó, retorciéndose.

Le picaba la etiqueta de su calzoncillo nuevo.

14

Mathilde Daens-Kessler era la mujer más guapa que Camille había conocido en su vida. Era muy alta, mucho más que su marido, muy delgada, muy alegre, y muy culta. Pisaba nuestro pequeño planeta sin darle importancia, se interesaba por todo, se sorprendía por cualquier cosa, se divertía, se indignaba blandamente, a veces apoyaba su mano sobre la tuya, siempre hablaba en voz baja, dominaba cuatro o cinco lenguas, y escondía sus cartas tras una sonrisa desalentadora.

Tan guapa que a Camille jamás se le pasó por la cabeza dibujarla.

Era demasiado arriesgado. Tenía demasiada vida.

Sólo un boceto de nada, una vez. Su perfil... El final de su moño y sus pendientes... Pierre se lo robó, pero no era ella. Faltaban su voz grave, su presencia resplandeciente y los hoyuelos en sus mejillas cuando reía.

Tenía la bondad, la arrogancia y la desenvoltura de quienes han nacido entre sábanas de organza. Su padre había sido un gran coleccionista, Mathilde siempre había vivido rodeada de cosas bellas y nunca había contado nada en su vida, ni sus bienes, ni sus amigos, y menos aún sus enemigos.

Ella era rica, y Pierre, emprendedor.

Permanecía callada cuando él hablaba, y luego enmendaba las tonterías que decía su marido en cuanto éste miraba para otro lado. Pierre bajaba los humos a sus jóvenes protegidos. No se equivocaba jamás, era él quien había lanzado a Voulys y a Barcarès por ejemplo, y ella se las ingeniaba para retenerlos.

Retenía a quien quería.

Su primer encuentro, Camille se acordaba muy bien, había tenido lugar en la escuela de Bellas Artes con ocasión de una exposición de proyectos de fin de curso. Los precedía una especie de aura… El marchante terrible y la hija de Witold Daens… La gente esperaba su llegada, los temía, y estaba al acecho de su más mínima reacción. Camille se sintió miserable cuando se acercaron a saludarlos, a ella y a su pandilla de desharrapados… Bajó la cabeza al estrecharle la mano, esquivó torpemente algún que otro cumplido, y buscó con la mirada algún agujero en el que esconderse por fin.

Era en junio, de eso hacía ya casi diez años… Unas golondrinas daban un concierto en el patio de la escuela, y se estaban tomando un ponche malejo mientras escuchaban hablar a Kessler. Camille no oía nada. Miraba a Mathilde. Aquel día llevaba una túnica azul y un ancho cinturón de plata en el que se agitaban unos minúsculos cascabelitos al compás de sus movimientos.

Fue un flechazo…

Después los invitaron a un restaurante de la calle Dauphine y, al final de una cena en la que el vino había corrido generosamente, su novio la instó a que abriera su portafolio. Camille no quiso.

Unos meses más tarde, regresó a verlos. Ella sola.

Pierre y Mathilde poseían dibujos de Tiepolo, de Degas y de Kandinsky, pero no tenían hijos. Camille no se atrevió jamás a abordar ese tema, y se abandonó entre sus redes por completo. Después Camille resultó ser tan decepcionante que las mallas se dieron de sí…

—¡Esto es absurdo! ¡Lo que haces no tiene ningún sentido! —la regañaba Pierre.

—¿Por qué no te quieres a ti misma? ¿Por qué? —añadía Mathilde con más dulzura.

Y Camille dejó de asistir a sus inauguraciones.

En la intimidad, Pierre todavía se desesperaba:

—¿Por qué?

—No la hemos querido lo suficiente —contestaba su mujer.

—¿Nosotros?

—Todo el mundo…

Pierre se abandonaba sobre el hombro de Mathilde, gimiendo:

—Oh… Mathilde… Mi bellísima Mathilde… ¿Por qué a ésta la has dejado escapar?

—Volverá.

—No. Va a desperdiciar todo su talento…

—Volverá.

Y Camille volvió.

—¿No está Pierre?

—No, está cenando con sus ingleses, no le he dicho que venías, me apetecía verte un poco…

Y al descubrir su portafolio, dijo:

—Pero… ¿has… has traído algo?

—Qué va, no es nada… Una tontería que le prometí el otro día…

—¿Puedo verlo?

Camille no contestó.

—Bueno, pues lo esperaré…

—¿Es tuyo?

—Psé…

—Dios mío… Cuando sepa que has traído algo, le va a dar un patatús… Voy a llamarlo…

—¡No, no! —replicó Camille—. ¡Déjelo! Le digo que no es nada… Es algo entre él y yo. Una especie de pago de alquiler…

—Muy bien. Venga… A cenar.

En su casa todo era bonito, la vista, los objetos, las alfombras, los cuadros, la vajilla, el tostador, todo. Hasta el aseo era bonito. Sobre una reproducción de yeso se leían los versos que Mallarmé había escrito en su propio cuarto de baño:

Tú que alivias tu tripa,
Puedes en este refugio sombrío,
Cantar o fumarte una pipa,
Pero sin ponerlo todo perdido.

La primera vez que lo vio, Camille alucinó:

—¡¿Han… han comprado un pedazo del retrete de Mallarmé?!

—No hombre, no… —dijo Pierre riéndose—, es que conozco al tipo que les hizo el vaciado… ¿Conoces su casa? ¿En Vulaines?

—No.

—Pues ya te llevaremos algún día… Es un sitio que te va a encantar… Ya verás, te va a encantar…

Y todo era agradable. Hasta su papel higiénico era más suave que en otro sitios…

500

Mathilde estaba feliz:

—¡Qué guapa estás! ¡Qué buena cara tienes! ¡Qué bien te queda el pelo corto! Has engordado, ¿no? Qué alegría verte así… De verdad, qué alegría… Te he echado tanto de menos, Camille… Si supieras cuánto me hartan a veces todos esos genios… Cuanto menos talento tienen, más ruido meten… A Pierre le trae sin cuidado, está en su salsa, pero yo, Camille, yo… Cómo me aburro… Ven, siéntate a mi lado, cuéntame…

—Yo no sé contar nada… Mejor le enseño mis cuadernos…

Mathilde pasaba las hojas y Camille las comentaba.

Y fue al presentar así a su gente cuando se dio cuenta de verdad del apego que les tenía.

Philibert, Franck y Paulette se habían convertido en las personas más importantes de su vida y se estaba dando cuenta justo en ese momento, ahí, entre dos cojines persas del siglo XVIII. Camille estaba impresionada.

Entre el primer cuaderno y el último dibujo que había hecho hacía un momento (Paulette radiante en su silla de ruedas delante de la Torre Eiffel), apenas habían transcurrido unos pocos meses, y sin embargo, Camille ya no era la misma… Ya no era la misma persona la que sostenía el lápiz… Se había desperezado, había cambiado de piel, y dinamitado los bloques de granito que le impedían avanzar desde hacía tantos años…

Esa noche, había gente que esperaba su regreso… Gente a quien le traía sin cuidado lo que valiera… Que la querían por otros motivos… Por ella misma, tal vez…

¿Por mí?

Por ti…

—Bueno, ¿qué pasa? —se impacientó Mathilde—. Ya no me cuentas nada… ¿Y ésta quién es?

—Johanna, la peluquera de Paulette…

—¿Y esto?

—Los botines de Johanna… Puro estilo rockabilly, ¿no? ¿Cómo puede soportar una cosa así una chica que trabaja todo el día de pie? La abnegación al servicio de la elegancia, supongo…

Mathilde se reía. Esos zapatos eran francamente horrorosos…

—Y éste de aquí, sale en muchos dibujos, ¿no?

—Es Franck, el cocinero del que le hablaba antes justamente…

—Es guapo, ¿no?

—¿Usted cree?

—Sí… Se parece al joven Farnesio pintado por Tiziano, sólo que con diez años más…

Camille levantó los ojos al cielo:

—Qué va, lo que hay que oír…

—¡Que sí! ¡Te lo digo en serio!

Mathilde se levantó y volvió con un libro:

—Toma, mira. La misma mirada oscura, las mismas aletas de la nariz, la misma barbilla prominente, las mismas orejas un poquitín de soplillo… El mismo fuego latente por dentro…

—Qué va, hombre, qué va —repetía Camille, mirando de reojo el retrato—, el mío tiene granos…

—Oh… ¡Lo estropeas todo!

—¿Esto es todo? —quiso saber Mathilde, abatida.

—Pues sí…

—Está bien. Está muy bien. Es… es maravilloso…

—Calle, no siga…

—No me contradigas, jovencita, yo no sabré pintar, pero sí sé mirar… A la edad en que cualquier niño va al teatro de marionetas, a mí ya me llevaba mi padre por todo el mundo, y me subía sobre sus hombros para que lo viera todo bien, así que haz el favor de no contradecirme… ¿Me los dejas?

—…

—Para Pierre…

—Bueno… Pero cuidado, ¿eh? Estas tonterías de nada son como mis hojas de temperatura…

—Ya me había dado cuenta.

—¿No te quedas a esperarlo?

—No, me tengo que ir…

—Se va a llevar una decepción…

—No sería la primera vez… —contestó Camille, fatalista.

—No me has hablado de tu madre…

—¿En serio? —preguntó Camille, asombrada—. Es buena señal, ¿no?

Mathilde la despidió con un beso:

—La mejor señal del mundo… Hala, ve, y no te olvides de volver a visitarme… Con vuestra poltrona descapotable, no tardáis nada…

—Prometido.

—Y sigue así. Sé liviana… Date pequeños placeres… Pierre te dirá seguramente lo contrario, pero tú no le hagas ni caso. No les vuelvas a hacer ni caso, ni a él, ni a nadie más… Por cierto…

—¿Sí?

—¿Necesitas dinero?

Camille debería haber dicho que no. Llevaba veintisiete años diciendo que no. «No, no hace falta.» «No, gracias.» «No, no necesito nada.» «No, no quiero deberle nada.» «No, no, déjeme.»

—Sí.

Sí. Sí, tal vez crea en ello. Sí, ya no volveré a hacer más

503

*de esclava, ni para los italianos, ni para la Bredart, ni para
ninguno de esos gilipollas. Sí, me gustaría trabajar en paz
por primera vez en mi vida. Sí, no tengo ganas de ponerme
tensa cada vez que Franck me da los tres billetes. Sí, he
cambiado. Sí, lo necesito. Sí.*

—Perfecto. Y aprovecha para comprarte un poco de
ropa… Porque de verdad… esta cazadora vaquera ya la
llevabas hace diez años…

Era cierto.

15

Camille regresó a pie, mirando los escaparates de los anticuarios. Estaba justo delante de la Escuela de Bellas Artes (el destino, siempre tan oportuno…) cuando sonó su móvil. Lo apagó cuando vio que era Pierre quien llamaba.

Apretó el paso. Su corazón se desbocaba.

Volvió a sonar el teléfono. Esta vez era Mathilde. Tampoco contestó.

Volvió sobre sus pasos y cruzó el Sena. Esta chica tenía inclinaciones novelescas, y ya fuera para saltar de alegría o para tirarse al agua, el Pont des Arts era lo mejor que había en París… Se apoyó contra el pretil y marcó los tres números de su buzón de voz…

Tiene dos mensajes nuevos, mensaje número uno, recibido hoy a las veintitrés ho… Todavía estaba a tiempo de que se le cayera el móvil sin querer… ¡Pluf! Ahí va… Qué pena…

«¡Camille, llámame inmediatamente o voy a buscarte y te traigo de las orejas! —gritaba la voz de Kessler—. ¡Inmediatamente! ¿Me oyes?»

Segundo mensaje, recibido hoy a las veintitrés horas y treinta y ocho minutos: «Soy Mathilde. No lo llames. No vengas. No quiero que veas esto. Tu marchante está llorando como una magdalena… Te prometo que no es algo agradable de ver… Aunque está guapo… Muy guapo, incluso… Gracias, Camille, gracias… ¿Oyes lo que dice? Espera, le paso el teléfono porque si no me va a arrancar la oreja…» «Te expongo en septiembre, Fauque, y no me digas que no porque ya he mandado las invit…» El mensaje se cortó.

Camille apagó su móvil, se lió un cigarro y se lo fumó de pie entre el Louvre, la Académie Française, Notre-Dame y la Concordia.
Un precioso final…

Después acortó la bandolera de su bolsa y echó a correr como una loca para no perderse el postre.

16

La cocina olía un poco a fritanga pero estaban todos los cacharros lavados y recogidos.

No se oía un solo ruido, todas las luces estaban apagadas, ni siquiera se veía un rayo de luz bajo las puertas de sus habitaciones... Vaya... Y Camille que por una vez estaba dispuesta a zamparse la sartén entera...

Llamó a la puerta de Franck.

Estaba escuchando música.

Se situó en un extremo de su cama, con las manos en jarras:

—¡Pero bueno, ¿y esto qué es?! —preguntó, indignada.

—Te hemos dejado unas cuantas... Te las flambearé mañana...

—¡Pero bueno, ¿y esto qué es?! —repitió—. ¿No piensas echarme un polvo?

—¡Ja, ja! Muy divertido...

Camille empezó a desnudarse.

—Eh, chavalín... ¡No creas que te vas a ir de rositas! ¡Tienes que cumplir tu promesa, me debes un orgasmo!

Franck se incorporó para encender la luz mientras Camille dejaba tirados sus zapatos por ahí.

—¿Pero qué coño estás haciendo? Pero tía, ¿qué haces?

—Pues... ¡despelotarme!

—Noooooo…

—¿Qué pasa?

—Así no… Espera… Yo llevo siglos soñando con este momento…

—Apaga la luz.

—¿Por qué?

—Me da miedo que cuando me veas ya no me desees…

—¡Pero Camille, joder! ¡Para! ¡Para! —gritaba Franck.

Ligera mueca de contrariedad:

—¿Ya no te apetece?

—…

—Apaga la luz.

—¡No!

—¡Que sí!

—Contigo no quiero que sea así…

—¿Y cómo quieres que sea entonces? ¿Quieres que vayamos a montar en barca al Bois de Boulogne?

—¿Cómo?

—¿Quieres llevarme a dar un paseo en barca y recitarme poemas mientras yo acaricio el agua con los dedos…?

—Ven a sentarte aquí a mi lado…

—Apaga la luz.

—Vale…

—Apaga la música.

—¿Nada más?

—Nada más.

—¿Eres tú? —preguntó Franck, intimidado.

—Sí.

—¿Seguro que estás aquí?

—No…

—Toma, ten una de mis almohadas… ¿Qué tal tu cita?

—Muy bien.

—¿Me lo cuentas?

—¿El qué?

—Todo. Esta noche quiero saberlo todo… Todo, todito, todo.

—Es que, ¿sabes?, si empiezo… Tú también te vas a sentir obligado a abrazarme después…

—Vaya, hombre… ¿Te violaron?

—No, a mí tampoco…

—Ah, bueno… Pues eso yo te lo puedo arreglar, si quieres…

—Ay, gracias… Qué majo eres… Estooo… ¿Por dónde empiezo?

Franck imitó la voz del presentador de un concurso para niños prodigio:

—¿Y tú de dónde eres, bonita?

—De Meudon…

—¿De Meudon? —exclamó—, ¡Huy, qué bien, qué bonito! ¿Y dónde está tu mamá?

—Mi mamá come medicinas.

—¿De verdad? Y tu papá, ¿dónde está tu papá?

—Está muerto.

—…

—¡Ah! Chaval, para que luego digas que no te había avisado… ¿Tienes preservativos, por lo menos?

—Tía, Camille, no me des estos sustos, que yo soy un poco tonto, ya lo sabes… ¿Tu padre está de verdad muerto?

—Sí.

—¿Y cómo murió?

—Se cayó al vacío.

—…

—Bueno, vuelvo a empezar y te lo cuento todo por orden… Acércate más porque no quiero que nos oigan los demás…

Franck levantó el edredón por encima de sus cabezas.

—Venga, cuenta. Así ya nadie puede vernos…

17

Camille cruzó las piernas, se colocó las manos sobre la tripa, y emprendió un largo viaje.

—De pequeña era una niña normal y corriente y muy buena... —empezó a contar con voz infantil—, no comía mucho pero sacaba buenas notas en el cole y me pasaba todo el tiempo dibujando. No tengo hermanos. Mi papá se llamaba Jean-Louis y mi mamá, Catherine. Creo que cuando se conocieron se querían... Aunque no lo sé, nunca me atreví a preguntárselo... Pero cuando yo dibujaba caballos, o la cara tan guapa de Johnny Depp, entonces ya no se querían. De eso estoy segura porque mi papá ya no vivía con nosotras. Sólo venía los fines de semana para verme. Era normal que se marchara, y yo en su lugar hubiera hecho lo mismo. De hecho, los domingos por la noche me habría encantado marcharme con él, pero no lo hubiera hecho jamás, porque si no mi mamá se hubiera matado otra vez. Mi mamá se mató muchas veces cuando yo era pequeña... Afortunadamente, a menudo ocurría cuando yo no estaba en casa, y después... como ya había crecido, era menos embarazoso, así que... Una vez me invitó una amiga a su casa para celebrar su cumple. Por la tarde, como mi mamá no venía a buscarme, la mamá de otra niña me dejó en la puerta de mi casa, y cuando entré en el salón, la vi muerta sobre la moqueta. Llegaron los bomberos, y yo estuve viviendo diez días en casa de la vecina. Después mi papá le dijo que si volvía a matarse, le iba a quitar mi custodia, y entonces paró. Ya sólo comía medicinas. Mi papá me dijo que no tenía más remedio que marcharse, por culpa de su trabajo, pero mi mamá me prohibió que lo creyera. Todos los días me repetía que era un mentiroso, un cerdo, que tenía otra mujer y otra hija pequeña a quien mimaba todas las noches…

Camille recuperó el timbre normal de su voz:

—Es la primera vez que hablo de esto… Mira, tu madre te destrozó antes de meterte en un tren, pero la mía me comía el tarro todos los días. Todos los días… Bueno, a veces era buena conmigo… Me compraba rotuladores y me repetía que yo era su única alegría en este mundo…

»Cuando venía, mi padre se encerraba en el garaje con su Jaguar y escuchaba óperas. Era un viejo Jaguar que ya no tenía ruedas, pero no importaba, nos íbamos de paseo de todas maneras… Mi padre decía: "¿Quiere que la lleve a la Riviera, señorita?", y yo me sentaba a su lado. Me encantaba ese coche…

—¿Qué modelo era?

—Un MK no sé qué…

—¿MKI o MKII?

—Joder, si es que todos los tíos sois iguales… ¡Aquí estoy yo, intentando hacerte llorar con mi historia, y a ti lo único que te interesa es el modelo del coche!

—Perdona.

—No importa…

—Venga, sigue…

—Bah…

—«¿Quiere que la lleve a la Riviera, señorita?»

—Sí —sonrió Camille—, encantada… «¿Lleva consigo su traje de baño? —añadía mi padre—. Perfecto… ¡Y también un traje de noche! Seguramente iremos al casino… No se olvide su piel de zorro plateado, las noches son frescas en Montecarlo…» Olía tan bien dentro del coche... El olor del cuero que ha envejecido bien... Recuerdo que todo era bonito... El cenicero de cristal fino, el espejo de cortesía, las minúsculas manivelas para bajar las ventanillas, el interior de la guantera, la madera... Era como una alfombra mágica. «Con un poco de suerte, llegaremos antes de que anochezca», me prometía mi padre. Sí, era ese tipo de hombre mi padre, un gran soñador que podía cambiar las marchas de un coche parado durante horas y llevarme hasta el fin del mundo en un garaje del extrarradio... También le apasionaba la ópera, así que escuchábamos *Don Carlo*, *La Traviata* o *Las bodas de Fígaro* durante el viaje. Me contaba las historias: la tristeza de madame Butterfly, el amor imposible de Pelleas y Melisande, cuando él le confiesa que tiene algo que decirle pero no consigue hacerlo, las historias de la condesa y su querubín, que se esconde todo el rato, o Alcina, la hermosa bruja que convertía a sus pretendientes en animales salvajes... Yo siempre tenía derecho a hablar salvo cuando él levantaba la mano, y en *Alcina*, lo hacía a menudo... *Tornami a vagheggiar*, ya no consigo escuchar esa aria... Es demasiado alegre... Pero yo callaba casi todo el tiempo. Estaba a gusto. Pensaba en la otra hija de papá. Ella no tenía todo eso... Era complicado para mí... Ahora, por supuesto, entiendo las cosas mejor: un hombre como él no podía vivir con una mujer como mi madre... Una mujer que apagaba la música bruscamente cuando llegaba la hora de comer, y reventaba todos nuestros sueños como si fueran pompas de jabón... Nunca la he visto feliz, nunca la he visto sonreír, nunca... Mi padre, en cambio, era la bondad y la dulzura personificadas. Un poco como Philibert... Demasiado bueno en todo caso para asumir eso. La idea de ser un cerdo a los ojos de su princesita... Entonces, un día, volvió a vivir con nosotras... Dormía en su despacho y se iba todos los fines de semana... Ya no hubo más escapadas a Salzburgo o a Roma en el viejo Jaguar gris, ya no hubo más casinos, ni meriendas a la orilla del mar... Y una mañana, debía de estar cansado, me imagino... Muy, muy cansado, y se cayó desde lo alto de un edificio...

—¿Se cayó o saltó?

—Era un hombre elegante, se cayó. Era asegurador y estaba andando sobre el tejado de una torre por una historia de conductos de ventilación o no sé qué, abrió la carpeta que llevaba y no miró dónde ponía los pies...

—Es un poco raro todo esto... ¿Tú qué opinas?

—Yo no opino nada. Después vino el entierro, y mi madre se daba la vuelta todo el rato para ver si la otra mujer estaba al fondo de la iglesia... Luego mi madre vendió el Jaguar y yo dejé de hablar.

—¿Durante cuánto tiempo?

—Meses...

—¿Y después qué pasó? ¿Puedo bajar el edredón? Es que me estoy ahogando...

—Yo también me estaba ahogando. Me convertí en una adolescente ingrata y solitaria, metí el número del hospital en la memoria del teléfono pero no hizo falta... Mi madre se había calmado... De suicida, había pasado a depresiva. Era ya un progreso. El ambiente era más tranquilo. Una muerte le bastaba, me imagino... Después, sólo tenía una idea en la cabeza: largarme. A los diecisiete años me fui de casa por primera vez para vivir con una amiga mía... Una noche, ¡zaca!, mi madre y la poli en la puerta... Y eso que la muy bruja sabía perfectamente dónde estaba... Era una brasas, como dicen los jóvenes. Estábamos cenando con los padres de mi amiga y recuerdo que estábamos hablando de la guerra de Argelia... Y entonces, *toc, toc,* la poli. Me sentía súper incómoda por lo que podría pensar esa gente, pero bueno, no quería líos, así que me fui con mi madre... El 17 de febrero de 1995 cumplí 18 años, el 16 a las doce y un minuto de la noche, me largué de casa cerrando la puerta sin hacer ruido… Aprobé el examen de bachillerato e ingresé en la Escuela de Bellas Artes… La cuarta de setenta alumnos admitidos… Hice un proyecto precioso a partir de las óperas de mi infancia… Me lo curré como una loca y obtuve la felicitación del jurado… En esa época ya no tenía ningún contacto con mi madre, y empecé a pasarlas canutas porque la vida en París era demasiado cara… Vivía en casa de unos y de otros… Me fumaba las clases de teoría y asistía a las de práctica, y después, hice el tonto… En primer lugar, me aburría un poco… También hay que decir que no quise jugar el juego: no me tomaba en serio, y por consiguiente, nadie me tomaba en serio a mí. No era una artista con mayúscula, sólo se me daba bien pintar… Me aconsejaban entonces que me fuera a la Place du Tertre para pintarrajear cuadros de Monet y bailarinitas… Y además, no sabía ni por dónde me daba el aire. A mí lo que me gustaba era dibujar, entonces, en vez de escuchar la palabrería de los profesores, realizaba sus retratos, y toda esa noción de «artes plásticas», de *happenings,* de instalaciones, me ponía de los nervios. Me daba perfecta cuenta de que me había equivocado de siglo. Me hubiera gustado vivir en el XVI, o en el XVII y entrar de aprendiz en el taller de un gran maestro… Prepararle los fondos, limpiarle los pinceles, y mezclarle los colores… ¿A lo mejor es que no era lo bastante madura? ¿O que carecía de ego? ¿O que sencillamente me faltaba el fuego sacro? No lo sé… Y en segundo lugar, tuve un encuentro desafortunado… La típica historia: la joven tontorrona con su cajita de pinturas pastel y sus trapos bien dobladitos que se enamora del genio incomprendido. El maldito, el príncipe de las ensoñaciones, el viudo, el tenebroso, el inconsolable… Una verdadera imagen de Epinal: melenudo, torturado, genial, sufriente, sediento… Padre argentino y madre húngara, una mezcla explosiva, una cultura deslumbrante, vivía en una casa okupada, y sólo estaba esperando eso: una bobalicona loquita por él que le hiciera la comida mientras él creaba, entre atroces sufrimientos... Yo bordé mi papel. Fui al mercado Saint-Pierre, grapé metros de tela en las paredes para darle un aspecto «coqueto» a nuestro cuchitril, y busqué trabajo para poder llenar la olla... Bueno, tanto como olla... la cacerolita, vamos a decir... Dejé la escuela y me puse a pensar en qué podía yo trabajar... ¡Y lo peor de todo es que estaba orgullosa de mí! Lo miraba pintar y me sentía importante... Yo era la hermana, la musa, la gran mujer detrás del gran hombre, la que cargaba con los barriles de vino, alimentaba a los discípulos, y vaciaba los ceniceros...

Camille se reía.

—Estaba orgullosa, y me convertí en vigilante de museo, ¿qué requetelista, eh? Bueno, aquí te ahorro las anécdotas sobre mis compañeros de trabajo, porque tuve oportunidad de ver con mis propios ojos lo mejorcito del funcionariado, pero... la verdad es que me traía sin cuidado... Estaba contenta. Por fin estaba en el taller del gran maestro que siempre había querido... Los lienzos ya estaban secos desde hacía tiempo, pero seguro que allí aprendí más que en todas las escuelas del mundo... Y como por aquella época no dormía mucho, podía vegetar tranquilamente... Estaba calentando motores... El problema era que no me estaba permitido dibujar... Ni siquiera en un cuadernito de nada, ni siquiera si no había ningún visitante, y Dios sabe que algunos días no había casi nadie, ni hablar de hacer cualquier otra cosa que no fuera maldecir mi estampa, dar un respingo cuando oía el *chuc-chuc* de las suelas de goma de algún visitante perdido, o esconder mi material deprisa y corriendo cuando lo que oía era el *clin-clin* de su manojo de llaves... Al final, se convirtió en el pasatiempo preferido de Séraphin Tico, Séraphin Tico, me encanta ese nombre... avanzar de puntillas para sorprenderme *in fraganti*. ¡Ah, cómo se alegraba, el muy idiota, cuando me obligaba a guardarme el lápiz! Lo veía alejarse, con las piernas separadas para dejar que sus cojones se dilataran de gusto... Pero cuando daba un respingo, movía la mano, y eso me ponía de los nervios. La de bocetos que eché a perder por su culpa... ¡Basta! ¡Se acabó! ¡Así no podía seguir! Así que entré en el juego... El aprendizaje de la vida empezaba a dar sus frutos: lo asalarié.

—¿Perdona?

—Lo soborné. Le pregunté cuánto quería a cambio de dejarme trabajar... ¿Treinta francos al día? De acuerdo... ¿El precio de una hora de vegetación tranquilita? De acuerdo... Y se los di...

—Joder...

—Pues sí... El gran Séraphin Tico —añadió Camille, pensativa—, ahora que tenemos la silla de ruedas, iré a saludarlo un día de estos con Paulette...

—¿Por qué?

—Porque me caía bien... Era un granuja honrado. No como el otro subnormal que me recibía de morros después de una jornada de trabajo, y todo porque se me había olvidado comprar cigarrillos... Y yo, como una idiota, volvía a bajar para comprarlos...

—¿Por qué seguías con él?

—Porque le quería. Y también admiraba su trabajo... Era un hombre libre, sin complejos, seguro de sí mismo, exigente... Todo lo contrario que yo... Él hubiera preferido morir antes que aceptar el más mínimo compromiso. Yo tenía apenas veinte años, lo mantenía, y lo admiraba muchísimo.

—Estabas de la olla...

—Sí... No... Después de la adolescencia que acababa de pasar, era lo mejor que me podía ocurrir... Siempre estábamos rodeados de gente, sólo hablábamos de arte, de

517

pintura… Éramos ridículos, sí, pero también íntegros. Sobrevivíamos seis personas con dos salarios mínimos, nos pelábamos de frío, y teníamos que hacer cola en los baños públicos, pero nos parecía que vivíamos mejor que los demás… Y por muy grotesco que pueda parecer hoy en día, pienso que teníamos razón. Teníamos una pasión… eso sí que es un lujo… Estaba loca y feliz. Cuando me hartaba de vigilar una sala, me iba a otra, y cuando no se me olvidaban los cigarrillos, ¡la casa era una fiesta! También bebíamos mucho… En esa época cogí unos cuantos malos hábitos… Y entonces conocí a los Kessler, de los que te hablé el otro día…

—Seguro que ese tío tenía un buen polvo… —dijo Franck enfurruñado.

Camille puso voz de arrullo:

—Y tanto que sí… El mejor del mundo… Uf, sólo de pensarlo me dan escalofríos…

—Vale, vale, ya me he enterado.

—No —suspiró Camille—, tampoco era para tanto… Una vez pasados los primeros meses posvirginales, me… yo… en fin… que era un hombre egoísta, vaya…

—Aaaah…

—Pues sí… Tú, en ese ámbito, tampoco te quedas corto, ¿eh?

—¡Sí, pero yo no fumo!

Se sonrieron en la oscuridad…

—Después la cosa se fue degradando… Mi novio me ponía los cuernos… Mientras yo tenía que soportar los chistes tontos de Séraphin Tico, él se pasaba por la piedra a las alumnas de primer curso, y cuando hicimos las paces, me confesó que se drogaba, nada, un poquitín nada más, de vez en cuando… Por la belleza del gesto… Y de esto no me apetece nada hablar…

—¿Por qué?

—Porque todo se volvió demasiado triste… Es aluci-

nante la rapidez con la que esa mierda te pone a su mer-
ced… La belleza del gesto, ¡y una mierda!, aguanté unos
meses más y luego me volví a casa de mi madre. Llevaba
tres años sin verme, abrió la puerta y me dijo: «Que sepas
que no hay nada de comer.» Yo me eché a llorar y me tiré
postrada en la cama dos meses… En esa ocasión, por una
vez, se portó como es debido… Tenía lo necesario para
curarme, como te podrás imaginar… Y cuando me levan-
té, volví a ponerme a trabajar. Por aquella época, no me
alimentaba más que de papillas y potitos. ¿Qué padezco,
doctor Freud? Después del cinemascope dolby estéreo,
con luz, sonido y emociones de todo tipo, volví a llevar
una vida minúscula y en blanco y negro. Me pasaba el
tiempo viendo la tele, y sentía vértigo cada vez que me
acercaba al río…

—¿Se te pasó por la cabeza?

—Sí. Me imaginaba a mi fantasma ascendiendo al Cielo con la música de *Tornami a vagheggiar, te solo vuol
amar…,* y mi padre me recibía con los brazos abiertos,
riendo: «¡Ah, aquí está por fin, señorita! Ya verá, esto es
aún más bonito que la Riviera…»

Camille lloraba.

—No, no llores…

—Sí. Me apetece llorar.

—Bueno, pues entonces llora.

—Así me gusta, que no seas un tío complicado…

—Es verdad, tengo un montón de defectos, pero no
soy un tío complicado… ¿Quieres que paremos?

—No.

—¿Quieres beber algo? ¿Te preparo un vasito de leche caliente con azahar como me solía hacer a mí Paulette?

—No, gracias… ¿Por dónde iba?

—El vértigo…

—Sí, el vértigo… Sinceramente, me habría bastado un

pequeño empujoncito de nada para caer, pero en lugar de eso, el azar llevaba guantes negros de piel de cabrito muy suave, y una mañana me dio un golpecito en el hombro... Ese día me divertía con los personajes de Watteau, encorvada sobre mi silla, cuando por detrás de mí pasó un hombre... Lo veía a menudo... Siempre estaba rondando a los estudiantes, mirando sus dibujos disimuladamente... Yo pensaba que era un ligón. Tenía ciertas dudas sobre su sexualidad, lo miraba charlar con la juventud halagada por sus cumplidos, y admiraba su estilo... Siempre vestía unos abrigos maravillosos, muy largos, trajes muy elegantes, pañuelos y bufandas de seda... Para mí ese momento era como mi recreo... Ese día yo estaba pues inclinada sobre mi cuaderno y sólo veía sus magníficos zapatos, muy finos e impecablemente lustrados. «¿Podría hacerle una pregunta indiscreta, *signorina*? ¿Tiene usted una *moralità* inquebrantable?» Yo me preguntaba adónde querría llegar con una pregunta así. ¿Al huerto? Pero bueno... ¿Que si tenía una moralidad inquebrantable? ¿Yo que corrompía a Séraphin Tico y soñaba con contrariar la voluntad de Dios? «No», le contesté, y por culpa de esa respuesta arrogante, me volví a meter en otro berenjenal... esta vez, inconmensurable...

—¿Un berenjenal cómo?

—Un berenjenal tremendo.

—¿Qué hiciste?

—Lo mismo que antes... pero en vez de vivir en una casa okupada y ser la chacha de un loco, viví en los mejores hoteles de Europa y me convertí en la chacha de un estafador...

—Y te... te...

—¿Que si me prostituí? No. Aunque...

—¿Qué hacías?

—Falsificaba.

—¿Dinero?

—No, dibujos… ¡Y lo peor era que encima me lo pasaba bien! Bueno, al principio… Después la bromita se convirtió casi en pura esclavitud, pero al principio era muy divertido. ¡Por una vez servía para algo! Y entonces, como te digo, viví en medio de un lujo increíble… Nada era demasiado para mí. ¿Que tenía frío? Pues me regalaba los mejores jerseys de cachemira. ¿Sabes ese jersey gordo azul con capucha que no me quito ni para dormir?

—Sí.

—Once mil francos…

—¡Anda ya!

—Sí, sí, como lo oyes. Y tenía diez o doce como ése… ¿Que tenía hambre? Pues nada, servicio de habitaciones y marisco para dar y tomar. ¿Que tenía sed? ¡*Ma chè,* champán! ¿Que me aburría? ¡Pues espectáculos, tiendas, música! «*Tutto quello* que quieres, se lo pides a Vittorio…» La única cosa que no tenía derecho a decir era: «Se acabó.» Entonces el bello Vittorio se volvía malvado… «Si te vas, *è finita per te…*» ¿Pero por qué habría de irme? Me mimaban, me lo pasaba bien, hacía lo que me gustaba, visitaba todos los museos con los que tanto había soñado, conocía a gente, por la noche me equivocaba de habitación… No estoy segura, pero me parece incluso que me acosté con Jeremy Irons…

—¿Y ése quién es?

—Jo, tío… eres desesperante… Bueno, qué más da… Leía, escuchaba música, ganaba dinero… Ahora, con la distancia, me digo a mí misma que era otra forma de suicidio… Más cómoda… Me excluí de la vida y me aparté de las pocas personas que me querían. Sobre todo de Pierre y Mathilde Kessler, que se disgustaron infinitamente, de mis antiguos compañeros de clase, de la realidad, de la moralidad, del buen camino, de mí misma…

—¿Currabas sin parar?

—Sin parar. No produje mucho, pero había que repetir lo mismo miles de veces por culpa de los problemas técnicos... La pátina, el soporte y todo eso... Al final, el dibujo era lo de menos, lo complicado era envejecerlo. Trabajaba con Jan, un holandés que nos proporcionaba el papel falso. En eso consistía su labor: en recorrerse el mundo y volver con rollos de papel. Tenía un lado de químico loco, y buscaba sin tregua una manera de convertir lo nuevo en viejo... Nunca le oí pronunciar una sola palabra, era un tío fascinante... Y después, perdí la noción del tiempo... De alguna manera, me dejé absorber por esa vida que no era una vida... No se veía a simple vista, pero me había convertido en un pecio a la deriva. Un pecio elegante... Le daba al drinqui, llevaba camisas a medida, y sentía asco de mí misma... No sé cómo habría terminado todo eso si no me llega a salvar Leonardo...

—¿Qué Leonardo?

—Leonardo da Vinci. Ahí sí que me rebelé... Mientras se tratara de pequeños maestros, de bocetos de otros bocetos, de bosquejos de otros bosquejos, o de *pentimenti* de *pentimenti,* podíamos darles el pego a marchantes poco escrupulosos, pero intentarlo con Leonardo da Vinci era absurdo... Se lo dije, pero no me hizo caso... Vittorio se había vuelto demasiado codicioso... No sé exactamente qué hacía con su dinero, pero cuanto más tenía más le faltaba... Supongo que él también tendría sus debilidades... Entonces decidí cerrar el pico. Después de todo, no era mi problema... Volví al Louvre, a los departamentos de artes gráficas donde pude acceder a ciertos documentos, y me los aprendí de memoria... Vittorio quería una cosita. «¿Ves ese estudio de ahí? Tú te inspiras de él, *ma quel personnaggio là,* lo mantienes igual...» Por aquel entonces ya no vivíamos en un hotel, sino en un gran piso amueblado. Hice lo que me mandaba y esperé... Cada vez se le veía más nervioso. Se pasaba horas al teléfono, daba vueltas y vueltas, desgastando la moqueta, y maldecía a la Virgen. Una mañana, entró en mi habitación como un loco: «*Me ne devo andare,* pero tú no te mueves de aquí, *capito?* No sales de aquí *finché io non lo dica*… ¡Ya lo sabes! ¡No te mueves de aquí!» Esa noche, recibí una llamada de un tío al que no conocía: «Quémalo todo», dijo antes de colgar. Bueno… Reuní un montón de mentiras y las destruí en el fregadero. Y seguí esperando… Varios días… No me atrevía a salir de casa. No me atrevía a mirar por la ventana. Me había vuelto paranoica perdida. Tenía hambre, ganas de fumar, ya no tenía nada que perder… Volví a Meudon a pie y me encontré una casa vacía, con un cartel que decía «Se vende» en la verja. ¿Se habría muerto mi madre? Salté la tapia y dormí en el garaje. Regresé a París. Mientras no dejara de caminar, conseguía mantenerme en pie. Rondé por el edificio por si acaso había vuelto Vittorio… No tenía pasta, ni brújula, ni puntos de referencia, nada. Pasé otras dos noches en la calle con mi jersey de once mil francos, pedí cigarrillos y me robaron el abrigo. La tercera noche llamé a la puerta de Pierre y Mathilde y me derrumbé sobre su felpudo. Me hicieron recuperar fuerzas y me instalaron aquí, en la buhardilla del séptimo piso. Una semana más tarde, seguía sin mover un dedo, preguntándome a qué podría dedicarme profesionalmente… Lo único que sabía era que no quería volver a dibujar en mi vida. Tampoco estaba preparada para volver al mundo real. La gente me daba miedo… Entonces me convertí en técnico nocturno de superficies… Viví de esa manera durante algo más de un año. Mientras tanto recuperé a mi madre. No me hizo ninguna pregunta… Nunca he sabido si fue por indiferencia o por pura discreción… No indagué, no me lo podía permitir: ya sólo la tenía a ella…

»Qué ironía, había hecho de todo para huir de ella, y luego mira… Había vuelto a la casilla de salida, pero los sueños, los había perdido por el camino… Vivía como podía, no me permitía beber sola y buscaba una salida de socorro en mi buhardilla de diez metros cuadrados... Y entonces me puse enferma al principio del invierno y Philibert me cogió en brazos por las escaleras y me dejó en la habitación de al lado... El resto, ya lo sabes...

Largo silencio.

—Caray... —repitió Franck varias veces—. Caray...

Se incorporó, y cruzó los brazos.

—Caray... Vaya vida... Tela marinera... ¿Y ahora? ¿Qué vas a hacer ahora?

—...

Camille se había quedado dormida.

Franck le subió el edredón hasta la nariz, cogió sus cosas y salió de puntillas de la habitación. Ahora que la conocía, ya no se atrevía a tumbarse a su lado. Además ocupaba todo el sitio.

Todo el sitio.

18

Se sentía perdido.

Se paseó un rato por la casa, fue hasta la cocina, abrió los pequeños armarios y volvió a cerrarlos, meneando la cabeza.

Sobre el alféizar de la ventana, el corazón de alcachofa estaba ya mustio. Lo tiró a la basura, cogió un lápiz y se sentó para terminar su dibujo. No sabía muy bien qué hacer con los ojos… ¿Tenía que dibujar dos puntitos negros en cada extremo de los cuernos, o uno solo debajo?

Joder… ¡Ni siquiera de caracoles sabía nada!

Bueno, hala, uno solo, que quedaba más bonito.

Franck se vistió. Empujó la moto con las piernas apretadas al pasar delante de la portería. *Pikou* lo miró pasar sin rechistar. Muy bien, enano, muy bien… Este verano tendrás un polito Lacoste para ligarte a las pequinesas… Recorrió unos metros más antes de atreverse a arrancar la moto, y se lanzó por las calles nocturnas.

Tomó por la primera a la izquierda y luego siguió siempre recto. Una vez llegado al mar, se quitó el casco y observó las maniobras de los pescadores. Aprovechó para decirle unas palabritas a su moto. Para que comprendiese un poco la situación…

Sentía unas ligeras ganas de venirse abajo.

¿Demasiado viento, tal vez?

Franck se sacudió.

¡Ya está! Eso era lo que estaba buscando antes: ¡un filtro de café! Sus ideas se iban ordenando… Caminó pues bordeando el puerto hasta el primer bar abierto y se tomó un café en medio de los chubasqueros brillantes de agua. Al levantar la mirada, reconoció a un viejo conocido suyo en el reflejo del espejo:

—¡Anda! ¡Pero si estás aquí!

—Ya ves…

—¿Y qué coño haces tú aquí?

—He venido a tomar un café.

—Joder, tío, qué mala cara tienes…

—Estoy cansado…

—¿Siempre por ahí de picos pardos?

—No.

—Anda ya… ¿No has estado con una chica esta noche?

—No era verdaderamente una chica…

—¿Qué era?

—No lo sé.

—Eh, tío, tío… ¡Jefa! ¡Póngale otro café a mi amigo, que no le veo yo muy en forma!

—No, no… Deja…

—¿Que deje qué?

—Todo.

—Pero Lestaf, tío, ¿qué te pasa?

—Me duele el corazón…

—Eeeeeh, ¿estás enamorado?

—Pudiera ser…

—¡Caray! ¡Tío, qué buena noticia! ¡Qué alegría, chaval, qué alegría! ¡Que se te note, tío! ¡Súbete a la barra! ¡Canta!

—Para.

—¿Pero qué te pasa?

—Nada… Esta… Esta tía mola, está bien… Demasiado bien para mí, vamos…

—No hombre, no… ¡No digas chorradas! Nadie es nunca demasiado para nadie… ¡Sobre todo las tías!

—Que no es una tía, te digo…

—¡¿Es un tío?!

—Que no, hombre, que no…

—¿Es un androide? ¿Es Lara Croft?

—Mejor aún…

—¿Mejor que Lara Croft? ¡Joder, tío! ¿Qué, tiene buena delantera entonces?

—Yo diría que 85 A…

Le sonrió…

—Ah, vale… Si estás colado por una tabla de surf, entonces sí que estás apañado, ahora ya lo entiendo…

—¡Que no, hostia, que no entiendes nada! —se irritó Franck—. ¡Tú nunca entiendes nada! Siempre igual, ¡siempre estás ahí, soltando parida tras parida para que no se note que no te enteras de nada! ¡Desde niño siempre tienes que dar la vara a todo el mundo! Joder, tío, es que me pareces patético… Esta tía, cuando me habla, no entiendo ni la mitad de las palabras que dice, ¿vale? A su lado me siento una mierda. Si vieras todo lo que ha vivido… Joder, yo no estoy a la altura… Creo que voy a pasar de ella…

El otro hizo una mueca.

—¿Qué pasa? —gruñó Franck.

—Quién te ha visto, y quién te ve…

—He cambiado.

—Qué va, hombre… Estás cansado, nada más…

—Hace veinte años que estoy cansado…

—¿Y ella qué ha vivido?

—Todo cosas malas.

—¡Joder, tío, pues de puta madre! ¡No tienes más que ofrecerle tú otra cosa!

—¿El qué?

—¡Pero tío, lo haces aposta, ¿o qué?!

—No.

—Sí. Lo haces aposta para que te tenga lástima...
Piensa un poco. Seguro que al final lo sacas...

—Tengo miedo.

—Eso es buena señal.

—Sí, pero si me...

La dueña del bar se desperezó.

—Señores, ya está aquí el pan. ¿Quién quiere un bocadillo? ¿El joven de la barra?

—No, gracias, estoy bien así.

Sí, estoy bien así.

Bien muerto, o bien vivo...

Ya se verá.

Estaban instalando los puestos del mercado. Franck
compró unas flores en la trasera de un camión, «¿tienes
suelto, chaval?», y se las guardó dentro de la cazadora.

Unas flores no estaban mal para empezar, ¿no?

«¿Tienes suelto, chaval?» ¿Suelto? ¡De eso justamente
estaba harto, de andar suelto!

Y, por primera vez en su vida, viajó hacia París con-
templando el amanecer.

Philibert se estaba duchando. Franck le llevó el desayuno a Paulette y la besó, frotándole las mejillas.

—¿Qué pasa, abuela, no te encuentras bien?

—Pero si estás helado... ¿De dónde vienes tú ahora?

—Uuuuuf... —dijo él levantándose.

Su jersey apestaba a mimosas. A falta de jarrón, cortó
la base de una botella de plástico con el cuchillo del pan.

—Eh, Philou.

—Espera un segundo, que me estoy dosificando el
Nesquik... ¿Nos preparas la lista de la compra?

—¿Cómo se escribe la riviera?

—Con mayúscula y con uve.

—Gracias.

Mimosas como en la ~~ribi~~ Riviera... Dobló en dos la notita y la dejó junto con el jarrón al lado del caracol.

Se afeitó.

—¿Por dónde íbamos? —preguntó el del reflejo, volviendo a aparecer.

—Ya está bien, gracias, ya me las apaño...

—Bueno, pues nada... Buena suerte, ¿eh?

Franck hizo una mueca.

Era el *after-shave*.

Llegó diez minutos tarde, cuando la reunión ya había empezado.

—Aquí llega nuestro guapetón... —dijo el chef.

Franck se sentó sonriendo.

19

Como siempre que estaba agotado, se quemó gravemente. Su pinche insistió en curarle, y Franck terminó por tenderle el brazo sin decir palabra. No tenía fuerzas para quejarse, ni para sentir dolor. La máquina había explotado. Ya no servía, no funcionaba, ya no podía hacerle daño a nadie...

Regresó a casa tambaleándose, puso el despertador para no dormir hasta el día siguiente, se quitó los zapatos sin desatarse los cordones, y se desplomó sobre la cama, con los brazos en cruz. Ahora sí le dolía la mano, y reprimió un quejido de dolor antes de quedarse dormido.

Llevaba más de una hora durmiendo cuando Camille (así de ligera sólo podía ser ella) vino a visitarlo en sueños...

Desgraciadamente no vio si estaba desnuda... Estaba tumbada sobre él. Sus muslos contra los suyos, su vientre contra el suyo, y sus hombros contra los suyos.
Acercó su boca a su oído y le susurró:
—Lestafier, te voy a violar...
Franck sonreía en sueños. Primero porque era un bonito delirio y segundo porque el soplo de su voz le hacía cosquillas desde el otro lado del abismo.
—Sí... Para acabar ya con esto... Te voy a violar para

tener una buena razón para abrazarte... Pero sobre todo
no te muevas... Si te resistes, te estrangulo, chavalín...

Franck quiso acurrucarse para estar seguro de no des-
pertarse, pero alguien lo sujetaba por las muñecas.

Por el dolor, se dio cuenta de que no estaba soñando, y
porque le dolía, comprendió su felicidad.

Al juntar sus palmas con las suyas, Camille sintió el
contacto de la gasa:

—¿Te duele?

—Sí.

—Tanto mejor.

Y empezó a moverse.

Franck también.

—No, no, no —se enfadó Camille—. Déjame hacer a
mí...

Escupió una esquinita de plástico, le puso la goma, se
encajó en el hueco de su cuello, también un poco más
abajo, y pasó sus manos por debajo de sus riñones.

Al cabo de unas cuantas idas y venidas silenciosas, Camille se aferró a sus hombros, arqueó la espalda, y llegó el
orgasmo, en menos tiempo del necesario para escribirlo.

—¿Ya? —preguntó Franck, algo decepcionado.

—Sí...

—Vaya...

—Tenía demasiada hambre...

Franck rodeó su espalda con sus brazos.

—Perdón... —añadió ella.

—No hay disculpa que valga, señorita... Voy a poner
una denuncia.

—Por mí, encantada...

—No, ahora mismo no... Se está demasiado bien...
Quédate así, te lo suplico... Mierda...

532

—¿Qué pasa?

—Te estoy llenando de pomada para quemaduras...

—Mejor —sonrió Camille—, siempre puede sernos útil...

Franck cerró los ojos. Le acababa de tocar el premio gordo. Una chica dulce, inteligente, y picarona. Oh... gracias, Dios mío, gracias... Era demasiado bonito para ser verdad.

Algo mugrientos, algo grasientos, se quedaron dormidos los dos, bajo unas sábanas que olían a estupro y cicatrización.

Al levantarse para ir a atender a Paulette, Camille pisó el despertador de Franck y lo desenchufó. Nadie se atrevió a despertarlo. Ni sus compañeros de piso, cada uno a lo suyo, ni su jefe, que ocupó su puesto sin rechistar.

Qué mal lo tenía que estar pasando, el pobre...

Salió de su habitación hacia las dos de la mañana y llamó a la puerta del fondo.

Se arrodilló a los pies de su colchón.

Camille estaba leyendo.

—Ejem... ejem...

Camille bajó el periódico, levantó la cabeza, y fingió asombro:

—¿Algún problema?

—Esto... señor agente... vengo a poner una denuncia...

—¿Le han robado algo?

¡A ver, a ver, un poco de calma! No iba a contestar «el corazón», o alguna parida por el estilo...

—Pues es que... esto... ayer alguien se introdujo en mi casa...

—¿Ah, sí?

—Sí.

—¿Pero estaba usted dentro?

—Estaba durmiendo...

—¿Vio usted algo?

—No.

—Vaya, hombre, qué mala suerte… Por lo menos tendrá usted un buen seguro, ¿no?

—No —contestó Franck, afligido.

Camille suspiró:

—Su testimonio no es muy preciso que digamos… Sé que estas cosas nunca son muy agradables, pero… mire usted, lo mejor en este caso sería proceder a una reconstrucción de los hechos…

—¿Ah, sí?

—A ver, qué remedio…

De un salto, Franck se plantó sobre ella. Camille gritó.

—¡Yo también tengo hambre, yo también! Llevo desde anoche sin probar bocado, y lo vas a pagar tú, Mary Poppins. Joder, anda que no hace tiempo que me suenan las tripas… No me pienso contener, mira tú por dónde…

La devoró de los pies a la cabeza.

Empezó por sus pecas, luego la mordisqueó, la besó, la mordió, la lamió, la chupó, se la zampó, se la comió, se la tragó y no dejó ni los huesos. De pasada, Camille sacó placer, y se lo devolvió con creces.

Ya no se atrevían a hablarse ni a mirarse siquiera.

Camille se llevó las manos a la cabeza.

—¿Qué pasa? —se inquietó Franck.

—Ay, señor… Me va a decir que soy imbécil, pero me hacía falta otra copia de su denuncia para archivarla, y se me ha olvidado poner papel carbón… Habrá que volver a empezar todo desde el principio…

—¿¿Ahora??

—No. Ahora, no. Pero tampoco convendría demorarlo demasiado… No vaya a ser que se le olvide algún detalle…

—Bueno… Y cree, cree usted… ¿cree usted que se me reembolsará?

—Me extrañaría…

—Se lo llevó todo, ¿sabe?

—¿Todo?

—Casi todo…

—Tiene que ser difícil para usted…

Camille estaba tumbada boca abajo, con la barbilla apoyada en las manos.

—Eres guapa.

—Calla… —dijo ella, escondiendo el rostro entre los brazos.

—No, tienes razón, no eres guapa, eres… No sé cómo explicarlo… Estás viva… Todo en ti está vivo: tu pelo, tus ojos, tus orejas, tu naricita, tu boca tan grande, tus manos, tu precioso culo, tus largas piernas, tus muecas, tu voz, tu dulzura, tus silencios, tu… tu… tus…

—¿Mi organismo?

—Sí…

—No soy guapa, pero mi organismo está vivo. Qué maravilla de declaración de amor… Nunca me habían hecho una así…

—No juegues con las palabras —se enfadó Franck—, para ti es muy fácil… Esto…

—¿Qué?

—Tengo más hambre que antes… Ya sí que tengo que ir a comer algo…

—Bueno, pues nada, hasta luego… Que aproveche, como se dice en estos casos.

Franck se asustó:

—¿No… no quieres que te traiga algo?

—¿Qué me ofreces? —contestó ella, estirándose.

—Lo que tú quieras…

Tras unos segundos de reflexión, dijo:

—… Nada… Todo…

—Vale. Trato hecho.

Franck estaba apoyado en la pared, con la bandeja sobre las rodillas. Descorchó una botella y le tendió una copa. Camille dejó su cuaderno.

Brindaron.

—Por el futuro…

—No. De ninguna manera. Por el presente —le corrigió Camille.

Ay, ay, ay…

—El futuro… esto… Lo… lo…

Camille lo miró a los ojos:

—A ver, Franck, tranquilízame, no iremos a enamorarnos, ¿no?

Franck fingió atragantarse.

—Arrrhghgh, arrghhg, arrghg… ¿Estás loca, o qué te pasa? ¡Pues claro que no!

—¡Ah, bueno! Qué susto… Con la de tonterías que hemos hecho ya los dos…

—Y que lo digas. Aunque bueno, ya, una más una menos, tampoco es que importe mucho…

—Sí. A mí, sí.

—¿Ah, sí?

—Sí. Follemos, brindemos, vayámonos de paseo, démonos la mano, cógeme por el cuello, y deja que te persiga si quieres, pero… no nos enamoremos… Por favor…

—Muy bien. Tomo nota.

—¿Me estás dibujando?

—Sí.

—¿Y cómo me dibujas?

—Tal como te veo…

—¿Estoy bien?

—Me gustas.

Franck rebañó bien el plato, dejó su copa, y se resignó a zanjar unos engorros administrativos…

Esta vez se tomaron su tiempo, y cuando cada uno se volvió hacia su lado de la cama, saciado y al borde del abismo, Franck dijo, dirigiéndose al techo:

—De acuerdo, Camille, no te amaré jamás.

—Gracias, Franck. Yo tampoco.

QUINTA PARTE

CUARTA PARTE

1

No cambió nada, todo cambió. Franck perdió el apetito, y Camille, su tez tan pálida. La ciudad se volvió más bella, más luminosa, más alegre. La gente estaba más sonriente, y el asfalto, más elástico. Todo parecía al alcance de la mano, los contornos del mundo estaban ahora más dibujados, y el mundo, más ligero.

¿Microclima en el Campo de Marte? ¿Recalentamiento del planeta? ¿Fin provisional de la ingravidez? Ya nada tenía sentido, y nada tenía ya importancia.

Navegaban de la cama de uno al colchón del otro, se tumbaban con cuidado y se decían palabras cariñosas acariciándose la espalda. Como ninguno de los dos quería desnudarse delante del otro, eran un poco torpes, un poco tontorrones, y se sentían en la obligación de cubrir su pudor con las sábanas antes de entregarse al desenfreno.

¿Nuevo aprendizaje o primer boceto? Se mostraban atentos y se aplicaban en silencio.

Pikou dejó de llevar jersey y la señora Pereira volvió a sacar sus tiestos con flores. Para los pajaritos, aún era un poco pronto.

—Eh, eh, eh —le dijo a Camille una mañana—, tengo algo para usted…

La carta tenía matasellos de Côtes-d'Armor.

10 de septiembre de 1889. Comillas de apertura. *Lo que tenía en la garganta tiende a desaparecer, todavía como con cierta dificultad, pero por lo menos vuelvo a hacerlo.* Comillas de cierre. *Gracias.*

En el reverso de la postal, Camille descubrió el rostro febril de Van Gogh.

Lo guardó entre las páginas de su cuaderno.

Los grandes almacenes del barrio se resintieron mucho. Gracias a los tres libros que les había regalado Philibert, *París secreto e insólito, París: 300 fachadas para los curiosos* y *Guía de los salones de té de París,* Camille y Paulette ya no paraban. Camille levantaba los ojos y ya no criticaba su barrio, donde el Art Nouveau se mostraba en todo su esplendor.

Ahora, iban desde las Isbas rusas del bulevar Beauséjour hasta el barrio de la Mouzaia, en el parque de Buttes-Chaumont, pasando por el hotel del Norte y el cementerio Saint-Vincent, donde un día comieron con Maurice Utrillo y Eugène Boudin sobre la tumba de Marcel Aymé.

«En cuanto a Théophile Alexandre Steinlen, maravilloso pintor de los gatos y las miserias humanas, descansa bajo un árbol, en el rincón sudoeste del cementerio.»

Camille dejó la guía sobre sus rodillas y repitió:

—*«Maravilloso pintor de los gatos y las miserias humanas, descansa bajo un árbol, en el rincón sudoeste del cementerio…»* Es un bonito comentario, ¿verdad?

—¿Por qué me llevas siempre con los muertos?

—¿Cómo?

—…

—¿Y usted dónde quiere ir, mi Paulette? ¿A una discoteca?

—…

—¡Yuju! ¿Paulette?

—Volvamos a casa. Estoy cansada.

Y una vez más, acabaron en un taxi, con un taxista cabreado por tener que cargar con la silla de ruedas.
Ese chisme era un verdadero detector de gilipollas...

Paulette estaba cansada.
Cada vez más cansada y cada vez más pesada.
Camille no quería reconocerlo pero siempre estaba sosteniéndola y peleándose con ella para conseguir vestirla, alimentarla y obligarla a mantener una conversación. Bueno, ni siquiera una conversación, una respuesta. La anciana testaruda no quería ir al médico y la joven tolerante no quiso ir en contra de su voluntad, primero porque no era su talante, y segundo porque si alguien tenía que convencerla, era Franck. Pero cuando iban a la biblioteca, Camille se enfrascaba en revistas o libros médicos y leía cosas deprimentes sobre la degeneración del cerebelo y demás historias de Alzheimer. Después cerraba esas cajas de Pandora suspirando y decidía tomar malos buenos propósitos: si Paulette no quería que la viera un médico, si no quería mostrar interés por el mundo actual, si no quería terminarse el plato, y si prefería ponerse el abrigo encima de la bata para salir de paseo, después de todo, estaba en su derecho. Su derecho más legítimo. Camille no iba a darle la tabarra con eso, y aquellos a quienes todo eso entristecía no tenían más que hacerle hablar sobre su pasado, su madre, el día en que el cura del pueblo casi se ahoga en el Louère porque lanzó las redes un poco deprisa y el chisme se enganchó en uno de los botones de su sotana, las tardes de vendimia, o su jardín, para que sus ojos ahora ya casi opacos recuperaran la chispa. En todo caso, ella, Camille, no había encontrado nada mejor...
—¿Y qué lechuga cultivaba?
—La Reina de Mayo, o la rubia gorda y perezosa.

—¿Y las zanahorias?

—Las Palaiseau, claro…

—¿Y las espinacas?

—Uh… las espinacas… las Monstruosas de Viroflay. Ésas se daban bien…

—¿Pero cómo hace para recordar todos esos nombres?

—Todavía me acuerdo de los paquetitos de semillas… Yo hojeaba el catálogo Vilmorin todas las noches, como otros sobetean sus misales… Me encantaba… Mi marido soñaba con cartucheras mientras leía su Manufrance y a mí me gustaban las plantas… La gente venía de lejos para admirar mi jardín, ¿sabes?

Camille la colocaba a la luz y la dibujaba mientras la escuchaba hablar.

Y cuanto más la dibujaba, más la quería.

¿Se habría esforzado más por mantenerse en pie de no haber tenido la silla de ruedas? ¿Acaso la había infantilizado al pedirle que se sentara cada dos por tres para ir más deprisa? Probablemente…

Qué se le iba a hacer… Lo que estaban viviendo las dos, todas esas miradas y ese cogerse de la mano mientras la vida se desmoronaba al menor recuerdo, nadie se lo podría quitar nunca. Ni Franck ni Philibert, que estaban a mil leguas de concebir cuán poco razonable era su amistad, ni los médicos que nunca habían podido evitar que un anciano volviera a la orilla de un río, con ocho años, para gritar «¡Señor cura! ¡Señor cura!» llorando porque, si se ahogaba, todos los monaguillos se irían directos al infierno…

—Yo le lancé mi rosario, imagínate cuánto debió de ayudarlo al pobre… Creo que ese día empecé a perder la fe, porque en vez de implorar a Dios, llamaba a gritos a su madre… Eso me dio mala espina…

2

—¿Franck?

—Mmm…

—Me preocupa Paulette…

—Ya lo sé.

—¿Qué hay que hacer? ¿Obligarla a ir al médico?

—Creo que voy a vender la moto…

—Vale. Veo que te la suda lo que te estoy diciendo…

3

No la vendió. Se la cambió al pinche por su Golf de macarra. Aquella semana Franck estaba hecho polvo pero se cuidó bien de que nadie se lo notara y, el domingo siguiente, se las apañó para reunirlos a todos alrededor de la cama de Paulette.

Qué suerte, hacía bueno.

—¿No te vas a trabajar? —le preguntó ella.

—Bah... Hoy no tengo muchas ganas... Oye, dime una cosa... ¿No empezó ayer la primavera?

Los demás se enredaron en cálculos, entre uno que vivía encerrado entre libros, y las otras dos que habían perdido la noción del tiempo desde hacía semanas, era mucho pedir esperar una respuesta...

Pero Franck no tiró la toalla:

—¡Que sí, ratas de ciudad! ¡Es primavera, a ver si os enteráis!

—¿Ah, sí?

Un poco remolón este público suyo...

—¿Os trae sin cuidado?

—No, no, qué va...

—Sí. Ya veo que os trae sin cuidado...

Franck se acercó a la ventana:

—No, si yo sólo lo decía por decir... Nada, estaba pensando que era una lástima quedarse aquí mirando a los turistas del Campo de Marte cuando tenemos una preciosa casa de campo como todos los pijos de este edificio, y que si os dierais un poco de prisa, podríamos pasar por el mercado de Azay y comprar algo rico para comer... Pero bueno, nada... Si no os apetece, nada, me vuelvo a la cama...

Igual que una tortuga, Paulette estiró su cuello arrugado, y salió de su concha:

—¿Cómo?

—Oh... Nada, algo sencillito... Estaba pensando en unas chuletitas de ternera con menestra... Y a lo mejor unas fresitas de postre... Si tienen buena pinta, ¿eh? Si no, haré una tarta de manzana... Ya veremos... Y de guinda, un vinito de mi amigo Christophe, y una buena siesta al sol, ¿qué me decís?

—¿Y tu trabajo? —quiso saber Philibert.

—Pfff... Ya trabajo bastante, ¿no crees?

—¿Y cómo se supone que vamos a ir? —preguntó Camille con ironía—. ¿Apilados en tu súper moto?

Franck bebió un sorbito de café y soltó tranquilamente:

—Tengo un bonito coche, os espera en la puerta, el cabrón de *Pikou* ya me lo ha bautizado dos veces esta mañana, la silla de ruedas está en el maletero y acabo de llenar el depósito...

Dejó la taza y se levantó con la bandeja.

—Hala, venga, chavales, a espabilarse. Que tengo que preparar la menestra...

Paulette se cayó de la cama. No fue culpa del cerebelo, sino de la precipitación.

Tal y como se dijo se hizo, y se repitió todas las semanas.

Como todos los pijos (pero sin ellos, puesto que salían un día más tarde que todos ellos) se levantaban muy temprano el domingo y volvían el lunes por la noche, cargados de provisiones, de flores, de bosquejos y de cansancio del bueno.

Paulette resucitó.

A veces, Camille sufría crisis de lucidez y se atrevía a considerar las cosas fríamente. Lo que estaba viviendo con Franck era muy agradable. Viva la alegría, viva la locura, encerrémonos en la habitación, grabemos nuestras iniciales en los troncos de los árboles, mezclemos nuestra sangre, sin pensar en ello, descubrámonos, hojeémonos, suframos un poco, cojamos hoy mismo las rosas de la vida y patatín y patatán, pero eso no podría funcionar nunca. Camille no tenía ganas de entrar en detalles, pero vamos, que su historia no tenía mucho futuro. Demasiadas diferencias, demasiadas... Bueno, total, corramos un tupido velo. No conseguía yuxtaponer a la Camille que se abandonaba y la Camille que permanecía al acecho. Siempre una de las dos miraba a la otra frunciendo el ceño.

Era triste, pero era así.

Pero algunas veces, no. Algunas veces conseguía llegar a un acuerdo y las dos pesadas se fundían en una sola, tontorrona y desarmada. Algunas veces, Franck la dejaba boquiabierta.

Como ese día, por ejemplo... El golpe del coche, la siesta, el mercado y toda la pesca, no había estado mal, pero lo mejor vino después.

Lo mejor fue cuando detuvo el coche a la entrada del pueblo y se dio la vuelta:

—Abuela, deberías andar un poco, y terminar el camino a pie con Camille... Nosotros mientras tanto vamos a ir abriendo la casa...

Una idea genial.

Porque había que verla, a esa ancianita en zapatillas de fieltro, aferrada a su bastón de juventud, la misma que se alejaba del borde desde hacía meses para ir hundiéndose en el barro, había que ver cómo avanzaba, muy despacito al principio, muy despacito para no resbalarse, y poco a poco alzaba la cabeza, levantaba las rodillas y aflojaba la mano que aferraba a Camille...

Había que ver aquello para calibrar palabras tan tontas como «felicidad» o «beatitud». Ese rostro de repente radiante, ese porte de reina, esos pequeños gestos con la barbilla para señalar los visillos, y sus implacables comentarios sobre el estado de las jardineras y los felpudos...

Qué deprisa caminaba de pronto, cómo le volvía a fluir la sangre con los recuerdos y el olor del asfalto tibio...

—Mira, Camille, ésta es mi casa. Mi casa.

Camille se quedó parada.

—Pero bueno… ¿qué te pasa?

—¿Es… es su casa?

—¡Pues claro que sí! Pero mira cómo está todo esto…
todo lleno de malas hierbas… qué desgracia…

—Se parece a la mía…

—¿Cómo dices?

La suya, no la de Meudon donde sus padres se tiraban
los tratos a la cabeza, sino la que ella se dibujaba a sí misma desde que tuvo edad para sostener un rotulador. Su
casita imaginaria, el lugar en el que se refugiaba con sus
sueños de gallinas y de cajas de hojalata. Su casita de Pin
y Pon, su *roulotte* de la Barbie, su hogar de los Clics de
Playmobil, su casita azul en plena colina, su *Tara*, su granja en África, su promontorio en las montañas…

La casa de Paulette era una señora robusta que estiraba el cuello y te recibía con las manos en jarras con ese
aire de suficiencia de las que se hacen las remilgadas. Esas
que bajan los ojos y fingen modestia cuando todo en ellas
rezuma placidez y satisfacción de la buena.

La casa de Paulette era la rana de la fábula, la que había querido ser tan grande como un buey. Una casita hu-
milde, como de guardabarrera, que no se dejaba intimi-
dar en absoluto por los grandes castillos del Loira.

Sueños de grandeza, campesinita vanidosa y orgullosa que decía:

—Mírame bien, hermana. Ya no me hace falta más, ¿verdad? Mira mi tejado de tejas, con su toba blanca que realza los marcos de la puerta y las ventanas, ya estoy a la altura, ¿verdad?

—Nones.

—¿Nones? ¿Y qué me dices de mis dos buhardillas? ¿A que son bonitas, eh, mis dos buhardillas de piedra labrada?

—Nada de nada.

—¿Nada de nada? ¿Y mi cornisa? ¡Me la talló un obrero!

—Nada, nada, querida, ni por esas.

La escuchimizada pécora se molestó tanto que se cubrió de hiedra, se adornó con tiestos descabalados, y llevó su desdén hasta el punto de clavarse una herradura encima de la puerta. ¡Envidia cochina, ni Agnès Sorel ni todas las favoritas de los reyes tenían una así en sus casas!

La casa de Paulette *existía*.

No tenía ganas de entrar, quería ver su jardín y su huerto. «Qué desgracia… Todo se ha ido al garete… Hay malas hierbas por todas partes… Y además es la época de la siembra… Hay que sembrar coles, zanahorias, fresas, puerros… Toda esta buena tierra pasto de las malas hierbas… Qué desgracia… Menos mal que me quedan mis flores… Aunque bueno, todavía es un poco pronto… ¿Dónde están los narcisos? ¡Ah, ahí están! ¿Y mis crocus? Y mira, Camille, agáchate y verás qué bonito… No las veo, pero tienen que estar por aquí…»

—¿Las florecitas azules?

—Sí.

—¿Cómo se llaman?

—Almizcleñas… Oh… —gimió Paulette.

—¿Qué?

—Pues que habría que dividirlas…

—¡No hay problema! ¡Ya nos ocuparemos de eso mañana! Me explicará lo que hay que hacer…

—¿Y tú harías eso por mí?

—¡Pues claro! ¡Y ya verá cómo me aplico más que en la cocina!

—Y guisantes de olor, también… Habría que plantar… Era la flor preferida de mi madre…

—Todo lo que usted quiera…

Camille palpó su bolso. Bien, no se le habían olvidado los colores…

Colocaron la silla de ruedas al sol y Philibert la ayudó a sentarse. Demasiadas emociones.

—¡Mira, abuela! ¡Mira quién está aquí!

Franck apareció en el porche de la casa, con un gran cuchillo en la mano y un gato en la otra.

—¡Creo que al final os voy a preparar un buen conejo!

Sacaron las sillas y comieron al aire libre, con el abrigo puesto. Al llegar el postre, se lo desabrocharon y, con los ojos cerrados, la cabeza hacia atrás y las piernas bien estiradas, se llenaron los pulmones del agradable sol del campo.

Los pajaritos cantaban, y Franck y Philibert se picaban a ver quién tenía razón:

—Te digo que es un mirlo…

—No, un ruiseñor.

—¡Un mirlo!

—¡Un ruiseñor! ¡Joder, que yo he nacido y me he criado aquí! ¡Los conozco bien!

—Anda, calla —suspiró Philibert—, te pasabas el tiempo abriéndoles las tripas a las motos, ¿cómo ibas a oír a los pájaros? Mientras que yo, que leía en silencio, tuve todas las oportunidades del mundo para familiarizarme con sus dialectos... El canto del mirlo se parece a un arrullo, mientras que el del petirrojo suena como gotitas que caen... Y esto que oímos ahora, te prometo que es un mirlo... Escucha bien el arrullo... Se parece a Pavarotti cuando calienta la voz...

—Abuela... ¿qué pájaro es?

Paulette dormía.

—Camille... ¿qué es?

—Dos pingüinos que me estropean el silencio.

—Muy bien... Conque esas tenemos... Ven, mi querido Philou, nos vamos de pesca.

—¿De pesca? Bueno... es que... no se me da muy bien... siempre se me enreda la ca... caña...

Franck se reía.

—Ven, Philou, ven, ven a contarme lo de tu novia, que yo mientras te explico cómo se maneja una caña...

Philibert miró enfadado a Camille.

—¡Eh, oye, que yo no he dicho nada!

—Que no, hombre, no me lo ha dicho ella, me lo ha dicho un pajarito...

Y allá se fueron los dos cogidos del brazo; parecían dos personajes de dibujos animados, el gran hidalgo con su corbata de pajarita y su monóculo y el cocinerito con su pañuelo de pirata...

—Bueno, chavalote, cuéntale a tu tío Franck qué cebo tienes... Porque el cebo es muy importante, ¿sabes? Y es que estos bichos no tienen un pelo de tontos... Qué va, qué va, lo que yo te diga, ni un pelo de tontos...

Cuando Paulette se despertó, dieron una vuelta por la

aldea empujando la silla de ruedas, y luego Camille la obligó a darse un baño para que entrara en calor.

Camille se mordía los carrillos.

Nada de aquello era muy razonable que digamos…

Pero qué más daba.

Philibert encendió el fuego en el hogar y Franck preparó la cena.

Paulette se acostó temprano y Camille dibujó a los chicos mientras echaban una partida de ajedrez.

—¿Camille?

—Mmm…

—¿Por qué dibujas todo el rato?

—Porque no sé hacer otra cosa…

—¿Y ahora qué estás dibujando?

—A un caballero y a un majadero.

Quedó decidido que los chicos dormirían en el sofá y Camille en la camita de Franck cuando era niño.

—Estooo… —replicó Philibert—… no sería mejor que Camille… mmm… ocupara la cama grande…

Los dos lo miraron sonriendo.

—Soy miope, desde luego, pero tampoco hasta ese punto…

—No, no —contestó Franck—, ella duerme en mi habitación… Hacemos como tus primos… Nunca antes del matrimonio…

Era porque quería dormir con ella en su camita de niño. Bajo los pósters de fútbol y sus trofeos de motocross. No sería muy cómodo ni muy romántico, pero sí la prueba de que la vida podía tratarlo bien después de todo.

Se había aburrido tanto en esa habitación… Pero tanto, tanto…

Si le hubieran dicho que un día traería ahí una princesa y que se tumbaría a su lado, en esa camita de latón donde antaño había un agujero, en la que solía perderse y en la que después se frotaba pensando en criaturas mucho menos bellas que ella… No se lo habría creído jamás… Él, el adolescente granujiento, con sus piezacos, y una cacerola siempre en la mano… No tenía muchas papeletas de que pudiera pasarle algo así algún día…

Sí, la vida era una cocinera imprevisible… Uno se pasaba años en la cámara refrigeradora y de la noche a la mañana, ¡hala, chaval, a la parrilla!

—¿En qué piensas? —preguntó Camille.

—En nada… En chorradas… ¿Tú estás bien?

—No me llego a creer que hayas crecido aquí…

—¿Por qué?

—Pfff… Es que esto es un agujero perdido… Ni siquiera es un pueblo, es… No es nada… Apenas cuatro casitas de nada con viejitos asomados a la ventana… Y este caserón, donde nada ha cambiado desde los años cincuenta… Nunca había visto unos fogones así… ¡Y cuánto abulta esa estufa! ¡Y el retrete en el jardín! ¿Cómo puede un niño crecer feliz aquí? ¿Cómo lo hiciste tú? ¿Cómo conseguiste salir adelante?

—Te estaba buscando…

—Para… Hemos dicho que esas cosas, no…

—*Tú* has dicho…

—Venga…

—Sabes muy bien cómo me las apañé, tus circunstancias fueron parecidas… Sólo que yo tenía la naturaleza… Tuve esa suerte… Me pasaba el día fuera de casa… Y Philou puede decir lo que le dé la gana, pero eso era un ruiseñor. Lo sé, me lo dijo mi abuelo, y mi abuelo de pájaros sabía más que nadie… No necesitaba señuelos…

—¿Y cómo consigues vivir en París?

—No vivo…

—¿No había trabajo por aquí?

—No. Nada interesante. Pero si algún día tengo hijos, te juro que no dejaré que crezcan entre los coches, eso sí que no… Un niño que no tiene un par de botas, una caña de pescar, y un tirachinas, no es un niño de verdad. ¿Por qué sonríes?

—Por nada. Porque me pareces muy lindo.

—Preferiría parecerte otra cosa…

—Tú nunca estás contento.

—¿Tú cuántos querrías?

—¿Cómo?

—¿Cuántos niños?

—Eh… —se quejó Camille—. ¿Lo haces aposta o qué?

—Oye, tía, ¡que no me refería a que tuviera que ser conmigo!

—No quiero niños.

—¿Ah, no? —preguntó, decepcionado.

—No.

—¿Por qué?

—Porque no.

La agarró por el cuello y la obligó a acercarse a su oído.

—Dime por qué…

—No.

—Sí. Dímelo. No se lo diré a nadie…

—Pues porque si me muero, no quiero que se quede solo…

—Tienes razón. Por eso hay que tener montones de niños… Y además, ¿sabes una cosa…?

La abrazó aún más fuerte.

—Tú no te vas a morir… Eres un ángel… Y los ángeles no se mueren nunca…

Camille estaba llorando.

—¿Pero qué te pasa?

—No, nada… Es que me va a venir la regla… Me pasa
igual todas las veces… Me pongo triste por todo y lloro
por cualquier cosa…

Sonreía entre lágrimas y mocos.

—¿Ves como no soy un ángel…?

Llevaban ya un buen rato a oscuras, incómodos y abrazados, cuando Franck soltó:

—Hay una cosa que me preocupa…

—¿El qué?

—Tienes una hermana, ¿no?

—Sí…

—¿Por qué no la ves?

—No lo sé.

—¡Eso es una chorrada! ¡Tienes que verla!

—¿Por qué?

—¡Porque sí! ¡Es genial tener una hermana! ¡Yo lo hubiera dado todo por tener un hermano! ¡Todo! ¡Hasta mi bici! ¡Hasta mis sitios de pesca más secretos! ¡Hasta las partidas que ganaba en la máquina de millón! ¿Entiendes lo que te digo?

—Sí… En un momento lo pensé, pero no me atreví…

—¿Por qué?

—Pues por mi madre, supongo…

—No me hables de tu madre… No te hizo más que daño… No seas masoca… No le debes nada, ¿lo sabes?

—Claro que sí.

—Claro que no. Cuando se comportan mal, uno no tiene obligación de querer a sus padres.

—Claro que sí.

—¿Por qué?

—Pues justamente porque son tus padres…

—Bah… Ser padres no es difícil, basta con follar. Lo complicado viene luego… Yo por ejemplo no pienso querer a una tía sólo porque le echaron un polvo en un aparcamiento… Qué quieres que le haga…

—Pero mi caso es distinto…

—No, el tuyo es peor. En qué estado vuelves cada vez que la ves… Es horrible… Vuelves con una cara completamente…

—Basta. No me apetece hablar de esto.

—Vale, vale, una última cosa nada más. No tienes obligación de quererla. No tengo nada más que decirte. Me vas a contestar que soy así por cómo me ha tratado la vida, y tienes razón. Pero justamente porque ya he recorrido ese camino te lo puedo enseñar: uno no tiene obligación de querer a sus padres cuando se comportan como cabronazos, y punto.

—…

—¿Te has cabreado?

—No.

—Perdóname.

—…

—Tienes razón. Tu caso es distinto… La tuya siempre se ocupó de ti al fin y al cabo… Pero no te tiene que impedir que veas a tu hermana si tienes una… Francamente, tu madre no vale ese sacrificio…

—No…

—No.

6

Al día siguiente, Camille se ocupó del jardín tal como le indicó Paulette, Philibert se instaló en un extremo del mismo para escribir, y Franck les preparó una ensalada deliciosa.

Después del café, se quedó dormido sobre la hamaca. Huy, cuánto le dolía la espalda…

Para la próxima vez pensaba encargar un colchón. Nada de dos noches así… Ni hablar… La vida se portaba bien, pero no merecía la pena correr riesgos innecesarios… No, no, ni hablar…

Volvieron todos los fines de semana. Con o sin Philibert. Más bien con.

Camille (lo sabía desde siempre) se estaba convirtiendo en toda una profesional de la jardinería.

Paulette calmaba un poco su ardor:

—No. ¡Eso no se puede plantar! Acuérdate que sólo venimos una vez a la semana. Necesitamos semillas que resistan bien, que sean vivaces… Altramuces, si quieres, flox, cosmos… Las cosmos son muy bonitas… Muy ligeritas… Te gustarían mucho…

Y Franck, gracias al cuñado del compañero de trabajo de la hermana del Titi, consiguió una vieja moto para bajar al mercado o para ir a saludar a René…

Había aguantado pues treinta y dos días sin moto y todavía se preguntaba cómo lo había conseguido...

La moto era vieja y fea, pero petardeaba de lo lindo:

—Escuchad esto —les gritó desde el cobertizo donde siempre acababa encerrándose cuando no estaba en la cocina—, ¡escuchad qué maravilla!

Todos levantaron la cabeza con desgana de sus semillas o de sus libros.

«Prrrr, prrr, prrrrrr...»

—¿Qué os parece? Es la pera, ¿eh? ¡Parece una Harley!

Bah... Volvieron a sus distracciones sin molestarse en hacer el más mínimo comentario...

—Pfff... No entendéis nada...

—¿Quién es esa Jarlei? —le preguntó Paulette a Camille.

—Jarlei Davidson... Una cantante buenísima...

—No la conozco.

Philibert se inventó un juego para los trayectos en coche. Cada uno tenía que enseñar algo a los demás con el fin de transmitirles un saber.

Philibert habría sido un excelente profesor...

Un día, Paulette les explicó cómo atrapar abejorros:

—Por la mañana, cuando todavía están aletargados por el frío de la noche, y permanecen inmóviles sobre las hojas, hay que sacudir los árboles en los que están, agitar las ramas con un palo, y recogerlos con una tela. Entonces se machacan, se cubren de cal y se entierran en un agujero, y así se obtiene un abono muy bueno... ¡Y no hay que olvidar cubrirse la cabeza!

Otro día, Franck les despiezó una ternera:

—A ver, empecemos por las piezas de primera categoría: la landrecilla, el solomillo, el lomo, la babilla, la tapilla, la tapa, la contra, la aguja, es decir las cinco primeras costillas y las tres segundas, y la espaldilla. Las de segunda categoría: la bajada de pecho, el brazuelo y el morcillo. Y para terminar, las de tercera categoría: la falda, el rabo y… Joder, me falta una…

En cuanto a Philibert, daba clases de recuperación a esos descreídos que no sabían otra cosa de Enrique IV que lo que contaban las canciones populares, como su célebre pene, *que ignoraba que no fuera un hueso…*

—Enrique IV nace en Pau en 1553, y muere en París en 1610. Es hijo de Antonio de Borbón y de Juana de Albret. Una de mis primas lejanas, dicho sea de paso. En 1572, se casa con la hija de Enrique II, Margarita de Valois, prima de mi madre, por cierto. Cabeza del partido calvinista, abjurará del protestantismo para escapar a la matanza de la noche de San Bartolomé. En 1594 es coronado en Chartres y entra en París. Con el Edicto de Nantes de 1598, restablece la paz religiosa. Era muy popular. Os ahorro todas sus batallas, porque me imagino que os traen sin cuidado… Pero es importante recordar que estuvo siempre rodeado, entre otros, de dos hombres relevantes: Maximiliano de Béthune, duque de Sully, que saneó las finanzas del país, y de Oliverio de Serres, que fue una bendición para la agricultura de la época…

En cuanto a Camille, no quería contar nada.
—No sé nada —decía—, y lo que creo saber, ni siquiera estoy segura…
—¡Háblanos de pintores! —la animaron—. De movimientos, de periodos, de cuadros célebres, ¡o incluso del material que usas tú, si quieres!

—No, yo todo eso no lo sé contar... Me da mucho miedo equivocarme...

—¿Cuál es tu periodo preferido?

—El Renacimiento.

—¿Por qué?

—Porque... No sé... Todo es bello. En todos los ámbitos... Todo...

—Todo, ¿qué?

—Todo.

—Bueno... —bromeó Philibert— gracias. No se puede ser más escueto. Para quienes quieran saber más, la *Historia del Arte* de Élie Faure se encuentra en nuestras estanterías detrás del especial Enduro 2003.

—Pues dinos quién te gusta... —añadió Paulette.

—¿Qué pintores me gustan?

—Sí.

—Pues... A ver, sin ningún orden... Rembrandt, Durero, Da Vinci, Mantegna, Tintoretto, La Tour, Turner, Bonington, Delacroix, Gauguin, Vallotton, Corot, Bonnard, Cézanne, Chardin, Degas, el Bosco, Velázquez, Goya, Lotto, Hiroshige, Piero della Francesca, Van Eyck, los dos Holbein, Bellini, Tiepolo, Poussin, Monet, Chu Ta, Manet, Constable, Ziem, Vuillard y... Es horrible, seguro que se me están olvidando un montón...

—¿Y no nos puedes decir algo sobre alguno de ellos?

—No.

—A ver, uno cualquiera, al azar... Bellini... ¿Por qué te gusta?

—Por su retrato del dux Leonardo Loredan...

—¿Por qué?

—No lo sé... Hay que ir a Londres, a la National Gallery si mal no recuerdo, y mirar ese cuadro para tener la certeza de que se está... De que es... Es... No, no tengo ganas de andar hurgando en esto sin encontrar las palabras adecuadas...

—Bueno —se resignaron los demás—, al fin y al cabo no es más que un juego… No te vamos a obligar…

—¡Ah! ¡Ya sé cuál se me olvidaba! —exclamó Franck, feliz—. ¡El pescuezo, claro! O el cuello, como uno quiera llamarlo… Se usa para ciertos guisos…

Camille se sentía dividida en dos, por supuesto.

Y sin embargo, un lunes por la noche, en el atasco que se formaba después del peaje de Saint-Arnoult, cuando todos estaban cansados y enfurruñados, declaró de pronto:

—¡Ya lo tengo!

—¿Qué?

—¡Mi saber! ¡El único que tengo! ¡Además, me lo sé de memoria desde hace años!

—Pues hala, somos todo oídos…

—Se trata de Hokusaï, un pintor que me encanta… ¿Conocéis su dibujo de la ola? ¿Y las vistas del Monte Fuji? Sí, hombreeeee… ¿Esa ola turquesa con ribetes de espuma? Ese pintor sí que… Qué maravilla… Si supierais todo lo que ha hecho, es que no os lo podéis ni imaginar…

—¿Eso es todo? Aparte de «qué maravilla», ¿no tienes nada más que añadir?

—Sí, sí… Me estoy concentrando…

Y en la penumbra de un extrarradio igual a tantos otros, entre un Usine Center a la izquierda y un gran almacén a la derecha, entre la grisura de la ciudad y la agresividad del rebaño que volvía al redil, Camille pronunció despacio estas palabras:

«Desde los seis años, tenía la manía de dibujar la forma de los objetos.

Cuando tenía unos cincuenta, había publicado ya una infinidad de dibujos, pero todo lo que produje antes de los setenta años no merece tenerse en cuenta.

Cuando cumplí los sesenta y tres, empecé a comprender poco a poco la estructura de la naturaleza verdadera, los animales, los árboles, los pájaros y los insectos.

Por consiguiente, a la edad de ochenta años, habré hecho aún más progresos; a los noventa, penetraré el misterio de las cosas; a los cien, habré llegado sin duda a un cierto grado de embelesamiento, y cuando tenga ciento diez años, todo en mí, ya sea un punto, o una línea, estará vivo.

Pido a los que vivan tanto como yo que comprueben si cumplo mi palabra.

Escrito a la edad de setenta y cinco años por mí, Hokusaï, el anciano loco por la pintura.»

—«*Todo en mí, ya sea un punto, o una línea, estará vivo…*», repitió Camille.

Probablemente, habiendo encontrado cada uno en estas frases lo necesario para alimentar su pobre cerebro, el final del trayecto se llevó a cabo en silencio.

En Semana Santa los invitaron al castillo.

Philibert estaba nervioso.

Temía perder algo de su prestigio…

Trataba de usted a sus padres, sus padres lo trataban de usted a él, y ésos a su vez se trataban de usted entre sí.

—Buenos días, padre.

—Ah, ya está usted aquí, hijo… Isabelle, vaya a avisar a su madre, por favor… Marie-Laurence, ¿sabe dónde se encuentra la botella de whisky? No aparece por ninguna parte…

—¡Récele a san Antonio, amigo mío!

Al principio, se les hacía un poco raro, pero al cabo del rato ya ni se fijaban en ello.

La cena fue penosa. El marqués y la marquesa les hacían un montón de preguntas, pero no esperaban sus respuestas para juzgarlos. Además, eran preguntas un poco difíciles, del tipo:

—¿Y a qué se dedica su padre?

—Murió.

—Ah, perdón.

—No se preocupe…

—Mmm… ¿y el suyo?

—No llegué a conocerlo…

—Muy bien… ¿Les… les apetece tal vez un poco más de macedonia?

—No, gracias.

Por el comedor revestido de madera pasó todo un convoy de ángeles…

—Entonces usted… es cocinero, ¿no es así?

—Pues sí…

—¿Y usted?

Camille se volvió hacia Philibert.

—Es una artista —respondió éste en su lugar.

—¿Una artista? ¡Cuán pintoresco! ¿Y vive… vive usted de ello?

—Sí. Bueno… eso… eso creo…

—Cuán pintoresco, sí… Y viven todos en el mismo edificio, ¿no es así?

—Sí. Justo encima.

—Justo encima, justo encima…

El marqués rebuscaba mentalmente en el disco duro de su guía telefónica de la aristocracia.

—¡… Entonces es usted vástaga de la familia Roulier de Mortemart!

Camille estaba empezando a angustiarse.

—Esto… Yo me apellido Fauque…

Sacó entonces todo su pedigrí:

—Camille, Marie, Élisabeth Fauque.

—¿Fauque? Cuán pintoresco… Hace tiempo conocí a un Fauque… Un hombre muy cabal, sí señor… Charles, creo que se llamaba… ¿Un pariente suyo, tal vez?

—Pues… no…

Paulette no abrió el pico en toda la velada. Durante más de cuarenta años, había estado al servicio de gente de esa ralea, y estaba demasiado incómoda para poder aportar su granito de arena a ese mantel bordado.

También el café fue penoso…

Esta vez le tocó a Philou ser el blanco de todas las preguntas:

—¿Y bien, hijo mío, todavía en el negocio de las postales?

—Todavía, padre...

—Apasionante, ¿verdad?

—No lo sabe usted bien...

—No sea usted irónico, haga el favor... Sólo los miserables hacen alardes de ironía, no dirá que no se lo he repetido veces...

—Sí, padre... *Ciudadela,* de Saint-Ex...

—¿Perdón?

—Saint-Exupéry.

El marqués se tragó lo que fuera a decir.

Cuando por fin pudieron abandonar esa habitación glauca donde todos los animales de la región estaban disecados en la pared, por encima de sus cabezas (hasta un cervato, hay que joderse, hasta Bambi estaba ahí), Franck acompañó a Paulette hasta su habitación. «Como una recién casada», le susurró al oído, y meneó tristemente la cabeza cuando se dio cuenta de que iba a dormir a miles de kilómetros de sus princesas, dos pisos más arriba.

De espaldas a ellas, Franck toqueteaba una pata de jabalí trenzada mientras Camille desvestía a Paulette.

—Joder, es que esto es la monda... ¿Habéis visto qué mal hemos comido? ¿Pero de qué va esta gente? ¡Estaba todo asqueroso! ¡Yo nunca me atrevería a servir algo así a mis invitados! ¡Ya puestos más vale hacer una tortilla o unos espaguetis!

—¿A lo mejor es que no tienen medios?

—Joder, pero si todo el mundo tiene medios suficientes para hacer una buena tortilla babosita, ¿no? Yo es que no lo entiendo... No lo entiendo... Comer mierda con cubiertos de plata maciza y servir un vinorro infame en una jarra de cristal de Bohemia, yo seré gilipollas, pero aquí hay algo que no me cuadra… Vendiendo uno solo de sus tropecientos candelabros tendrían para comer como Dios manda un año…

—Me imagino que ellos no ven las cosas de esa manera… La idea de vender un solo mondadientes de la familia les debe de parecer tan incongruente como a ti servir macedonia de lata a tus invitados…

—¡Joder, y es que ni siquiera era una buena marca! He visto la lata vacía en la basura… ¡Era de Leader Price! ¿Pero tú te lo puedes creer? ¡Vivir en un castillo así, con foso, lámparas de araña, miles de hectáreas y toda la pesca y comprar en Leader Price! Yo es que no lo entiendo, colega… Hacerse llamar «señor marqués» por el guarda y luego dar de comer a tus invitados mayonesa de bote con macedonia para pobres, te lo juro, tía, yo es que no lo entiendo…

—Anda, tranquilízate… Que tampoco es para tanto…

—¡Pues sí que es para tanto, joder, sí que lo es! ¿Qué significa eso de transmitirles el patrimonio a tus críos cuando ni siquiera eres capaz de hablarles con cariño? Joder, ¿pero tú has visto cómo le habla a mi Philou? ¿Has visto la mueca de asco que pone levantando así el labio de arriba…? «¿Todavía en el negocio de las postales, hijo mío?», «pedazo de gilipollas de hijo mío», se sobreentiende que dice. Te lo juro, tía, me estaban entrando unas ganas de meterle una hostia… Mi Philou es un dios, es el ser humano más maravilloso que he conocido en mi vida, y el cretino este se permite tocarle los huevos, hay que joderse…

—Joder, Franck, deja de decir palabrotas, mierda —se lamentó Paulette, afligida.

El carretero se quedó con un palmo de narices.

—Pfff… Y encima me toca dormir en la Conchinchi-na… ¡Eh, os aviso que yo mañana no pienso ir a misa! Pfff… ¿De qué tendría yo que dar gracias al Señor, eh? ¿Sabes lo que te digo? Que lo mismo tú, que yo, que Phi-lou, más valdría que nos hubiéramos conocido en un or-fanato…

—¡Ay, sí! ¡El de la señorita Pony!

—¿Quién?

—No, nada.

—¿Tú vas a misa?

—Sí, me gusta…

—¿Y tú, abuela?

—…

—Tú te quedas conmigo. Les vamos a enseñar a estos paletos lo que es comer como Dios manda… ¡Ya que no tienen medios, los vamos a alimentar nosotros!

—Yo ya no valgo para mucho, sabes…

—¿Te acuerdas de la receta de tu paté de Pascua?

—Claro.

—¡Pues nada, mañana mismo lo hacemos! ¡Y todos los aristócratas, al paredón! Bueno, me voy que si no al fi-nal me van a meter en el calabozo…

Y al día siguiente, cuál no sería la sorpresa de «la seño-ra marquesa» cuando bajó a su cocina a las ocho.

Franck ya había vuelto del mercado y dirigía a su invi-sible conjunto de pinches.

Se quedó turulata:

—Dios mío, pero…

—No hay ningún problema, señora marquesa. ¡No hay ningún, ningún problema! —canturreaba Franck, abriendo todos los armarios—. No tiene que preocuparse por nada, yo me encargo del almuerzo…

—¿Y… y mi asado?

—Lo he metido en el congelador. Dígame, ¿no tendría un chino por casualidad?

—¿Disculpe?

—No, nada. ¿Un escurridor, tal vez?

—Eee… Sí, ahí, en ese armario…

—¡Huy! ¡Pero si es fantástico! —se extasió Franck, blandiendo el chisme al que le faltaba una pata—. ¿De qué época es? De finales del siglo XII, diría yo, ¿no?

Volvieron todos hambrientos y de buen humor, Jesús había vuelto a sus corazones, y se repartieron alrededor de la mesa, relamiéndose. Huy, Franck y Camille se pusieron de pie enseguida. Otra vez se les había olvidado lo de bendecir la mesa…

El *paterfamilias* se aclaró la voz:

—Bendícenos, Señor, bendice estos alimentos y a quienes los han preparado —(Philou le guiñó el ojo al cocinero) y blablablá—, y da pan a quien no tiene…

—Amén —respondió el corrillo de adolescentes, agitándose nerviosas.

—Vamos a hacer pues honor a este maravilloso almuerzo… Louis, haga el favor de ir a buscar dos botellas del tío Hubert…

—Oh, amigo mío, ¿está seguro? —se inquietó su señora.

—Sí, mujer, sí… Y usted, Blanche, deje de peinar a su hermano, no estamos en una peluquería que yo sepa…

Les sirvieron espárragos con una salsa holandesa de nata batida para chuparse los dedos, y después vino el paté de Pascua firmado Paulette Lestafier, seguido de un asado de cordero acompañado de un gratén de tomates y calabacines a la flor de tomillo, y para terminar, una tarta de fresas del bosque con nata casera.

—Montada con estas manitas…

Pocas veces fueron tan felices alrededor de esa mesa enorme, y nunca rieron de tan buena gana. Tras unos cuantos vasitos de vino, el marqués perdió su rigidez y contó portentosas anécdotas de caza en las que no siempre salía muy bien parado… Franck estaba a menudo en la cocina, y Philibert se ocupaba de servir la mesa. Un tándem perfecto.

—Deberían trabajar juntos —murmuró Paulette a Camille—, el bajito, ajetreado en los fogones, y el hidalgo altote en el comedor, sería estupendo…

Tomaron el café en los escalones del porche y Blanche trajo más deliciosos dulces antes de volver a sentarse en las rodillas de Philibert.

Uf… Franck pudo descansar por fin. Después de una trabajera como ésa, le hubiera encantado poder liarse un porrito pero… en fin… en lugar de eso le robó un cigarro a Camille…

—¿Y esto qué es? —le preguntó ella, mirando la fuente sobre la que todos se abalanzaban.

—Buñuelos de cuaresma, también llamados «pedos de monja» —dijo Franck entre risas—, no he podido reprimirme, ha sido más fuerte que yo…

Bajó un escalón y se recostó contra las piernas de su amada.

Ésta apoyó el cuaderno sobre su cabeza.

—¿Estás bien así? —le preguntó Franck.

—Muy bien.

—Pues entonces, bonita mía, tendrías que pararte a pensarlo…

—A pensar ¿qué?

—A pensar en esto. En cómo estamos, aquí, ahora…

—No entiendo nada… ¿Quieres que te despioje?

—Sí, eso… tú me despiojas y yo te desposo.

—Franck… —suspiró Camille.

—¡Que no, hombre, que te lo digo en plan simbólico! Me refería a que yo descansaba sobre ti y tú podías trabajar sobre mí. Una cosa así, ya sabes…

—Qué intenso te pones…

—Sí… Anda, mira, voy a afilar los cuchillos, por una vez que tengo un rato para hacerlo… Seguro que aquí tienen todo lo necesario…

Recorrieron la propiedad con Paulette en su silla de ruedas, y se despidieron sin grandes efusiones, que no venían a cuento. Camille les regaló una acuarela del castillo, y a Philibert, el perfil de Blanche.

—Tú lo das todo… Nunca serás rica…

—No importa.

Al final de la avenida flanqueada de álamos, Philibert se dio una palmada en la frente:

—¡Cáspita! Se me ha olvidado avisarles…

No hubo reacción alguna en el habitáculo.

—¡Cáspita! Se me ha olvidado avisarles… —repitió un poco más fuerte.

—¿Eh?

—¿De qué?

—Oh, nada… Un detallito de nada…

Bueno.

Silencio de nuevo.

—Franck y Camille…

—Que sí, que sí, que ya lo sabemos… Nos vas a dar las

gracias porque has visto reír a tu padre por primera vez desde el legendario incidente del vaso de Soissons…

—No, en… en absoluto.

—¿Entonces qué?

—¿A… aceptáis s… ser mis tes… mis tes… mis tes…?

—Tus tes ¿qué? ¿Tus tesoreros?

—No. Mis tes…

—¿Tus testículos?

—N… no, mis tes… tes…

—¿Tus qué? ¡Dilo ya, hostia!

—¿Mis tes… tigosdeboda?

El coche frenó en seco y Paulette se comió el reposacabezas delantero.

8

No quiso decirles más.

—Cuando sepa más ya os pondré al corriente…

—¿Eeeeh? Pero… a ver, tranquilízanos… ¿Por lo menos tienes alguna novieta?

—Una novieta —se indignó Philibert—, ¡jamás de los jamases! Una novieta… Qué palabra más fea… Una prometida, querido amigo…

—Pero… ¿y ella lo sabe?

—¿Cómo dices?

—¿Sabe que estáis prometidos?

—Todavía no… —reconoció Philibert, bajando la mirada.

Franck suspiró:

—Ya veo de qué va la historia… Esto es un concentrado de Philou puro y duro… Bueno… tampoco esperes a la misma víspera para invitarnos, ¿eh? Que me dé tiempo a comprarme un traje chulo…

—¡Y a mí un vestido! —añadió Camille.

—Y a mí un sombrero… —replicó Paulette.

9

Los Kessler fueron una noche a cenar a casa de Camille. Recorrieron la casa en silencio. Los dos viejos burgueses bohemios alucinaban… Era un espectáculo francamente regocijante.

Franck no estaba en casa y Philibert tuvo un comportamiento exquisito.

Camille les enseñó su taller. Paulette aparecía en él, en todas las posturas, todas las técnicas y todos los formatos. Un templo a su alegría, su dulzura y a los remordimientos y los recuerdos que a veces le agrietaban el rostro…

Mathilde estaba emocionada, y Pierre, confiado:

—¡Bien! ¡Muy bien! Con la ola de calor del verano pasado, los viejos vuelven a estar muy de moda, ¿sabes? Va a funcionar… Estoy seguro.

Camille estaba abrumadísima.

A-bru-ma-dí-si-ma.

—No le hagas caso… —añadió su mujer—. Es pura provocación… Está emocionado, el hombre…

—¡Oh! ¡Y esto! ¡Es sublime!

—Aún no está terminado…

—Éste me lo guardas, ¿eh? ¿Me lo reservas?

Camille asintió con la cabeza.

Ni hablar. No se lo daría jamás porque nunca estaría terminado, y nunca estaría terminado porque su modelo no volvería nunca… Camille lo sabía…

Qué mala pata.

Qué buena suerte.

Este boceto pues nunca se separaría de ella… No estaba terminado… Se quedaría en suspenso… Como su imposible amistad… Como todo lo que las separaba en este mundo…

Era un sábado por la mañana, hacía unas cuantas semanas… Camille estaba trabajando. Ni siquiera había oído el timbre, cuando Philibert llamó a su puerta:

—¿Camille?

—¿Sí?

—La… la reina de Saba está aquí… En mi salón…

Mamadou estaba imponente. Se había puesto su traje típico más bonito y todas sus joyas. Llevaba dos tercios de la cabeza depilados, y un pañuelito a juego con el traje.

—Ya te dije que vendría, pero tienes que darte prisa porque voy a una boda familiar a las cuatro… ¿Aquí es donde vives entonces? ¿Aquí es donde trabajas?

—¡Cuánto me alegro de volver a verte!

—Vamos… Ya te he dicho que no pierdas tiempo…

Camille la instaló bien cómoda.

—Así. Ponte derecha.

—¡Eeeeeh, pero si yo estoy siempre derecha! ¿Tú qué te has creído?

Al cabo de unos cuantos bosquejos, Camille dejó el lápiz sobre el cuaderno:

—No puedo dibujarte si no sé cómo te llamas…

Mamadou levantó la cabeza y sostuvo su mirada con un desdén apabullante:

—Me llamo Marie-Anastasie Bamundela M'Bayé.

Camille tenía la certeza de que Marie-Anastasie Bamundela M'Bayé no volvería nunca a ese barrio vestida de reina de Diouloulou, la aldea de su infancia. Su retrato nunca estaría terminado y nunca sería para Pierre Kessler, que no era ni remotamente capaz de adivinar a la pequeña Buli en los brazos de esa «negra tan guapa»…

Quitando esas dos visitas, y quitando una fiesta a la que fueron para celebrar que un compañero de trabajo de Franck cumplía treinta años y en la que Camille se soltó el pelo, gritando «tengo más hambre que una barracuda, una baaaarraaaacuuuudaaaa», no ocurrió nada del otro mundo.

Los días se iban haciendo más largos, la silla de ruedas acumulaba kilómetros, Philibert ensayaba su teatro, Camille dibujaba y Franck perdía cada día un poco más de seguridad en sí mismo. Camille le tenía cariño, pero no lo amaba, se ofrecía a él, pero no se entregaba, y sin embargo lo intentaba, pero sin llegar a creérselo del todo.

Una noche, Franck no volvió a casa a dormir. Para ver qué pasaba.
Camille no hizo ningún comentario.
Y una noche más, y otra. Esta vez para beber.
Dormía en casa de Kermadec. Solo casi siempre, con una chica una noche de muerte súbita.
Le proporcionó un orgasmo y luego le dio la espalda.
—¿Qué pasa?
—Déjame.

Paulette apenas andaba ya, y Camille evitaba hacerle preguntas. La retenía a su lado de otra manera. A la luz del día o bajo la aureola de las pantallas de las lámparas. Algunos días no estaba ahí, y otros, estaba como una rosa. Era agotador.

¿Dónde terminaba el respeto ajeno y dónde empezaba la noción de denegación de auxilio en situación de peligro? Esta pregunta obsesionaba a Camille, y cada vez que se despertaba por la noche, decidida a pedir hora con el médico, la anciana se levantaba animada y como una rosa...

Y Franck que ya no conseguía que una antigua conquista del trabajo le pasara sus medicinas sin receta...

Hacía semanas que Paulette ya no tomaba nada...

La noche de la función de Philibert, por ejemplo, no se encontraba muy bien, y tuvieron que pedirle a la señora Pereira que le hiciera compañía...

—¡No hay problema! Tuve a mi suegra en casa durante doce años, así que ya se imaginan... ¡Sé cómo tratar a los viejos!

La función tenía lugar en un Instituto de la Juventud y la Cultura en un rincón perdido del extrarradio.

Cogieron el metro y el tren de cercanías de las 19:34,

se sentaron uno enfrente del otro, y saldaron sus cuentas en silencio.

Camille miraba a Franck sonriendo.

Guárdate esa sonrisita de mierda, que yo no la quiero. Es lo único que sabes dar... Sonrisitas para desconcertar a la gente... Que te la guardes, tía, que te la guardes. Terminarás más sola que la una en tu mazmorra con tus lápices de colores, y te lo tendrás bien merecido. Yo ya me estoy cansando... Lo del gusano enamorado de la estrella mola un rato, pero luego cansa...

Franck miraba a Camille con las mandíbulas apretadas.

Pero qué mono te pones cuando te enfadas... Qué guapo te pones cuando pierdes los papeles... ¿Por qué no consigo dejarme llevar contigo? ¿Por qué te hago sufrir? ¿Por qué llevo un corsé debajo de la coraza y dos cartucheras en bandolera? ¿Por qué me cierro en banda por tonterías? ¡Coge un abrelatas, joder! Mira en tu caja de herramientas, seguro que tienes lo necesario para dejarme respirar...

—¿En qué piensas? —le preguntó él.

—En tu apellido... Leí el otro día en un viejo diccionario que un *estafier* era un gran lacayo que seguía a un caballero y le sostenía el escudo...

—¿Ah, sí?

—Sí.

—O sea, un criado, vamos...

—¿Franck Lestafier?

—Presente.

—Cuando no duermes conmigo, ¿con quién duermes?

—...

—¿Les haces las mismas cosas que a mí? —añadió Camille mordiéndose el labio.

—No.

Se cogieron de la mano al volver a la superficie.

Cogerse la mano está bien.

No compromete demasiado al que la da, y sosiega mucho al que la recibe...

El lugar era un poco tristón.

Olía a barba de tres días, a Fantas recalentadas y a sueños de gloria mal forjados. Unos carteles amarillo fosforito anunciaban la gira triunfal de Ramón Riobambo y su orquesta andina. Camille y Franck sacaron las entradas y no tuvieron problema para encontrar un buen sitio...

Pero poco a poco la sala se fue llenando. El ambientillo era como de parroquia y fiesta benéfica. Las mamás se habían puesto guapas, y los papás comprobaban las baterías de las cámaras de vídeo.

Como siempre que estaba nervioso, Franck no paraba de mover el pie. Camille le puso la mano en la rodilla para tranquilizarlo.

—Saber que mi Philou va estar solo delante de tanta gente me mata... No creo que pueda soportarlo... Pon que se le queda la mente en blanco... Pon que empieza a tartamudear... Pfff... Otra vez se quedará hecho polvo y habrá que recogerlo con pala...

—Calla... Todo va a salir bien...

—Al primero que se ría, te juro que lo echo a patadas de aquí...

—Tranqui...

—¡Tranqui, tranqui! ¡Me gustaría verte a ti! ¿Acaso te subirías tú ahí a hacer el ridículo delante de toda esta gente que no conoces de nada?

Primero les tocó el turno a los niños. Venga a desfilar escenas de Molière, de Queneau, del *Principito* y compañía.

Camille no conseguía dibujarlos, se reía demasiado.

Después, una pandilla de adolescentes desgarbados en plena reinserción experimental subieron a rapear su existencialismo, sacudiendo pesadas cadenas chapadas en oro.

—Joder, colega, ¿pero qué es eso que llevan en la cabeza? —preguntó Franck, preocupado—. ¿Medias, o qué?

Entreacto.
Mierda. La Fanta recalentada y ni rastro de Philibert.

Cuando la sala volvió a sumirse en la oscuridad, hizo su aparición una chica de lo más estrafalaria.

No levantaba tres palmos del suelo y llevaba unas Converse rosas pintarrajeadas, leotardos de rayas multicolores, una minifalda de tul verde y una cazadorita de aviador cubierta de perlas. El color de su cabello iba a juego con el de sus zapatillas.

Una elfa... Un puñadito de confeti... La clásica chica rara y conmovedora que o bien te gustaba nada más verla, o no llegabas nunca a entenderla.

Camille se inclinó y vio que Franck sonreía como un tonto.

—Buenas noches... Bien... Estooo... He pensado mucho en cómo podría presentarles el... el número siguiente y, al final, me... me he dicho que lo mejor sería co... contarles cómo nos conocimos...

—Oh, oh... tartamudea. Es de la misma cuerda que Philibert... —murmuró Franck.

—Pues bien… Fue más o menos el año pasado…

No paraba de hacer aspavientos.

—Ya saben que soy monitora de talleres para niños y… Me fijé en él porque siempre estaba dando vueltas alrededor de los expositores contando una y otra vez sus postales… Cada vez que pasaba por ahí, me las apañaba para verlo, y nunca fallaba: ahí estaba contando sus postales, gimiendo. Como Chaplin, ¿se dan cuenta? Con esa especie de gracia que te conmueve… Que ya no sabes si reír o llorar… Ya no sabes nada… Y te quedas ahí, como una tonta, con el corazón agridulce… Un día, decidí ayudarlo y… le cogí mucho cariño, vaya… Ustedes también, ya lo verán… Es imposible no cogerle cariño… Este chico es… Reúne él solo todas las luces de esta ciudad…

Camille machacaba la mano de Franck de lo fuerte que la apretaba.

—¡Ah!, y otra cosa más… Cuando se presentó la primera vez, me dijo: «Philibert de la Durbellière», entonces yo claro, muy educada, le respondí igual, geográficamente hablando: «Suzy… eeeeh… de Belleville…» Y entonces él exclamó: «¡Ah! ¿Es usted descendiente de Geoffroy de Lajemme de Belleville que luchó contra los Habsburgo en 1672?» ¡Caray! «No, no, qué va —farfullé yo—, de… de Belleville en… en París, vaya…» ¿Y saben ustedes lo peor? Pues que ni siquiera se llevó una desilusión…

La chica daba saltitos.

—Así que nada, con esto ya está todo dicho. Les voy a pedir un aplauso muy fuerte…

Franck silbó con los dedos.

Philibert entró pesadamente. Vestido con una armadura, con su cota de malla, su gran espada, su escudo y toda la impedimenta.

Al público le dieron escalofríos.

Empezó a hablar pero no se le entendía nada.
Al cabo de unos minutos, se acercó un niño con un taburete para levantarle la visera.
Y la voz de Philibert, imperturbable, se hizo por fin audible.
Esbozos de sonrisas.
La gente todavía no sabía muy bien a qué atenerse…

Philibert inició entonces un *strip-tease* genial. Cada vez que se quitaba un pedazo de hierro, su pajecito lo nombraba en voz muy alta:
—El casco… el bacinete… la babera… la gorguera… la mentonera… el plastrón… el pancellar… el brazal… la canillera… la falda… las rodilleras…

Completamente deshuesado, nuestro caballero terminó por desplomarse y entonces el niño le quitó los «zapatos».
—Los escarpes —anunció por fin, levantándolos por encima de su cabeza tapándose la nariz.
Esta vez sonaron carcajadas de verdad.
No hay nada mejor que un chiste para meterte al público en el bolsillo…

Mientras tanto, Philibert, Jehan, Louis-Marie, Georges Marquet de la Durbellière detallaba, con una voz monocorde e inexpresiva, las ramas de su árbol genealógico, enumerando los hechos de armas de su prestigioso linaje.

Su antepasado Charles contra los turcos con san Luis en 1271, su tatatatatarabuelo Bertrand en un campo de coles en Azincourt en 1415, su tío abuelo Fulanito en la batalla de Fontenoy, su abuelo Louis en las orillas del

Moine en Cholet, su tío abuelo Maximiliano junto a Napoleón, su bisabuelo en el Camino de las Damas y su abuelo materno prisionero de los alemanes en Pomerania.

Con todo lujo de detalles. Los niños se habían quedado mudos. La historia de Francia en tres dimensiones. Arte con mayúsculas.

—Y la última hoja del árbol —concluyó—, aquí la tienen.

Se levantó del suelo. Muy blanco y escuchimizado, vestido únicamente con un calzoncillo largo estampado de flores de lis.

—Soy yo, ¿saben? El que cuenta las postales…

Su paje le trajo un capote militar.

—¿Por qué? —preguntó al público—. ¿Por qué diantre el delfín de tal linaje cuenta y cuenta sin parar trozos de cartón en un lugar que aborrece? Pues bien, se lo voy a decir…

Y entonces cambió de tercio. Contó su nacimiento chapucero porque, «ya entonces», se presentaba mal, suspiró, y su madre se negaba a ir a un hospital en el que se realizaban abortos. Contó su infancia aislada del resto del mundo durante la cual le enseñaron a guardar distancias con el populacho. Contó sus años de internado con su diccionario de latín como arma y las innumerables canalladas de las que fue víctima, él que de las relaciones de fuerza sólo conocía los movimientos lentos de sus soldaditos de plomo…

Y la gente se reía.

Se reía porque era divertido. Lo de beberse el pis, las burlas, las gafas que solían terminar dentro del váter, las provocaciones obscenas, la crueldad de los hijos de los campesinos de la Vendée y los consuelos dudosos del vigilante. La paloma blanca que le decía su madre, los largos rezos por la noche para perdonar a los que nos ofenden y no caer en la tentación, y su padre que le preguntaba cada sábado si había sabido conservar su rango y mantenerse a la altura de sus antepasados, mientras él se agitaba, nervioso, porque una vez más le habían embadurnado la pilila con jabón.

Sí, la gente se reía. Porque él se reía de todo ello, y el público estaba con él, se lo había ganado.
Príncipes todos…
Detrás todos de su estandarte blanco…
Emocionados todos.

Habló de sus síndromes obsesivo-compulsivos. Del Lexotanil, de los formularios de la seguridad social donde nunca cabía su apellido entero, de sus tartamudeos y sus titubeos, de cuando estaba nervioso y se le trababa la lengua, de sus ataques de angustia en los lugares públicos, sus muelas desvitalizadas, su calvicie, su espalda un poco encorvada ya y de todo lo que había perdido en el camino por haber nacido en otro siglo. Educado sin televisión, sin periódicos, sin salir, sin humor y sobre todo sin la más mínima ternura.

Dio clases de recuperación, normas de saber estar, recordó los buenos modales y otros usos del mundo recitando de memoria el manual de su abuela:
«*Las personas generosas y delicadas no emplean jamás, en presencia del servicio, ningún término de comparación que pueda resultar insultante para éste. Por ejemplo: "Mengano se comporta como un lacayo." Las damas de antaño no hacían gala de tal sensibilidad, me replicarán ustedes, y en efecto sé que cierta duquesa del siglo XVIII tenía costumbre*

de mandar a sus criados a la plaza de Grève cada vez que te-
nía lugar una ejecución, espetándoles crudamente: "¡Id a la
escuela!"

»Hoy en día salvaguardamos mejor la dignidad humana
y la justa susceptibilidad de los más pequeños y humildes;
es lo que honra a nuestro tiempo…

»Pero pese a todo —añadió Philibert—, la cortesía de
los señores para con sus criados no debe degenerar en fami-
liaridad excesiva. Por ejemplo, no hay cosa más vulgar que
escuchar los chismes de los criados…»

Y el público seguía sonriendo. Aunque aquello no tuviera gracia.

Por último habló en griego clásico, recitó una retahíla
de oraciones en latín, y confesó no haber visto nunca la
película *La Grande Vadrouille* porque en ella se ridiculiza-
ba a las monjas.

—Creo que soy el único francés que no ha visto *La*
Grande Vadrouille, ¿no?

Unas voces amables lo tranquilizaron: «No, qué va…
No eres el único…»

—Afortunadamente, ahora… ahora me encuentro mejor. Creo… creo que he cruzado el puente levadizo… Y
he… he abandonado mis tierras para disfrutar de la
vida… He conocido a personas mucho más nobles que yo
y… En fin… algunas están en esta sala y no quisiera hacerles pa… pasar vergüenza pero…

Como los estaba mirando, todos se volvieron hacia
Franck y Camille que trataban desesperadamente de
tra… ejem… de tragarse el nudo que se les había forma-
do en la garganta.

Porque ese tío que estaba hablando ahí, ese tipo alto y desgarbado que hacía reír a todo el mundo contando sus desgracias no era otro que su Philou, su ángel de la guarda, su SuperNesquik bajado del cielo. El que los había salvado estrechando entre sus grandes brazos escuchimizados sus espaldas desalentadas...

Mientras el público lo aplaudía, Philibert terminó de vestirse. Ahora llevaba frac y chistera.

—Pues esto ha sido todo... Creo que no me queda nada por decir... Espero no haberles molestado demasiado con estas batallitas llenas de polvo... Si desgraciadamente así ha sido, les ruego me disculpen, y presenten por favor sus quejas a la señorita del cabello rosa, pues es ella quien me obligó a estar aquí ante ustedes esta noche... Les prometo que no lo volveré a hacer, pero...

Sacudió su bastón mirando hacia los bastidores y su paje volvió con un par de guantes y un ramo de flores.

—Fíjense en el color... —añadió mientras se los ponía—, amarillo pálido... Dios mío... Soy de un clasicismo incurable. ¿Por dónde iba? ¡Ah, sí! El cabello rosa... Sé... sé que los señores Martin, los padres de la señorita de Belleville, están presentes en la sala y... y... y...

Se puso de rodillas:

—¿Estoy ta... tartamudeando, verdad?

Risas.

—Tartamudeo, y por una vez, no tiene nada de extraño puesto que vengo a pedirles la mano de su hi...

En ese momento, una bala de cañón atravesó el escenario y chocó contra él, haciéndole tropezar. Su rostro desapareció entonces bajo una corola de tul y se oyó:

—¡¡¡Yupiii, voy a ser marquesaaa!!!

Con las gafas medio torcidas, Philibert se levantó del suelo, llevándola en brazos:

—Una gran conquista, ¿no les parece?

Philibert sonreía.

—Mis antepasados pueden estar orgullosos de mí...

11

Camille y Franck no asistieron a la copa de despedida del grupo de teatro porque no podían permitirse perder el tren de las 23:58.

Esta vez se sentaron uno al lado del otro, y no hablaron mucho más que a la ida.

Demasiadas imágenes, demasiadas emociones…

—¿Crees que volverá a casa esta noche?

—Mmm… Me parece que esta chica pasa un poco de las cuestiones de etiqueta…

—Es alucinante, ¿no?

—Totalmente alucinante…

—¿Te imaginas el careto de la Marie-Laurence cuando descubra a su nueva nuera?

—A mí me da que falta aún mucho para eso…

—¿Por qué lo dices?

—No lo sé… Intuición femenina… El otro día, en el castillo, cuando estábamos dando un paseo después de comer con Paulette, Philibert nos dijo, temblando de rabia: «¿Os dais cuenta? Estamos en Pascua y ni siquiera han escondido huevos en el jardín para Blanche…» Tal vez me equivoque, pero tengo la sensación de que eso fue la gota de agua que cortó el cordón umbilical… A él, le hicieron pasar de todo sin que les guardara apenas rencor, pero eso ya… No esconder huevos de Pascua para esa niña, era demasiado lamentable… Demasiado lamentable... Me pareció que Philibert evacuaba su rabia tomando lúgubres decisiones... Me vas a decir que tanto mejor... Y tienes razón: no se merecían a alguien como él...

Franck asintió con la cabeza y la conversación quedó ahí. Si hubieran ido más lejos, habrían tenido que hablar del futuro en condicional (Y si se casaran, ¿dónde vivirían? Y nosotros, ¿dónde vamos a vivir?, etc.), y no estaban demasiado preparados para ese tipo de conversación... Demasiado arriesgada... Demasiado temeraria...

Franck pagó a la señora Pereira mientras Camille le contaba la noticia a Paulette, y luego picaron algo en el salón escuchando música tecno soportable.

—No es música tecno sino electrónica.

—Ah, usted perdone...

En efecto, Philibert no volvió aquella noche, y la casa les pareció horriblemente vacía... Se alegraban por él, pero no por ellos... Un viejo regusto de abandono les volvía a la boca...

Philou...

No necesitaron explayarse para comunicarse su desasosiego. Se entendían por completo.

Tomaron la boda de su amigo como excusa para darle al alcohol de alta graduación, y brindaron a la salud de todos los huérfanos del mundo. Éstos eran tantos que concluyeron esa agitada velada con una curda magistral.

Magistral y amarga.

12

Marquet de la Durbellière, Philibert, Jehan, Louis-Marie, Georges, nacido el 27 de septiembre de 1967 en La Roche-sur-Yon (Vendée) contrajo matrimonio con Martin, Suzy, nacida el 5 de enero de 1980 en Montreuil (Seine-Saint-Denis) en el ayuntamiento del distrito XX de París el primer lunes del mes de junio de 2004 ante la mirada emocionada de sus testigos Lestafier, Franck, Germain, Maurice, nacido el 8 de agosto de 1970 en Tours (Indre-et-Loire) y Fauque Camille, Marie, Élisabeth, nacida el 17 de febrero de 1977 en Meudon (Hauts-de-Seine) y en presencia de Lestafier, Paulette, que rehúsa decir su edad.

También estaban presentes los padres de la novia así como su mejor amigo, un chico alto de cabello rubio apenas más discreto que ella...

Philibert llevaba un magnífico traje de lino blanco con un pañuelo rosa de lunares verdes.

Suzy lucía una magnífica minifalda rosa de lunares verdes, con trasero postizo y una cola de más de dos metros de largo. «¡Mi sueño!», repetía ella riendo.

Se reía todo el rato.

Franck vestía el mismo traje que Philibert, en un tono más caramelo. Paulette llevaba un sombrero que le había hecho Camille. Una especie de sombrerito nido con pájaros y plumas por todas partes, y Camille llevaba una de las camisas blancas de esmoquin del abuelo de Philibert que le llegaba a las rodillas. Se había atado una corbata a la cintura y estrenaba unas adorables sandalias rojas. Era la primera vez que se ponía una falda desde… Puf, ni se sabe…

Después, toda esta buena gente se fue de picnic a los jardines de Buttes-Chaumont con la gran cesta de la familia de la Durbellière, y agenciándoselas para que no los vieran los guardias.

Philibert trasladó 1/100.000 de sus libros al pequeño apartamento de su esposa, a quien no se le pasó ni un segundo por la cabeza abandonar su adorado barrio a cambio de un entierro de primera categoría al otro lado del Sena…

Con esto queda demostrado cuán desinteresada era ella, y cuánto la quería él…

Philibert sin embargo había conservado su habitación, y dormían en ella siempre que venían a cenar. Philibert aprovechaba para traerse algunos libros y llevarse otros, y Camille para continuar el retrato de Suzy.

No lo asía del todo… Suzy era otra que no se dejaría atrapar… Qué se le iba a hacer, eran los riesgos del oficio…

Philibert ya no tartamudeaba, pero dejaba de respirar en cuanto Suzy se alejaba de su vista.

Y cuando Camille se extrañaba de la rapidez con la que se habían comprometido, la miraban con cara rara. Esperar ¿qué? ¿Por qué perder tiempo de felicidad? «Eso que estás diciendo es una tontería…»

Camille negaba con la cabeza, dubitativa y enternecida, mientras Franck la miraba a hurtadillas…

Olvídalo, tú no lo puedes entender... Tú eso no lo pue-
des entender... Eres de piedra... Lo único bonito que tie-
nes son tus dibujos... Dentro de ti estás toda contraída...
Cuando pienso que llegué a creer que estabas viva... Joder,
muy colado por ti tenía que estar esa noche para engañarme
hasta ese punto... Creía que habías venido a hacerme el
amor, cuando simplemente estabas hambrienta... Joder,
macho, hay que ser gilipollas...

¿Sabes lo que habría que hacer contigo? Habría que pur-
garte la cabeza como se vacía a un pollo y sacarte de una vez
por todas toda la mierda que tienes ahí metida. Será la hos-
tia el tío que consiga desplegarte... De hecho, lo mismo ni
siquiera existe... Philou me dice que si dibujas bien es jus-
tamente porque eres así, pues joder, anda que no es alto el
precio que tienes que pagar por ello...

—¿Qué pasa, Franck? De repente te has quedado
como muy mustio...

—*'Toy* cansado...

—Ánimo... Que ya pronto llegan las vacaciones...

—Puf... Todavía queda todo el mes de julio... De hecho me voy a la cama porque mañana madrugo: tengo
que llevar a las señoras al campo...

Ir al campo a pasar el verano... Era una idea de Camille, y Paulette no le veía ninguna pega... Aunque tampoco estaba loca de contenta, la abuelita... Pero sí dispuesta. Paulette siempre estaba dispuesta a todo mientras no
se la obligara a nada...

Cuando le anunció su plan, Franck empezó por fin a
resignarse.

Camille podía vivir lejos de él. No estaba enamorada y
no lo estaría jamás. Además se lo había avisado: «Gracias,

Franck. Yo tampoco.» El problema era suyo si se había creído más fuerte que ella y que el mundo entero. Pero no, chaval, no eres el más fuerte... Qué va... Pero no será porque no te lo han advertido, ¿eh? Pero tú eres tan cabezota, tan arrogante...

Cuando todavía no habías nacido tu vida ya era absurda, ¿así que por qué habría de cambiar ahora? ¿Qué te creías? Que porque te la tirabas con toda tu alma y eras dulce con ella, la felicidad te caería del cielo en bandeja de plata... Desde luego... Mira que eres patético... Pero haz el favor de pararte a mirar un poco tu juego... ¿Adónde pensabas tú llegar con eso, a ver? ¿Adónde pensabas llegar? Ahora en serio, ¿adónde?

Camille dejó su bolsa y la maleta de Paulette en el vestíbulo y se reunió con él en la cocina.

—Tengo sed.

—...

—¿Estás cabreado? ¿Te molesta que nos marchemos?

—¡Qué va! Por fin voy a poder disfrutar un poco...

Camille se levantó y lo cogió de la mano:

—Anda, ven...

—¿Adónde?

—A acostarte.

—¿Contigo?

—¡Pues claro!

—No.

—¿Por qué?

—Ya no tengo ganas... Sólo eres tierna cuando estás pedo... No paras de hacer trampa conmigo, estoy harto...

—Bueno...

—Das una de cal y otra de arena... Vaya una mierda de actitud...

—...

—Vaya una mierda…

—Pero yo estoy bien contigo…

—«Pero yo estoy bien contigo…» —repitió Franck con voz burlona—. Me la suda que estés bien conmigo. Yo quería que estuvieras conmigo y punto. Todo lo demás… Tus matices, tu vaguedad artística, los apañitos que te traes con tu coño y tu conciencia, guárdatelos para otro gilipollas. Éste ya se ha quedado vacío. Ya no sacarás nada de él, así que puedes mandar esta historia a paseo, princesa…

—Te has enamorado, ¿es eso?

—¡Joder, Camille, no me toques los cojones, tía! ¡Lo que faltaba! ¡Ahora háblame como si tuviera una enfermedad grave! ¡Joder, tía, un poco de pudor, hostia! ¡Un poco de decencia! ¡No me merezco esto, joder! Anda… Lárgate que me va a venir muy bien… ¿Quién me manda a mí también dejarme liar por una tía que moja las bragas con la sola idea de pasar dos meses en un agujero perdido con una vieja? No eres una tía normal, y si fueras mínimamente sincera contigo misma, irías a un psiquiatra antes de agarrarte al primer gilipollas que pasa por tu lado.

—Paulette tiene razón. Es increíble lo basto que eres…

El trayecto, a la mañana siguiente, se hizo… mmm… bastante largo.

Les dejó el coche y se marchó con su viejo cacharro.

—¿Vas a volver el sábado que viene?

—¿Para qué?

—Pues… Para descansar…

—Ya veremos…

—Te lo pido…

—Ya veremos…

—¿No nos damos un beso?

—No. Vendré a echarte un polvo el sábado que viene si no tengo nada mejor que hacer pero ya no te beso más.

—Bueno.

Franck fue a despedirse de su abuela y desapareció por el sendero.

Camille volvió a sus grandes botes de pintura. Ahora le había dado por la decoración de interiores...

Empezó a pensar, pero cortó en seco. Sacó sus pinceles del frasco de *white-spirit* y los secó largo rato. Franck tenía razón: ya veremos.

Y la tranquila vida de Camille y Paulette retomó su curso. Como en París, pero más despacio todavía. Y al solecito.

Camille conoció a una pareja inglesa que estaba reformando la casa de al lado. Intercambiaron ideas, truquillos, herramientas y *gin tonics* a la hora en que los vencejos revolotean, alborotados, por todo el jardín.

Fueron al museo de Bellas Artes de Tours, Paulette esperó bajo un cedro inmenso (demasiadas escaleras) mientras Camille descubría el jardín, la preciosa mujer y el nieto del pintor Édouard Debat-Ponsan. Éste no figuraba en el diccionario... Como Emmanuel Lansyer, cuyo museo en Loches habían visitado hacía unos días... A Camille le gustaban mucho esos pintores que no figuraban en el diccionario... Esos maestros menores, como se les llamaba... Los regionales de la etapa, los que no tenían más cimacio que las ciudades que los habían acogido. El primero será ya para siempre el abuelo de Olivier Debré, y el segundo, el discípulo de Corot... Bah... Sin la capa protectora del genio y la posteridad, sus cuadros se dejaban apreciar con más tranquilidad. Y con más sinceridad tal vez...

Camille le preguntaba todo el rato si necesitaba ir al baño. Era una tontería eso de la incontinencia, pero Camille se aferraba a esa idea fija para que Paulette no se desmandara... La anciana se había abandonado un par de veces, y Camille la había regañado muchísimo:

—¡Ni hablar, Paulette! ¡Esto sí que no! ¡Todo lo que quiera salvo esto! ¡Estoy aquí sólo para usted! ¡Pídamelo! ¡No se abandone, caramba! ¿A qué viene esto de hacérselo encima de esta manera? Que yo sepa no está usted encerrada en una jaula, ¿no?

—...

—¡Eh, eh! ¡Paulette! Contésteme. ¿Es que además se está volviendo sorda?

—No quería molestarte...

—¡Mentirosa! ¡La que no quería molestarse es usted!

El resto del tiempo Camille se ocupaba del jardín, hacía bricolaje, dibujaba, pensaba en Franck y leía, por fin, *El cuarteto de Alejandría*. A veces en voz alta... Para meterla un poco en ambiente... Y luego le tocaba a ella contarle la historia de las óperas...

—Escuche esto, es precioso... Don Rodrigo le propone a su amigo ir a morir a la guerra con él para hacerle olvidar su amor por Elisabeth...

»Espere, que subo el volumen... Escuche este dúo, Paulette... *Dieu, tu semas dans nos â-â-âmes...* —cantaba Camille, moviendo las muñecas—, na ninana ninana...

»Es precioso, ¿verdad?

Paulette se había quedado dormida.

Franck no vino el sábado siguiente, pero recibieron la visita de los inseparables señores Marquet.

Suzy colocó su cojín de yoga entre las malas hierbas y Philibert, recostado en una tumbona, leía guías de España, adonde pensaban ir la semana siguiente en su luna de miel…

—Hospedados por Juan Carlos… Primo mío por alianza.

—Debería habérmelo imaginado… —dijo Camille con una sonrisa.

—Pero… ¿y Franck? ¿No está aquí?

—No.

—¿Se ha ido por ahí con la moto?

—No lo sé…

—¿Quieres decir que se ha quedado en París?

—Supongo…

—Oh, Camille… —dijo Philibert, afligido.

—¿Cómo que «oh, Camille»? —se irritó ésta—. ¿Qué es eso de «oh, Camille»? Fuiste tú mismo quien me dijo cuando me hablaste de él por primera vez que era un tío imposible… Que no había leído nada en su vida aparte de los anuncios por palabras de su macarrada de revistas de motos, que… que…

—Calla. Tranquilízate. No te estoy reprochando nada.

—No, lo que haces es peor…

—Parecíais tan felices…

—Sí. Justamente. Quedémonos en eso. No lo estropeemos…

—¿Crees que son como las minas de tus lápices? ¿Crees que se gastan cuando se utilizan?

—¿El qué?

—Los sentimientos.

—¿Cuándo hiciste tu último autorretrato?

—¿Por qué me lo preguntas?

—¿Cuándo?

—Hace tiempo…

—Justo lo que me imaginaba…

—No tiene nada que ver.

—No, claro que no…

—¿Camille?

—Mmm…

—El día uno de octubre de 2004 a las ocho de la mañana…

—¿Sí?

Le tendió la carta del señor Buzot, notario de París.

Camille la leyó, se la devolvió, y se tumbó en la hierba a sus pies.

—¿Perdona, cómo has dicho?

—Que era demasiado bonito para durar…

—Lo siento mucho…

—Calla.

—Suzy está mirando anuncios en nuestro barrio… También está muy bien, ¿sabes? Es… es pintoresco, como diría mi padre…

—Calla. ¿Lo sabe Franck?

—Todavía no.

Éste anunció que vendría la semana siguiente.

—¿Me echas demasiado de menos? —le susurró Camille al teléfono.

—Qué va. Tengo que arreglar unas cosas de la moto… ¿Te ha enseñado Philibert la carta?

—Sí.

—…

—¿Estás pensando en Paulette?

—Sí.

—Yo también.

—Hemos jugado al yo-yo con ella… Tendríamos que haberla dejado donde estaba…

—¿De verdad piensas eso? —preguntó Camille.

—No.

La semana pasó.

Camille se lavó las manos y volvió al jardín para reunirse con Paulette, que tomaba el sol, sentada en su silla.

Había preparado una *quiche*... Bueno, una especie de torta con trozos de tocino dentro... Bueno, algo de comer, vamos...

Una auténtica mujercita sumisa que espera a su hombre...

Ya estaba de rodillas, escarbando en la tierra, cuando su anciana amiga murmuró a su espalda:

—Lo maté.

—¿Cómo?

Qué desgracia.

Últimamente cada vez desvariaba más...

—Maurice... Mi marido... Lo maté.

Camille se enderezó sin darse la vuelta.

—Yo estaba en la cocina, buscando el monedero para ir a comprar el pan y le... le vi caer... Estaba muy mal del corazón, ¿sabes? Gruñía, suspiraba, tenía la cara... Y yo... me puse la rebeca y me fui.

»Me tomé mi tiempo... Me paré delante de cada casa... "¿Y qué tal está el niño? ¿Y usted, está mejor ya del reúma? ¿Ha visto la tormenta que se avecina?" Yo que no soy muy habladora, esa mañana estaba de lo más amable... Y lo peor de todo es que jugué incluso a la lotería... ¿Te das cuenta? Como si fuera mi día de suerte... Bueno, al final volví a casa y él ya estaba muerto.

Silencio.

—Tiré el billete porque nunca habría tenido la osadía de comprobar los números ganadores, y después llamé a los bomberos... O a una ambulancia... Ya no me acuerdo... Y era demasiado tarde. Y yo lo sabía...

Silencio.

—¿No dices nada?

—No.

—¿Por qué no dices nada?

—Porque pienso que había llegado su hora.

—¿Tú crees? —suplicó Paulette.

—Estoy segura. Un ataque al corazón es un ataque al corazón. Me dijo usted un día que había tenido quince años de tregua. Pues ya está, tuvo sus quince años.

Y para demostrarle su buena fe, retomó lo que estaba haciendo antes como si no pasara nada.

—¿Camille?

—Sí.

—Gracias.

Cuando volvió a incorporarse media hora larga después, Paulette dormía sonriendo.

Camille fue a buscarle una manta.

Luego se lió un cigarrillo.

Luego se limpió las uñas con una cerilla.

Luego fue a vigilar su «quiche».

Luego cortó en trocitos tres cogollitos de lechuga y unas hojitas de cebolleta.

Luego lo lavó todo.

Luego se sirvió un vasito de vino blanco.

Luego se duchó.

Luego volvió al jardín, poniéndose un jersey.

Apoyó la mano en su hombro:

—Eh… Se va usted a enfriar, Paulette…

La zarandeó suavemente:

—¿Paulette?

Nunca le resultó tan difícil un dibujo.

No hizo más que uno.

Y tal vez fuera el más bello…

Era más de la una cuando Franck despertó a todo el pueblo.

Camille estaba en la cocina.

—¿Otra vez bebiendo?

Dejó su cazadora sobre una silla y cogió un vaso del armario que estaba encima de la cabeza de Camille.
—No te muevas.

Se sentó delante de ella:
—¿Ya se ha acostado mi abuela?
—Está en el jardín…
—En el jar…
Y cuando Camille levantó la cara, Franck se puso a gemir.
—Oh no, joder… No…

15

—¿Y la música? ¿Tiene usted alguna preferencia?

Franck se volvió hacia Camille.

Ésta lloraba.

—Te encargas tú de encontrar algo bonito, ¿eh?

Camille asintió.

—¿Y la urna? ¿Está... está al corriente de las tarifas?

Camille no tuvo el valor de volver a la ciudad para buscar un disco decente. Además, no estaba segura de encontrarlo… Y no tenía valor para hacerlo.

Sacó la cinta que había en la radio del coche y se la dio al empleado del crematorio.
—¿No hay nada que hacer?
—No.

Porque ése sí que era su preferido… Y la prueba es que había cantado una canción sólo para ella, así que…

Camille se la había grabado para darle las gracias por el jersey horroroso que le había hecho aquel invierno, y el otro día la volvieron a escuchar religiosamente a la vuelta de los jardines de Villandry.
Camille la miraba sonreír por el retrovisor…

Cuando ese joven alto cantaba, ella también volvía a tener veinte años.
Lo había visto en 1952, cuando aún había una sala de fiestas cerca de los cines.
—Ah… Era tan guapo… —suspiraba Paulette—, tan guapo…

Se le confió pues a monseñor Yves Montand la tarea de encargarse de la oración fúnebre.

Y del réquiem…

Quand on partait de bon matin, quand on partait sur les
chemins,
À bicy-clèèè-teu,
Nous étions quelques bons copains,
Y avait Fernand, y avait Firmin, y avait Francis et Sé-
bastien,
Y avait Pau-lèèè-teu…

On était tous amoureux d'elle, on se sentait pousser des
ailes,
À bicy-clèèè-teu…

Y ni siquiera estaba ahí Philou…
Se había ido a los castillos de España…
Franck estaba muy tieso, con las manos detrás de la es-
palda.
Camille lloraba.

La, la, la… Mine de rien,
La voilà qui revient,
La chanso-nnet-teu…
Elle avait disparu,
Le pavé de ma rue,
Était tout bê-teu…

Les titis, les marquis
C'est parti mon kiki…

Y sonreía… *les titis, les marquis…* Los don nadie, los
marqueses… «Anda, pero si ésos somos nosotros…»

La, la, la, haut les cœurs
Avec moi tous en chœur…

618

La chanso-nnet-teu…

La señora Carminot estrujaba su rosario sorbiéndose los mocos.

¿Cuántos eran en esa falsa capilla de falso mármol?

¿Unos diez, tal vez?

Exceptuando a los ingleses, no había más que viejos…

Sobre todo viejas.

Sobre todo viejas que asentían tristemente con la cabeza.

Camille se derrumbó sobre el hombro de Franck, que seguía triturándose las falanges.

Trois petites notes de musique,
Ont plié boutique,
Au creux du souvenir…
C'en est fini d'leur tapage,
Elles tournent la page,
Et vont s'endormir…

El señor del bigote le hizo una seña a Franck.

Éste asintió con la cabeza.

La puerta del horno se abrió, el ataúd rodó, la puerta se cerró y… Fffffuuuuuuffff…

Paulette se consumió por última vez escuchando a su cantante preferido.

… Et s'en alla… clopin… clopant… dans le soleil… Et dans… le vent…

Y todos se dieron besos. Las viejas recordaron a Franck cuánto querían a su abuela. Y éste les sonreía, apretando con fuerza las mandíbulas para no llorar.

Los asistentes se dispersaron. El señor del bigote le hizo firmar unos papeles y otro le tendió una cajita negra.

Muy bonita. Muy elegante.

Brillaba bajo la falsa lámpara de araña de intensidad variable.

Daban ganas de potar.

Yvonne los invitó a tomar una copita.

—No, gracias.

—¿Seguro?

—Seguro —contestó Franck, agarrándose al brazo de Camille.

Y salieron a la calle.

Solos.

Los dos.

Una señora de unos cincuenta años los abordó.

Les dijo que fueran a su casa.

La siguieron con el coche.

Habrían seguido a cualquiera.

Les preparó un té y sacó un bizcocho del horno.

Se presentó. Era la hija de Jeanne Louvel.

Franck no caía.

—Normal. Cuando me vine a vivir a casa de mi madre, hacía tiempo que usted ya se había ido…

Les dejó beber y comer tranquilamente.

Camille salió a fumar al jardín. Le temblaban las manos.

Cuando volvió con ellos, su anfitriona fue a buscar una gran caja.

—Espere, espere, que ahora se la encuentro… ¡Ah, aquí está! Mire…

Era una fotografía sepia muy pequeñita, con los bordes que hacían como piquitos, y una firma cursilona abajo a la derecha.

Dos chicas. La de la derecha se reía mirando a la cámara y la de la izquierda mantenía la vista fija en el suelo bajo el ala de un sombrero negro.

Calvas las dos.

—¿La reconoce?

—¿Cómo?

—Ésta de aquí… Es su abuela.

—¿Ésta?

—Sí. Y la de al lado es mi tía Lucienne... La hermana mayor de mi madre...

Franck le pasó la foto a Camille.

—Mi tía era maestra. Decían que era la chica más guapa de la región... También decían que se creía mejor que nadie, la niña... Tenía estudios y había rechazado a varios pretendientes, así que sí, se creía mejor que nadie... El 3 de junio de 1945, Rolande F., costurera de profesión, declara... Mi madre se sabía la denuncia de memoria... *«La vi divertirse, reír, bromear e incluso jugar un día con ellos (unos oficiales alemanes) a regarse en bañador en el patio del colegio.»*

Silencio.

—¿Le raparon la cabeza? —preguntó por fin Camille.

—Sí. Mi madre me contó que permaneció postrada durante días y que una mañana su buena amiga Paulette Mauguin vino a buscarla. Se había rapado la cabeza con la navaja de su padre y se reía ante su puerta. La cogió de la mano y la obligó a acompañarla a un estudio de fotografía de la ciudad. «Anda, ven —le dijo—, así tendremos un recuerdo... ¡Que vengas, te digo! No les des el gustazo... Anda... Levanta la cabeza, Lulu... Vales más que todos ellos, anda...» Mi tía no se atrevió a salir sin sombrero y se negó a quitárselo en el estudio, pero su abuela... Mírela... Esa expresión traviesa... ¿Qué edad tendría entonces? ¿Veinte años?

—Es de noviembre del 21.

—Veintitrés años... Una muchacha valiente, ¿eh? Tenga... Se la regalo...

—Gracias —contestó Franck, con la boca torcida.

Una vez en la calle, se volvió hacia ella y le soltó, con arrogancia:

—Hay que ver cómo era mi abuela, ¿eh?
Y se echó a llorar.
Por fin.

—Mi viejecita… —sollozaba—. Mi viejecita mía… La única que tenía en el mundo…

Camille se quedó parada de pronto, y luego volvió corriendo a buscar la caja negra.

Franck durmió en el sofá y se levantó muy temprano al día siguiente.

Desde la ventana de su habitación, Camille lo vio dispersar unos polvitos muy finos por encima de las amapolas y los guisantes de olor…

No se atrevió a salir inmediatamente y cuando por fin se decidió a llevarle una taza de café hirviendo, oyó el rugido de su moto que se alejaba.

La taza se rompió y Camille se derrumbó sobre la mesa de la cocina.

18

Se levantó varias horas más tarde, se sonó la nariz, se dio una ducha fría y volvió a sus botes de pintura.

Había empezado a pintar esa dichosa casa y pensaba terminar su tarea.

Encendió la radio y se pasó los días siguientes subida a una escalera.

Le mandaba un mensaje de texto a Franck cada dos horas para contarle por dónde iba:

09:13 Indochine, parte de arriba del aparador
11:37 *Aïcha, Aïcha, écoute-moi,* toca pintar ventanas
13:44 Souchon, cigarro jardín
16:12 Nougaro, techo
19:00 noticias, bocadillo jamón
10:15 Beach Boys, c. de baño
11:55 Bénabar, *c'est moi, c'est Nathalie,* aquí sigo
15:03 Sardou, he limpiado pinceles
21:23 Daho, a la cama

Franck sólo le contestó una vez:
01:16 silencio

¿Quería decir: fin de programación, paz, tranquilidad, o más bien: cállate la boca?

En la duda, Camille apagó el móvil.

Camille cerró las persianas, fue a decirle adiós a... a las flores y acarició al gato cerrando los ojos.

Finales de julio.
París se asfixiaba de calor.

El piso estaba en silencio. Era como si ya los hubieran echado...
Eh, eh, eh, que yo todavía tengo que terminar una cosita...

Camille se compró un cuaderno muy bonito, pegó en la primera hoja la carta estúpida que escribieron aquella noche en La Coupole y luego reunió todos sus dibujos, sus estudios, sus bocetos, etc., para recordar todo lo que dejaban atrás y que desaparecería al mismo tiempo que ellos...
Había papeles para parar un tren...

Después, y sólo después, se ocuparía de vaciar la habitación de al lado.
Después...
Cuando las horquillas y el tubo de Polident hubieran muerto ellos también...

Al ordenar sus dibujos, puso de lado los retratos de su amiga.

Hasta entonces, no le hacía mucha ilusión la idea de la exposición, pero ahora, sí. Ahora se había convertido en una obsesión para ella: hacerla vivir un poco más. Pensar en ella, hablar de ella, mostrar su rostro, su espalda, su cuello, sus manos... Lamentaba no haberla grabado cuando contaba sus recuerdos de infancia, por ejemplo... O lo del amor de su vida.

«—Que quede entre nosotras, ¿eh?

»—Sí, sí...

»—Pues bien, se llamaba Jean-Baptiste... Es un nombre bonito, ¿no te parece? Yo, si hubiera tenido un hijo, lo habría llamado Jean-Baptiste...»

Por ahora, todavía oía el sonido de su voz, pero... ¿hasta cuándo?

Como se había acostumbrado a trabajar escuchando música, fue a la habitación de Franck para cogerle prestada su cadena.

No la encontró.

Y por un motivo.

Ya no quedaba nada en la habitación.

Sólo tres cajas de cartón apiladas contra la pared.

Apoyó la cabeza en el marco de la puerta y el parqué se convirtió en arenas movedizas...

Oh, no... Él no... Él *también* no...

Camille se mordía los puños.

Oh, no... Otra vez igual... Otra vez volvía a perder a todo el mundo...

Oh, no, joder...

Oh, no...

Cerró dando un portazo y corrió hasta el restaurante.

—¿Está Franck? —preguntó sin aliento.

—¿Franck? No, creo que no —le contestó con desgana un tío alto y fofo.

Camille se pellizcaba la nariz para no llorar.

—¿Ya… ya no trabaja aquí?

—No…

Camille se soltó la nariz y…

—Bueno, a partir de esta noche ya no… Anda… ¡míralo, ahí está!

Subía del vestuario con toda su ropa hecha una bola.

—Anda, mira quién está aquí —dijo al verla—, nuestra bella jardinera…

Camille lloraba.

—¿Qué pasa?

—Creía que te habías ido…

—Mañana.

—¿Qué?

—Me voy mañana.

—¿Adónde?

—A Inglaterra.

—¿Por… por qué?

—Primero a tomarme unas vacaciones, y luego a currar… Mi jefe me ha encontrado un puesto buenísimo…

—¿Vas a cocinar para la reina? —Camille trató de sonreír.

—Qué va, mejor que eso… Chef del Westminster…

—¿En serio?

—Lo mejor de lo mejor.

—Ah…

—¿Y tú estás bien?

—…

—Anda, vente a tomar una copa… No nos vamos a despedir así sin más, ¿no…?

—¿Dentro o en la terraza?

—Dentro…

Franck la miró contrariado:

—Ya has perdido todos los kilos que habías cogido conmigo…

—…

—¿Por qué te vas?

—Pues ya te lo he dicho… Es un ascenso buenísimo y… nada, eso… Yo no puedo permitirme el lujo de vivir en París… Me dirás que siempre puedo vender la casa de Paulette, pero no puedo…

—Lo entiendo…

—No, no, si no es por eso… No es por los recuerdos que dejo allí y eso… No, es sólo que… Esa casa no es mía.

—¿Pertenece a tu madre?

—No. A ti.

—…

—Las últimas voluntades de Paulette… —añadió, sacando una hoja de su cartera—. Toma… Puedes leerla…

Querido Franck,
No te fijes en lo mala que es mi letra, es que ya apenas veo.
Pero lo que sí veo es que a Camille le gusta mucho mi jardín, y ésa es la razón por la cual me gustaría legárselo, si a ti no te importa…

Cuídate mucho y cuida de ella si puedes.
Un abrazo muy fuerte,

TU ABUELA

—¿Cuándo la recibiste?
—Unos días antes de que… de que se fuera… Me llegó el día que Philou me anunció la venta del piso… Paulette… Paulette comprendió que… que todo se iba al garete, vaya…

Huuuuuuuy… Qué daño ese nudo en la garganta…
Menos mal que llegó el camarero:
—¿Qué tomará el señor?
—Perrier con limón, por favor…
—¿Y la señorita?
—Un coñac… doble…

—Habla del jardín, no de la casa…
—Sí… bueno… pero no nos vamos a poner a racanear, ¿no?

—¿Te marchas?
—Te lo acabo de decir. Ya me he sacado el billete…
—¿Cuándo te vas?
—Mañana por la noche…

—¿Qué?
—Creía que estabas harto de currar para otros…
—Claro que estoy harto, ¿pero qué otra cosa quieres que haga?

Camille rebuscó en su bolso y sacó su cuadernito.
—No, no, basta ya con eso… —se defendió Franck, tapándose la cara con las manos—. Que ya no estoy aquí, te digo…

Camille pasaba las hojas.

—Mira… —le dijo, volviendo el cuaderno hacia él.

—¿De qué es esta lista?

—De todos los locales que descubrimos, Paulette y yo, mientras paseábamos…

—¿Los locales de qué?

—Los locales vacíos donde podrías montar tu negocio… Está todo pensado, ¿sabes…? ¡Antes de apuntar las direcciones, lo hablamos un montón ella y yo! Los que están subrayados son los mejores… Éste sobre todo, sería genial… En una placita detrás del Panteón… Un antiguo café con mucha solera, estoy segura de que te gustaría…

Se bebió de un trago lo que quedaba de coñac.

—Estás desvariando a lo bestia… ¿Pero tú sabes cuánto cuesta montar un restaurante?

—No.

—Estás desvariando a lo bestia… Bueno, hala… Tengo que irme a terminar de guardar mis cosas… Esta noche voy a cenar a casa de Philou y Suzy, ¿te apuntas?

Camille lo sujetó del brazo para que no se pudiera levantar.

—Yo tengo dinero…

—¿Tú? ¡Pero si vives siempre como una pordiosera!

—Sí, porque no lo quiero tocar… No me gusta esa pasta, pero a ti sí te la quiero dar…

—…

—¿Te acuerdas cuando te dije que mi padre era agente de seguros y que se murió de un… de un accidente de trabajo, te acuerdas?

—Sí.

—Bueno, pues hizo muy bien las cosas… Como sabía que me iba a abandonar, por lo menos se le ocurrió blindarme…

—No entiendo.

633

—Un seguro de vida… A mi nombre…

—¿Y entonces por qué…? ¿Por qué nunca te has comprado un par de zapatos como Dios manda?

—Ya te lo he dicho… Yo este dinero no lo quiero. Apesta a carroña. Yo lo que quería era a mi padre, vivo. No su dinero.

—¿Cuánto?

—Lo suficiente para que un banco te haga la pelota y te proponga un buen crédito, me imagino…

Camille recuperó su cuadernito.

—Espera, creo que lo tengo dibujado en alguna parte…

Franck se lo arrancó de las manos.

—Para, Camille… Basta ya. Deja de esconderte detrás de este puto cuaderno. Basta… Sólo esta vez, te lo suplico…

Camille miraba hacia la barra.

—¡Eh! ¡Que te estoy hablando!

Miró hacia su camiseta.

—No, a mí. Mírame a mí.

Lo miró.

—¿Por qué no me dices sencillamente: «No quiero que te vayas»? Yo no soy como tú… A mí este dinero me la refanfinfla si es para gastármelo yo solo… Yo… Yo qué sé, joder… «No quiero que te vayas» tampoco es una cosa tan difícil de decir, ¿no?

—Yatelodije.

—¿Qué?

—Ya te lo dije…

—¿Cuándo?

—La noche del 31 de diciembre…

—Sí, pero eso no cuenta… Eso era con respecto a Philou…

Silencio.

—¿Camille?

Articuló despacio:

—No… quie… ro… que… te… va… yas.

—Franck…

—Muy bien, sigue… No… quie…

—Tengo miedo.

—¿Miedo de qué?

—Miedo de ti, miedo de mí, miedo de todo.

Franck suspiró.

Y suspiró otra vez.

—Mira. Haz como yo.

Adoptaba poses de fisioculturista en pleno concurso de belleza.

—Cierra los puños, arquea la espalda, dobla los brazos, crúzalos y acércatelos a la barbilla… Así…

—¿Por qué? —se extrañó Camille.

—Porque sí… Tienes que reventar esa piel que se te ha quedado pequeña, así… Mira… Te estás ahogando dentro de esa piel… Tienes que salir de ella ya… Venga… Quiero oír cómo revienta la costura de la espalda…

Camille sonreía.

—Joder, no… Guárdate esa sonrisa de mierda… No la quiero… ¡No es eso lo que te pido! ¡Yo te pido que vivas, joder! ¡No que me sonrías! Para eso están las presentadoras de la tele… Bueno, me largo porque si no otra vez voy a perder los papeles… Hala, nos vemos esta noche…

21

Camille se hizo un sitito en medio de los cincuenta mil cojines de colorines de Suzy, no tocó su plato y bebió lo suficiente para reírse cuando tocaba.

Aun sin diapositivas, tuvieron que tragarse una sesión de *Conocimiento del Mundo...*

—Aragón o Castilla —precisaba Philibert.

—¡... perdieron su silla! —repetía Camille a cada foto.

Estaba alegre.

Triste y alegre.

Franck se fue enseguida porque había quedado para despedirse de su vida de francés con sus compañeros de curro.

Cuando Camille consiguió levantarse por fin, Philibert la acompañó hasta la calle.

—¿Estás bien?

—Sí.

—¿Quieres que te llame a un taxi?

—No, gracias. Tengo ganas de andar un poco.

—Bueno... pues entonces que tengas un buen paseo...

—¿Camille?

—Sí.

Se dio la vuelta.

—Mañana… A las cinco y cuarto de la tarde en la estación del Norte…

—¿Tú vas a ir?

Philibert dijo que no con la cabeza.

—No, desgraciadamente tengo que trabajar…

—¿Camille?

Volvió a darse la vuelta.

—Ve tú… Ve tú por mí… Por favor…

—¿Has venido a agitar el pañuelo?

—Sí.

—Qué detalle…

—¿Cuántas somos?

—¿Cuántas qué?

—¿Cuántas chicas hemos venido a agitar el pañuelo y a llenarte la cara de marcas de carmín?

—Pues ya ves…

—¡¿Sólo yo?!

—Pues sí… —dijo Franck con una mueca—. Son malos tiempos… Menos mal que a las inglesas les va la marcha… ¡Por lo menos eso me han dicho!

—¿Les vas a enseñar el *French kiss*?

—Entre otras cosas… ¿Me acompañas hasta el andén?

—Sí.

Consultó el reloj de la estación:

—Bueno. Sólo te quedan cinco minutos para pronunciar una frase de cinco palabras, es factible, ¿no? Venga —suplicaba en broma—, si cinco son demasiadas, me conformo con tres… Pero las adecuadas, ¿eh? ¡Mierda! No he validado el billete… Bueno, ¿y bien?

Silencio.

—Bueno, qué se le va a hacer… Seguiré siendo un sapo…

Se volvió a colgar el bolsón del hombro y le dio la espalda.

Corrió para alcanzar al revisor.

Camille lo vio recuperar el billete y agitar el brazo en un gesto de despedida...

Y el Eurostar se le escapó...

Y se puso a llorar, la muy tontorrona.

Y ya no se veía más que un puntito gris a lo lejos...

Sonó su móvil.

—Soy yo.

—Ya lo sé, se ve en la pantalla...

—Estoy seguro de que estás en plena escena súper romántica... Estoy seguro de que estás sola en el andén, como en una película, llorando por tu amor perdido, entre una nube de humo blanco...

Camille lloraba y sonreía.

—Pa... para nada —consiguió articular—. Justo estaba saliendo de la estación...

«Mentirosa», dijo una voz a su espalda.

Camille cayó entre sus brazos y lo apretó fuerte fuerte fuerte fuerte.

Hasta que la piel reventó.

Lloraba.

Se abandonaba, se limpiaba la nariz en su camisa, seguía llorando, evacuaba veintisiete años de soledad, de tristeza, de golpes dolorosos, lloraba las caricias que nunca había recibido, la locura de su madre, los bomberos de rodillas sobre la moqueta, la distracción de su padre, la mala vida, los años sin tregua, nunca, el frío, el placer del hambre, los malos pasos, las traiciones que se había impuesto, y siempre ese vértigo, ese vértigo al filo del abismo y del alcohol. Y las dudas, y su cuerpo que siempre se zafaba, y el sabor del éter, y el miedo de no estar nunca a la altura. Y también lloró a Paulette. La dulzura de Paulette pulverizada en cinco segundos y medio...

Franck la envolvió en su cazadora y apoyó la barbilla sobre su cabeza.

—Vamos... Vamos... —murmuraba bajito, sin saber si era vamos, llora, o vamos, no llores más.

Lo que ella quisiera.

Su pelo le hacía cosquillas, estaba todo lleno de mocos y era muy feliz.

Muy feliz.

Sonreía. Por primera vez en su vida, estaba en el lugar adecuado, en el momento oportuno.

Frotaba su barbilla contra la cabeza de Camille.

—Vamos, bonita... No te preocupes, lo vamos a conseguir... No lo haremos mejor que los demás, pero tampoco peor... Lo vamos a conseguir, te digo... Lo vamos a conseguir... Nosotros no tenemos nada que perder, puesto que no tenemos nada... Vamos... Ven.

Epílogo

—Joder, no me lo puedo creer... no me lo puedo creer... —refunfuñaba Franck para disimular su felicidad—. ¡Este gilipollas no habla más que de Philou! Que si el servicio esto, que si el servicio lo otro... ¡Toma, claro! ¡Lo tiene fácil! ¡Lleva los buenos modales tatuados en la sangre! Que si la acogida, y la decoración, y los dibujos de Fauque y patatín y patatán... ¿Y mi cocina, qué? ¿A nadie le importa mi cocina?

Suzy le arrancó el periódico de las manos.

—«*Nos ha encantado esta taberna* blablablá *en la que el joven chef Franck Lestafier nos abre de par en par las papilas gustativas y nos sustenta reinventando una cocina casera más viva, más ligera, más alegre,* blablablá... *En una palabra, nos ofrece cada día la comida del domingo, pero sin tías abuelas y sin que al día siguiente tenga que ser lunes...* Bueno, ¿y esto qué es entonces? ¿Te parece que esto no es hablar de tu cocina? ¿Y de qué habla según tú? ¿De las cotizaciones de la bolsa?

—¡No, está cerrado! —gritó a la gente que trataba de levantar el cierre metálico—. Bueno, no, pasen, sí... Pasen.... Supongo que habrá comida suficiente para todo el mundo... ¡Vincent, hostia, o calmas a tu perro o lo meto en el congelador!

—¡*Rochechouart*, aquí! —ordenó Philibert.

—*Barbès*... No *Rochechouart*...

—Prefiero *Rochechouart*... ¿A que sí, *Rochechouart*?

Anda, ven con tu tío Philou, ven, que te doy una cosita…

Suzy se reía.

Suzy seguía riéndose todo el rato.

—¡Anda, pero si ya está usted aquí! ¡Muy bien, por una vez se ha quitado las gafas de sol!

La mujer refunfuñó un poco.

Aunque Franck aún no dominaba del todo a la hija, a la madre en cambio ya la tenía subyugada. La madre de Camille se mantenía a raya en su presencia y lo miraba con los ojos húmedos de quien se recarga las pilas con Prozac…

—Mamá, te presento a Agnès, una amiga… Éste es Peter, su marido, y Valentin, su hijo…

Camille prefería decir «una amiga» mejor que «mi hermana».

No valía la pena correr el riesgo de un psicodrama cuando a todo el mundo le traía sin cuidado… Además, de verdad se había convertido en su amiga, así que…

—¡Ah, por fin! ¡Aquí están Mamadou y compañía! —exclamó Franck—. ¿Me has traído lo que te pedí, Mamadou?

—Oh, pues claro que sí, y ya puedes tener *cuidadito*, porque ésta no es guindilla para francesitos blandengues… Desde luego que no…

—Gracias, genial, anda vente a la cocina a ayudarme…

—Voy… ¡Sissi, ten cuidado con el perro!

—No, no, si es muy bueno…

—Tú no te metas. Tú no te metas en cómo educo a mi hija… A ver, ¿dónde preparas tú todos esos guisos? ¡Huy, pero qué pequeño es esto!

—¡A ver, con lo que tú abultas!

—Huy… Pero si es la anciana que vi en vuestra casa, ¿no? —dijo, señalando el cuadrito enmarcado.

—Eh, eh, sin tocar. Que es mi amuleto…

Mathilde Kessler se comía con los ojos a Vincent y a su amigo, mientras Pierre robó un menú sin que nadie lo viera. Camille se había enfrascado en el *Gazetin du Comestible,* un periodiquillo de 1767, en el cual se había inspirado para dibujar unos alimentos delirantes… Era fantástico. «Y… esto… los… los originales ¿dónde están?»

Franck estaba nerviosísimo, llevaba en la cocina desde el amanecer… Por una vez que habían acudido todos a la cita…

—¡Hala, hala, a la mesa, que se enfría! ¡Cuidado que quemo, cuidado que quemo!

Dejó una gran olla en medio de la mesa y volvió a la cocina a buscar un cucharón.

Philou servía el vino. Perfecto, como siempre.

Sin él, el éxito no habría sido tan rápido. Tenía ese don maravilloso de hacer que la gente se sintiera a gusto, encontraba siempre el cumplido adecuado, el tema de conversación, el toque de humor, la dosis justa de coquetería francesa… Y saludaba con dos besos a todos los nobles del barrio… Eran todos primos lejanos suyos…

Cuando él era el anfitrión, concebía bien las ideas, las enunciaba claramente, y las palabras para expresarlas le venían fácilmente.

Y como había escrito con tan poca gracia el periodista de antes, era el «alma» de esa tabernita elegante…

—Venga, venga… —gruñó Franck—, pasadme esos platos…

En ese momento, Camille, que llevaba un buen rato haciendo el tonto con Valentin, jugando a cucú con su servilleta, y cayéndosele la baba, soltó sin más ni más:

—Oh, Franck… Yo quiero uno igual…

Franck terminó de servir a Mathilde, suspiró… «joder, todo lo tengo que hacer yo aquí»… dejó el cucharón en la olla, se quitó el delantal, lo apoyó en el respaldo de su silla, cogió al bebé, se lo devolvió a su madre, levantó en volandas a su chica, se la echó a la espalda como un saco de patatas o media carcasa de buey, gimió… uf, es que la niña había cogido unos kilitos… abrió la puerta, cruzó la plaza, entró en el hotel de enfrente, estrechó la mano de Vishayan, su colega portero al que alimentaba entre fax y fax, le dio las gracias, y subió las escaleras sonriendo.

IMPRESO EN LITOGRAFÍA ROSÉS, S. A.
PROGRÉS, 54-60. POLÍGONO LA POST
GAVÀ (BARCELONA)